W0014705

MICHAEL JÜRGS

Eine berührbare Frau

MICHAEL JÜRGS

Eine berührbare Frau

Das atemlose Leben der Künstlerin Eva Hesse

C. Bertelsmann

Verlagsgruppe Random House FSC-DEU-0100
Das für dieses Buch verwendete FSC-zertifizierte Papier *EOS*
liefert Salzer, St. Pölten.

1. Auflage

Umschlaggestaltung:
R·M·E Roland Eschlbeck und Rosemarie Kreuzer
Satz: DTP im Verlag
Druck und Bindung: GGP Media GmbH, Pößneck
Printed in Germany
ISBN: 978-3-570-00929-9

www.cbertelsmann.de

INHALT

VORWORT

Von Eva Hesse

»Nichts in meinem Leben ist normal«

Mir hat mein Arzt mal gesagt, dass er eine so unglaubliche Biografie wie die meine noch nie gehört hat. Haben Sie Taschentücher dabei? Es ist keine Kleinigkeit, mit dreiunddreißig Jahren an einem Gehirntumor zu leiden. Na ja. Mein ganzes Leben war so. Ich wurde in Hamburg geboren. Mein Vater war Strafverteidiger, und meine Mutter war die schönste Mutter der Welt. Sie sah aus wie Ingrid Bergman, und sie war depressiv. Meine Schwester wurde 1933 geboren, ich 1936.

Im Jahr 1938 gab es ein Pogrom mit Angriffen auch auf jüdische Kinder. Mich setzte man bald danach zusammen mit meiner Schwester in einen Zug. Wir fuhren nach Holland. Man steckte uns in ein katholisches Kinderheim, ich war immer krank. Meine Eltern kamen dann irgendwann auch nach Amsterdam, und irgendwie schafften sie es, uns alle nach England zu bringen. Der Bruder meines Vaters und dessen Frau endeten im Konzentrationslager. Niemand in meiner Familie, außer uns, hat es geschafft. Nur wir.

Wir konnten von England nach Amerika flüchten, kamen in New York im Sommer 1939 an. Mein Vater ließ sich umschulen zum Versicherungsagenten. Meine Mutter war die ganze Zeit krank. Ich gewöhnte mich daran, Angst zu haben. Mein Leben lang. Mich kann man leicht glücklich und leicht traurig machen, weil ich schon so viel durchgestanden habe. Ich glaube, meine Familie ist halb so wie die Kennedys. Wir haben nicht so viel Vermögen, aber auch bei uns war immer alles extrem. Nichts in meinem Leben ist normal, nichts, nicht mal meine Kunst. Die ist noch das Einfachste in meinem Leben. Ich habe als Künstlerin keine Angst. Ich scheue keine Risiken. Ich bin bereit, bis an die Grenze zu gehen … Ich ertrage keine sentimentalen Geschichten, keine netten Bilder, keine hübschen Skulpturen, keine Dekorationen an den Wänden. Das alles macht mich krank …

Mit Männern hatte ich viele Schwierigkeiten. Meine Ehe ging in die Brüche, was wieder schreckliche Verlustängste erzeugte. Aber so schlimm die Dinge auch waren, die mir passiert sind, so kann ich dennoch, oder vielleicht gerade deshalb, ungeheures Glück empfinden.«

Eva Hesse in ihrem letzten Interview,
wenige Wochen vor ihrem Tod 1970

1. KAPITEL

30. März 1970–29. Mai 1970

»Was mich heute schmerzt, kümmert mich bald nicht mehr«

Dass sie es am Ende geschafft hat, wenigstens das bekommt Eva Hesse noch mit. Es dringt trotz der Medikamente, die ihre Schmerzen dämpfen, aber gleichzeitig ihren Verstand einschläfern, zu ihr durch. Auskosten wird sie ihren Ruhm nicht mehr können, und auch das ist ihr bewusst. Das Gefühl, ihre Endstation Sehnsucht zumindest noch erlebt und noch wahrgenommen zu haben, mag ihr den langen Abschied erleichtert haben. Aber das ist nur eine Vermutung, und wahrscheinlich sogar eine ziemlich absurde, weil Sterben in keinem Alter leicht ist. Und ihr, vierunddreißig Jahre jung, dürfte es erst recht schwerfallen. Gern würde sie noch länger leben, zu gern.

Zum letzten Mal operiert worden ist sie am 30. März 1970. Am Tag zuvor, es war der Ostermontag, reichlich spät für diese Jahreszeit, war ein Schneesturm über New York gefegt, und ihre Schwester Helen Charash konnte wegen der verschneiten Straßen von New Jersey, wo sie mit ihrer Familie wohnte, nicht über den Hudson River zum Memorial Hospital in die First Avenue fahren. Sie wollte, »fast hysterisch vor Angst um Eva«, bei ihr sein, sobald sie aus der Narkose erwachte. Der Chirurg Dr. William Schapiro hatte Helen keine Hoffnung gemacht, dass er ihre Schwester durch die Operation noch retten könnte, es ging nur noch darum, ihr das Sterben möglichst zu erleichtern, den erneut gewachsenen Tumor zu entfernen, der diese quälenden Kopfschmerzen verursachte.

Inzwischen ist es Mai. Die Bandagen um den Kopf, die Eva Hesse das Aussehen einer ägyptischen Mumie verliehen hatten, worüber sie lachte, sind nicht mehr nötig. Draußen ist es warm, das Fenster bleibt tagsüber geöffnet, und falls die Todkranke nur noch ein bisschen durchhält, könnte sie nach dem Frühling sogar ein letztes Mal den Sommer in Manhattan einatmen.

Von ihrem Bett aus sieht sie, dass ihr Mädchentraum, als Künstlerin berühmt zu werden, in Erfüllung gegangen ist. Sie hat die Sterne berührt. Gegenüber an der Wand des Krankenzimmers, in dem sie nun seit sechs, sieben Wochen liegt, hängt das Titelbild der Mainummer von »Artforum«, dem wichtigsten Kunstmagazin der USA, Leitmedium für Maler, Bildhauer, Galeristen, Museumsdirektoren, Sammler. Junge Künstler, die von »Artforum« positiv erwähnt werden, können selbst negative Kritiken in der hier tonangebenden »New York Times« verkraften, so groß ist der Einfluss des Magazins. Eva Hesse wird nicht nur gelobt, die schöne New Yorkerin wird nicht nur als aufregendes Talent gefeiert – sie ist die Titelheldin. Ihre Skulptur *Contingent* ist auf dem Cover abgebildet. Ausgezeichnet sei Eva Hesse als Künstlerin und deshalb herausragend in der von Männern bestimmten Szene.

In der gaben damals tatsächlich malende und bildhauernde Machos den Ton an. Die waren nicht besser als verschwitzte Malocher, in beider Welt war man sich trotz aller intellektuellen Unterschiede einig, trafen sich die Ansichten auf einem gemeinsamen tiefen Niveau: Frauen seien dafür da, zu kochen und gefickt zu werden, »to cook and to be fucked«, gern auch in umgekehrter Reihenfolge. Diesen Spruch, eine stehende Redensart, hatte Eva Hesse von vielen ach so sensiblen Künstlern gehört, wenn ihnen auf Atelierfesten oder bei Vernissagen ein paar Gläser Whisky die Zunge gelöst hatten. Wenn es ihnen nicht um die eine Kunst ging, sondern nur mehr um das eine, ganz egal, mit welcher Künstlerin.

Sie wusste also aus Erfahrung, wovon sie sprach in dem Interview, das zur Titelgeschichte in »Artforum« gehörte. Worin sie beklagte, wie herablassend Frauen in der Kunstszene behandelt werden, ja: mit miesen Tricks unterdrückt und gemobbt, sobald sie sich mit ihren Objekten statt sich als Objekt darstellten, sobald Männer erkannten, dass ihnen Konkurrenz

»Das bin ich«: Cover des Magazins »Artforum«, Mai 1970, mit dem Objekt *Contingent* von Eva Hesse.

drohte und sichtbar Bessere auftauchten. Die Journalistin, die das Gespräch mit Eva Hesse geführt hatte, wusste aus ihrer Branche Gleiches zu berichten. Pauschalurteile, sicher, aber über die paar Ausnahmen zu reden lohnte sich kaum.

Lieber beschrieb Eva Hesse ihre Zeichnungen und Gemälde und Skulpturen, die eigentlich immer einen biografischen Ansatz hätten, der zu suchen sei in bestimmten Situationen ihres Lebens. Um ihre Kunst zu verstehen, brauchte allerdings keiner unbedingt ihr Leben zu kennen, ein solcher Zusammenhang war ihr zu simpel. Doch zu erkennen und diese Erkenntnis auch zu vermitteln, dass es mehr gebe als das, was man auf den ersten Blick sehen kann, ja, das wollte sie möglichst schon erreichen mit ihren Werken.

Sie gab überhaupt in dem langen Gespräch viel von sich preis, sprach zum ersten Mal offen von ihren Depressionen. Die hatte sie bisher selten ihren Freunden, oft ihren Freundinnen, meist ihren Tagebüchern und regelmäßig nur ihren Psychiatern anvertraut. Sie nannte ihre lebenslange Angst, verlassen zu werden, ihr »*terrible abandonment problem*«. Bekannte sich zu ihrem Vaterkomplex, den daraus resultierenden Schwierigkeiten mit Männern, auch mit denen, die sie leidenschaftlich begehrt und nicht nur verehrt hatte, sprach von ihrer Kindheit, von ihrer Krankheit, dem Gehirntumor, dessen Krebszellen zurückgekehrt waren, nachdem sie schon besiegt schienen, die sich jetzt aber nicht mehr vertreiben ließen. Sie nahm keine Rücksicht mehr. Weder auf sich noch auf andere.

Hauptsächlich aber ging es Eva Hesse nicht um ihr Schicksal, sondern um ihre Kunst. Die sollte sie überleben. Von der sollten die Leser des »Artforum« mehr erfahren, möglichst präzise. Noch konnte sie selbst etwas dazu sagen. Dass *Contingent* für den Titel ausgewählt worden war, erfuhr Eva Hesse erst, als sie das Cover an der Wand sah. Bei der Fotoproduktion in ihrem Atelier im Februar war es noch nicht entschieden. Es hätte ja auch ein anderes Foto werden können, jenes zum Beispiel, das sie mit ihrem *Rope Piece* zeigte, mit Kautschuk verzinkte, überzogene Seile und Nylonschnüre, hinter deren Struktur sie ihr Gesicht halb zeigt, halb verbirgt. Eine hängende Skulptur, die unvollendet blieb, deshalb letztlich auch *Untitled*, weil Eva Hesse kurz darauf ins Krankenhaus eingeliefert wurde und nicht mehr zurückkehren sollte in ihr Studio.

»Contingent« kann so viel bedeuten wie zufällig oder unvorhergesehen oder ungewiss. Kann aber auch einfach nur Aufgebot heißen. Sie bot einiges an Material auf, als sie nach vielen Konstruktionsskizzen mit der Arbeit begann: Fiberglas,

Polyesterharz, Latex, grobe Baumwolle und feinporiges Leinen. Zwei, mag sein drei, so genau weiß sie das nicht mehr, der insgesamt acht von der Decke in ihrem Atelier hängenden Tücher hatte sie noch selbst bearbeiten können, dann schaffte sie es nicht mehr. Assistenten mussten helfen, ihre Ideen umsetzen, Bill Barette, Doug Johns, Jonathan Singer, Martha Schieve.

Sie haben Eva Hesse alle hier im Krankenhaus besucht, und alle haben ihr versichert, bald werde sie geheilt zurückkehren in ihr Atelier, mit vielen neuen Ideen unter der Perücke, die sie nach der zweiten Operation trug, nachdem ihr durch die Chemotherapie die Haare ausgefallen waren. Die Perücke hatte ihr Ruth Vollmer geschenkt, eine mit Eva befreundete Bildhauerin. Kahlköpfig und mit deutlich sichtbaren Narben wollte sie sich nicht in ihrer gewohnten Umgebung zeigen, um nicht dauernd darüber reden zu müssen, was denn mit ihr los sei, woran sie leide, wie es ihr gehe. Sie hatte den künstlichen Haarersatz selbstverständlich auch über ihre Glatze und die Narben gezogen, als der Fotograf sie hinter ihren hängenden Schnüren aufgenommen hatte. Eva Hesse versteckt sich auf dem letzten Foto, das es von ihr gibt, hinter ihrer Kunst. Die beschützt sie vor allzu neugierigen Blicken.

Doch jetzt braucht sie keine Öffentlichkeit mehr zu fürchten. Ihre Außenwelt ist beschränkt auf dieses Krankenzimmer, in dem sie liegt, fünfter Stock, James-Ewing-Flügel, ein Nebengebäude des Memorial Hospital. Nur bei Besuchern, die sie nicht erschrecken will, setzt sie die Perücke noch auf, meist liegt die neben ihrem Bett auf dem Nachttisch.

Contingent war zum ersten Mal ausgestellt worden im Finch College Museum, und es hatte da einen ganzen Raum gefüllt. Besser gesagt: erfüllt. Acht von der Decke hängende Leinenfahnen unterschiedlicher Länge, wie auf dem Cover von »Artforum« zu sehen ist. Was man auf dem aber nicht erkennen kann, ist die eigentliche Faszination, die bei Licht, egal, wie stark, wie schwach das ist, aufstrahlende geheimnisvolle Leuchtkraft von *Contingent*, die den Raum erfüllt, in dem es hängt. Jeder Lichtstrahl spiegelt sich in dem durchsichtigen Polyesterharz, mit dem die Tücher überzogen sind. Das Kunstwerk lebt, weil es sich bei jedem Luftzug, bei jedem Lichteinfall zu verändern

Das verborgene Gesicht: Eva Hesse und ihr Netz-Werk *Rope Piece*, aufgenommen in ihrem Atelier im Februar 1970.

scheint. Und deshalb hat wohl jeder Besucher etwas anderes gesehen außer dem, was konkret sichtbar war – die hängenden, schwebenden, glitzernden Tücher.

Der Künstlerin war eine Interpretation deshalb nicht wichtig. Alle mögen sich ihren Teil denken, jeder möge selbst entscheiden, ob *Contingent* für ihn eher etwas Zerbrechliches,

Zerbröselndes hat oder eher himmlisch, überirdisch, ätherisch anmutet, verkündete Eva Hesse nicht nur in »Artforum«, auch in einer Art Manifest über ihre Kunst überhaupt, die im Katalog zur Ausstellung abgedruckt worden war. *Contingent* verbinde die Qualitäten von Altem und von Neuem, schrieb eine Kritikerin. Könnte auch nur eine neckische Spielerei sein, meinte Eva Hesse, sowohl in der Art als auch im Titel, gleichzeitig Weite und Nähe suggerierend, könnte etwas Geometrisches darstellen, etwas Menschenartiges und ihretwegen gern auch gar nichts. Bei jeder neuen Aufhängung würden sich sowieso andere Perspektiven ergeben.

Contingent ist vier Jahre nach Eva Hesses Tod in Canberra in der National Gallery of Australia gezeigt worden. Da der Rücktransport teurer gewesen wäre als ein Ankauf, haben sie es dort behalten für ein paar tausend Dollar, überwiesen an die Erben Eva Hesses. Der heutige Wert von *Contingent* liegt – so die eher vorsichtige Schätzung von Experten – zwischen sechs und neun Millionen Dollar.

Das Interview mit Eva Hesse, das ihr letztes sein sollte, aber das ahnte die eine nicht, und die andere, die es wusste, sagte deshalb alles, was sie schon lange hatte sagen wollen, wurde Ende Januar an drei Tagen unter schwierigen Umständen geführt. Eva Hesse musste immer wieder größere Pausen einlegen, um Kraft zu sammeln. Die Journalistin ließ ihr Zeit. Ihr eilte es nicht, sie würde eh die Erste sein, die ein großes Porträt der schönen Eva Hesse schrieb. Die ist schließlich, und so wird es im »Artforum« auch stehen, der kommende Star.

Eva indessen wartet auf den kommenden Tod. Er hatte im April in der Abteilung für Sterbenskranke bereits angeklopft, aber noch war er abgewiesen worden von Ärzten, Pflegern und von ihr sowieso. Soll er sich doch erst mal zu der alten Dame bemühen, die sie gestern – oder war es vorgestern? – eingeliefert haben. Eva Hesse will einfach noch nicht sterben.

So schön, wie sie einmal war, ist die New Yorkerin nicht

mehr. Die schweren Schmerzmittel, die sie einnehmen muss, haben ihr Gesicht anschwellen lassen. »*Moonface*«, Mondgesicht, nennen das die Mediziner, dagegen ist nichts zu machen, das sind die typischen Nebenwirkungen bei Cortison. Fünf, sechs Mal pro Woche, und dies über viele Wochen hinweg, bekommt sie Infusionen. Was sie über sich ergehen lässt: »Ich muss ziemlich krank sein, wenn ich das den Rest meines Lebens ertragen soll, diese Behandlungen«, und gelassen fügt sie hinzu, das sei nicht weiter schlimm, es werde sicher jemanden geben, der sie versorge. Egal, ob sie nun schön sei oder so bleibe wie jetzt.

Was an der Wand hängt, das ist schön. Das wird bleiben. Helen hat »Artforum« mitgebracht ins Krankenzimmer, hat Eva erst das Heft gezeigt, den Text vorgelesen, hat dann das Cover in Augenhöhe an die Wand geheftet, damit sie es immer gleich auf den ersten Blick sehen kann, wenn sie mal wieder aus ihrem Dämmerzustand erwacht. Ihre Schwester habe sich halb aufgerichtet in ihrem Bett, erinnert sich Helen, auf das Bild an der Wand gezeigt und gesagt: »That's me.« Das bin ich.

Kurze Sätze wie dieser fallen ihr noch leicht. Sobald es darum geht, längere Gedanken in logischer Reihenfolge mit passenden Worten auszudrücken, gerät sie in Schwierigkeiten. Helen Charash erzählt, dass ihre Schwester in den Wochen zwischen der Operation und ihrem Tod immer wieder abgedriftet sei, verwirrt war: »She was not mentally all there.« Als Eva einem Arzt den Besuch vorstellen will, der gerade an ihrem Bett sitzt, ihre Schwester und deren Schwiegermutter, lässt ihr Gedächtnis sie wieder mal im Stich. Weil sie das passende Wort nicht findet, sucht sie nach Umschreibungen. Das ist, das ist, das ist die Mutter vom Mann meiner Schwester. Oder sie verwechselt Begriffe, vermischt sie zu neuen Begriffen, die keinen Sinn machen, aber sie lacht selbst darüber, weil sie es merkt, bevor die anderen über sie lachen müssen.

Die anderen, das sind Freundinnen, die sie abwechselnd besuchen, Gioia oder Ethelyn oder Rosalyn oder Florette oder Grace oder die viel ältere Ruth, die ihr als Mutterersatz näher ist als die selbst jetzt noch so verhasste Stiefmutter namens Eva. Das sind Freunde oder ehemalige Liebhaber wie Mel oder Michael oder David oder der treue Doug, der ihr bereits nach der ersten Operation alle schweren Arbeiten abgenommen hat, oder Bill, der Feingeist, der von ihr den Auftrag bekommen hat, nach ihrem Tod drei bestimmte Kunstwerke zu zerstören, was er ihr versprochen und noch keinem gesagt hat.

Das ist aber insbesondere Helen Charash, zweieinhalb Jahre älter als Eva, die von allen Besuchern den weitesten Weg hat hierher nach New York ins Memorial Hospital. Die beiden haben sich in der Vergangenheit häufig gestritten, oft kein Wort mehr miteinander gesprochen, was Helen heute ohne Zögern bestätigt – »Wir hatten schwere Auseinandersetzungen« –, aber jetzt, da die Jüngere stirbt, ist das alles vergessen. Sie weiß, dass Eva nicht mehr gesund werden wird, und die weiß es auch. »Schon nach der zweiten Operation hatte mir ein Arzt gesagt, einfach so nebenbei, ja wissen Sie denn nicht, dass Ihre Schwester sterben wird? Eva stand keine zehn Meter entfernt. Das hat sie bestimmt gehört, also hat auch sie es gewusst. Sie hat es uns gegenüber nie erwähnt, und wir haben nie darüber gesprochen.«

Die Freundinnen wissen es auch, aber auch sie meiden das Thema Tod. Grace zum Beispiel, die sie als Letzte am Nachmittag ihres Todestages besuchte: »Ich wusste es, ja, ich wusste, dass sie sterben musste.« Sie und Helen hatten sogar mal darüber gesprochen, ob sie ihr die Wahrheit sagen sollten oder lieber nicht, und dann gemeinsam beschlossen, es doch nicht zu tun. »Es machte meine Beziehung zu Eva nicht besser, es war wie korrumpiert, ich wusste etwas, was sie nicht wusste. Ich fühlte mich unwohl. Aber auf der anderen Seite wusste ich auch, wie gerne sie noch leben würde, sie hatte diesen Drive, und den wollte ich ihr auch nicht nehmen, diese Überzeugung, es schaffen zu können, den hatte sie bis zum Schluss.«

Eine andere, Ethelyn, sitzt zufällig gerade bei ihr, hält ihre Hand, als Eva einen Arzt fragt, ob er glaube, dass der Krebs jetzt besiegt sei, und der nur kurz zögert und dann lieber ehrlich ist, statt wie üblich zu lügen. Nein, habe er geantwortet, ich hasse es, das sagen zu müssen, nein, ich glaube nicht. Eva habe ihr danach fest die Hand gedrückt, als wollte sie sagen, siehst du, wusste ich es doch.

Wie lange es noch dauern würde, das wusste niemand. Helen hatte sich die Adresse eines Sterbehospizes besorgt, das in der Bronx lag und einen guten Ruf hatte. Zu der Zeit waren Einrichtungen dieser Art, die es heute in jeder Stadt gibt, noch selten. Sie wollte für den Fall vorbereitet sein, dass ihr die Ärzte erklärten, nichts mehr für ihre Schwester tun zu können und das Bett leider für andere Patienten zu benötigen. Eva mit nach Hause zu nehmen, in dem Zustand, und sie dort sterben zu lassen, das hätte sie nicht geschafft.

Wie sich herausstellen sollte, wussten die Ärzte noch weniger, als sie zu wissen vorgaben. Ein paar Tage vor Evas Tod nämlich wurden Helen und ihr Mann ins Krankenhaus gerufen – es sei vorbei. Als sie ankamen, lebte Eva aber noch, war aus dem Koma erwacht. Sie blieben ein paar Stunden bei ihr, fuhren dann den weiten Weg zurück. Zwei Tage später erneut ein dringender Anruf, sie sollten schnell kommen. Da hatte Helens Mann zu seiner Frau gesagt, jetzt ist sie wirklich tot, sie würden es nicht wagen, dich noch einmal mit falschem Alarm nach New York zu holen. Es war der 29. Mai 1970, fast auf den Tag genau acht Wochen nach der letzten Operation.

Den Rest Leben, der ihr in den Wochen zwischen Ende März und Ende Mai blieb, hatte Eva Hesse festgehalten, als würde es noch ein Morgen geben. Hatte eine innere Stärke bewiesen, die ihre ja deutlich sichtbare Schwäche vergessen ließ.

Sie genießt es, dass einer ihr geradezu leidenschaftlich den Hof macht, als würde er hinter dem, was sichtbar ist, hinter der äußeren Hülle, die andere Eva erkennen, das zerbrechliche zarte Wesen, das mal alle Männer angehimmelt haben. Wenn er zu ihr kommt, setzt sie die Perücke auf. Er sei ein verdammt gut aussehender Kerl gewesen, erzählt Ethelyn, ein Dunkelhäutiger, Ronny oder Ruudi hieß er, so genau weiß sie das aber nicht mehr, ein Neger jedenfalls, was man damals noch habe sagen dürfen, ohne als Rassist zu gelten. Sie glaubt, dass es eine richtige Affäre gewesen sei, aber das glaubt außer ihr niemand von denen, die Ronny oder Ruudi kannten. Grace nennt ihn auf ihre feine Art eine »letzte Liebe im Krankenhaus«, und Evas Schwester Helen bestätigt nur, dass es ihn gegeben hat.

Ach was, widerspricht Gioia, diese Geschichte sei nicht so wichtig gewesen. Solange Eva einigermaßen klar habe reden können, solange sie noch mitbekommen habe, was um sie herum vorging und wer was zu ihr sagte, hätten sie miteinander ausschließlich über Kunst gesprochen, über ihre Arbeiten. Kunst habe sie immer am meisten interessiert in ihrem Leben. Als Gioia ihr erzählte, wer irgendwo eine Ausstellung gehabt hatte und wer was darüber geschrieben hatte, habe Eva alles wissen wollen, weil sie zumindest die aus der New Yorker Szene alle schon lange kannte, Claes Oldenburg oder Richard Serra, Robert Ryman oder Donald Judd, Louise Bourgeois oder Robert Morris, Sol LeWitt oder Lee Bontecou, Jasper Johns oder Bruce Nauman. »Ich war dabei, als sie ihre letzte Zeichnung gemacht hat, im halbdunklen Zimmer im Bett sitzend, schwarze Kreide, Papier, mehr hatte sie nicht mehr. Vielleicht war es nur eine Bleistiftzeichnung. Auf jeden Fall wollte sie unbedingt wissen, wie es mir gefiel. Ich fand es lustig, sie auch.«

Beide hätten sie gelacht.

Rosalyn, von ihr Rosie genannt, die sie nicht besser, aber

viel länger kannte als die anderen Frauen, kam fast jeden Tag ins Krankenhaus. Ihr ist vor allem in Erinnerung geblieben, wie tapfer ihre Freundin gewesen ist. Nach Evas Tod hat sie fast zehn Jahre lang nicht darüber sprechen können, irgendwann sich plötzlich ihre Gedanken in einem anrührenden Gedicht von der Seele geschrieben, »Eva, my friend, beautiful ...«, hat ihr Talent gepriesen, ihr Genie, ihre Fürsorge, ihre Schwäche und ihre Stärke, ihre Schönheit und ihre Sensibilität, ihre Angst und ihre Heiterkeit, ihren Sinn fürs Absurde und ihren Humor, und geschildert, wie Eva sich veränderte, als der Tod sie fester und fester umarmte, sie lebend aufgefressen habe, »eating her up alive«.

»Was mich heute schmerzt, kümmert mich bald nicht mehr« – »my mind goes past today's pain« –, lautet eine der letzten Eintragungen in einem der Tagebücher, in denen Eva Hesse auf vielen hundert Seiten, beginnend als Achtzehnjährige, notiert hat, was sie bewegte. Das war Ende Januar. Danach hat sie nicht mehr viel geschrieben. Warum sollte sie in ihrem Zustand also noch bekümmern, was sie mal so bekümmert hatte?

Und alle, die sie im Leben verlassen hatten und die sie verlassen hatte, durfte sie in der Erinnerung zu sich holen, keiner ihrer Liebhaber konnte ihr jetzt entkommen, alle mussten in ihrer verlöschenden Innenwelt noch einmal auftreten, sich von ihr verabschieden. Liebeskummer war im Angesicht des Todes schließlich zweitrangig. Zumal Liebeskummer von einst, der von gestern oder von vorgestern. Außerdem hatte sie, egal, ob der nun Ronny geheißen hat oder Ruudi, bis zum Schluss das Gefühl, geliebt zu werden.

Stand da nicht Victor am Fenster, ihr Victor, der göttliche Prinz, wie sie ihn damals nannte, als sie zusammen studierten und einander ewige Liebe versprachen? Oder war es nur ein Schatten von Victor, hatte sie sich täuschen lassen von Nachtgespenstern, von ihrem Zustand zwischen Bewusstsein und Verdämmerung, war es vielleicht doch Chet, den sie einst mit

Mark betrogen hatte und der dann eine andere heiratete? War das da in der Ecke nicht Stan, mit dem sie sich so gut verstand, auch dann noch, als sie nicht mehr das Bett mit ihm teilen wollte? War der da hinten neben dem *Contingent*-Cover nicht Wilbert, ihr erster Liebhaber, oder war es Louis, der viele Jahre nach ihm kam?

Und der andere dort drüben, ist das der junge reiche Deutsche, und der da, ist das der Japaner, der ihr das Material Kautschuk lieferte, und der, ist das nicht Michael, der Bildhauer, die letzte Liebe draußen in SoHo, bevor sie ins Krankenhaus eingeliefert wurde? Und der da, der neben ihrem längst vor ihr verstorbenen Vater William stand, das war doch nicht etwa ihr mal über alles geliebter Ehemann Tom Doyle, mit dem sie seit Jahren kein einziges Wort mehr gewechselt hatte, weil er sie für eine andere verlassen hatte? Schon deshalb nicht in eine Scheidung einwilligte, damit die andere nicht seinen Namen tragen konnte? Sie ist die einzige Frau Doyle, eingeliefert hier im Krankenhaus als Mrs. Eva Hesse-Doyle, und als Frau Doyle wird sie sterben.

Am Ende hat sie selbst ihm verziehen, das weiß Gioia genau. Eva bat sie nämlich, Tom auszurichten, dass sie versöhnt mit ihm scheiden würde. Das war es nicht allein, warum sie es nie vergessen hat, dieses Verzeihen auf dem Totenbett – sie habe in dem Moment gewusst: »Jetzt ist es vorbei mit ihr. Sonst hätte sie das über Tom bestimmt nicht gesagt.«

In der letzten Woche sprach sie manchmal »Deutsch mit jemandem, der gar nicht da war. Ich verstand natürlich kein einziges Wort«, erzählt ihre Freundin Ethelyn, und Rosalyn, die jahrelang neben Eva in Gruppensitzungen saß, von demselben Psychiater behandelt wurde, der auch Eva zu therapieren versuchte, meint sich sogar zu erinnern an geradezu aggressive Ausbrüche in der Sprache, die auch sie nicht verstand. Sie glaubt, es sei um Nonnen gegangen, *»nuns«* klingt ja wie »Nonnen«, und sie glaubt es noch immer, und vor allem deshalb, weil Eva in einer Therapiestunde mal erzählt hatte, dass sie als kleines Kind von Nonnen Schläge bekommen hatte, um sie fürs Bettnässen zu bestrafen.

Die Einzige, die das hätte verstehen können, als sie am Ende ihres Lebens, fast in einer anderen Welt angekommen, Deutsch sprach, als die mitgebrachten Blumen von Florette, weiße Magnolien aus dem Garten, verblüht waren, ist ihre Schwester Helen gewesen. Es war die Sprache ihrer Kindheit, die Sprache des Landes, in dem Eva und Helen geboren wurden, die Sprache des Landes, aus dem sie als Kinder hatten fliehen müssen: Deutschland.

2. KAPITEL

1936–1939

»Meine ererbte Vergangenheit Deutschland«

Ob nur Eva geschluchzt hat, als ihre Eltern im Wartesaal des Bahnhofs zurückblieben, ob beide Kinder losheulten, weil sie Angst hatten vor den vielen Männern in Uniform, ob auch ihre Mutter geweint hat, weiß Helen nicht mehr. Eva Hesse war nicht ganz drei Jahre alt, ihre Schwester Helen schon fünf. »Ist zu lange her«, sagt die heute dreiundsiebzigjährige Helen Charash, geborene Hesse, schließt die Augen und blickt zurück auf Szenen ihrer verlorenen Vergangenheit. »Meine persönliche Erinnerung ist gemischt mit allem, was mein Vater erzählte oder aufschrieb. Ich erinnere mich aus dieser Zeit nur an Besuche meiner Freundinnen und an einen geschmückten Geburtstagstisch, bin aber nicht mehr sicher, ob das noch dort in Hamburg war oder schon hier in New York.«

Hier in New York, das ist die Stadt, in die sie am 23. Juni 1939 aufgenommen wurde. Dort in Hamburg, das ist die Stadt, die sie am 12. Dezember 1938 verlassen musste.

An jenem Montag im Dezember verabschieden sich Ruth und Wilhelm Hesse im Wartesaal des Bahnhofs Altona, der laut Anweisung des Hamburger Polizeipräsidenten für gewöhnliche Reisende gesperrt worden ist, von Eva und Helen. Sie dürfen ihre Kinder nicht ins Zugabteil bringen und bis zur Abfahrt bei ihnen bleiben, dürfen sie nicht mal auf den Bahnsteig begleiten, sie auf der Plattform noch einmal umarmen, ihnen wenigstens bei der Abreise nachwinken.

In aller Öffentlichkeit voneinander Abschied zu nehmen ist

jüdischen Familien verboten, nicht nur denen heute in Altona, sondern auf all den Bahnhöfen, wo Sonderzüge dieser Art eingesetzt wurden. Die uniformierten Aufseher befürchten Aufsehen unter der Bevölkerung, wollen Unruhe oder Proteste

Die Erbin: Eva Hesses Schwester Helen Charash lebt in Manhattan.

von womöglich doch noch anständigen Ariern vermeiden. Die wären selbst in diesen Zeiten immerhin denkbar beim Anblick sich schreiend und weinend an ihre Eltern klammernder Kinder.

Wahrscheinlich spüren Eva und Helen, dass an diesem Tag alles anders ist als bei Ferienreisen mit ihren Eltern. Aber warum es eine Reise ohne Wiederkehr sein wird, haben die ihnen natürlich nicht sagen können, weil die Mädchen noch zu klein waren, zu jung, um die Gründe zu verstehen. In die niederländische Hauptstadt Den Haag sollen sie fahren. Da werden die beiden Schwestern von ihrer Tante Martha und ihrem Onkel Nathan erwartet.

Der Wartesaal ist voller Kinder. Für die meisten von ihnen, etwa dreihundert sind es insgesamt, die von ihren Eltern hierher nach Altona gebracht worden sind, ist nicht Den Haag, sondern Hoek van Holland, wo es für sie per Fährschiff weitergeht nach England, Endstation der Reise. Die Abfahrtszeiten des Zuges stehen auf keinem Fahrplan. Bei den deutschen Dienststellen wird er als außerplanmäßiger Kindertransport geführt.

Zwischen Dezember 1938 und Ende August 1939 gab es viele solche außerplanmäßigen Sonderzüge, mit denen bis zum Überfall auf Polen, als die Deutschen den Zweiten Weltkrieg begannen, jüdische Kinder Deutschland verlassen mussten – oder verlassen durften. Damals schien ihnen »mussten« sicher der passendere Ausdruck, weil sie getrennt wurden von allem, was ihnen lieb war, und von allen, die sie liebten. Im Rückblick auf die Zeit, die dann kam, ist dagegen »durften« das richtige Wort. Denn die Zurückbleibenden wurden fast alle ermordet.

Die meisten der insgesamt rund elftausend Kinder, die in den nächsten Monaten den Nazistaat mit der Bahn Richtung Holland und von holländischen Häfen aus per Schiff Richtung England verließen, auf der britischen Insel Zuflucht fanden bei einheimischen Patenfamilien, haben ihre Angehörigen zum letzten Mal in einem Wartesaal auf einem Bahnhof – Wien, Prag, Berlin, Hamburg – gesehen und erst nach dem Krieg erfahren, woran es lag, dass sie irgendwann keine Briefe mehr von ihnen bekamen. Ihre Eltern waren im Zuge der dann »Endlösung« genannten »Entjudung« ermordet worden, in Bergen-Belsen, in Treblinka, in Majdanek, in Auschwitz, überall dort, wo der Tod ein Meister aus Deutschland war.

Wie alle jüdischen Väter und Mütter, die wenigstens ihre Kinder vor dem Naziterror in Sicherheit bringen wollten, werden Ruth und Wilhelm Hesse ihren Töchtern, um sie zu beruhigen, um ihnen die Angst zu nehmen, versprochen haben, bald nachzukommen. Doch ob es tatsächlich so gewesen ist, weiß Helen nicht mehr.

Seine Gefühle beim Abschied an jenem 12. Dezember schilderte Wilhelm Hesse erst Monate später in einem seiner Tagebücher, die nur unverdächtig Familiäres enthielten, solange er und seine Nächsten noch in Deutschland lebten. »Es kam zu einem traurigen Abschied von den Kindern auf dem Bahnhof Altona. Wird es ein Wiedersehen geben? Werden wir zuvor ermordet? Wir durften nicht mit auf den Bahnsteig. Helen und Evchen hielten sich an den Händen und gingen zum Zug, umgeben von Zollbeamten und Gestapo, die in Wirklichkeit Kriminelle in Uniform waren. Die Kinder begriffen nicht das Tragische der Situation. Aber wenigstens sie sind erst einmal gerettet.«

Ursprünglich hatte Wilhelm Hesse geplant, gemeinsam und gleichzeitig mit der gesamten Familie Deutschland zu verlassen, sich eine neue Existenz in den Vereinigten Staaten aufzubauen. Wie schwer das werden würde, war ihm bewusst, aber er sah keine Alternative zur Emigration. Erna und Moritz Marcus, Mutter und Vater von Ruth Hesse, die aus Hameln 1935 hierher nach Hamburg gezogen waren, weil sie ihr dortiges Möbelgeschäft hatten aufgeben müssen, wollten sich Tochter und Schwiegersohn und Enkeln anschließen.

In der Kleinstadt Hameln, der Heimat des legendären Rattenfängers, begann wie überall in deutscher Provinz der bald alltäglich werdende Psychoterror gegen die deutschen Juden früher als in den großen Städten. Bereits am 1. April 1933 war in der lokalen »Deister- u. Weserzeitung« ein »Aufruf an die deutschen Schwestern und Brüder in Hameln Stadt u. Kreis« erschienen, unterzeichnet von einem »Aktionskomitee zur Abwehr der jüdischen Hetze im Auslande«, in dem zum Boykott jüdischer Geschäfte, Ärzte und Rechtsanwälte aufgefordert wurde.

Zu den mit Namen und Adresse aufgeführten jüdischen Bürgern Hamelns gehört auch der Möbelhändler Marcus aus der Osterstraße, der zudem Anteile an den ebenfalls in der

Boykottliste genannten Kammerlichtspielen besitzt. In der gedruckten Volksverhetzung ist deutschen Brüdern und Schwestern, die sich angesprochen fühlen, allerdings noch »streng verboten das Zertrümmern von Fensterscheiben sowie Ausschreitungen und Misshandlungen«.

Dreißig Jahre danach wird Eva Hesse, begleitet von ihrem Mann, mit dem sie zu jener Zeit eine ehemalige Fabriketage im Ruhrgebiet bewohnte, nach Hameln fahren, auf Spurensuche in »meine ererbte Vergangenheit Deutschland«, dabei in der Osterstraße 17 das Haus finden, »arrived 3:30 found house immediately«, unbeschädigt trotz Kriegs. Sie wird Klassenkameradinnen von Ruth Marcus treffen, »two of mom's schoolfriends«, um mehr über Ruth Hesse – und damit auch über sich – zu erfahren, »wo ich herkam und aufwuchs und schon damals (wer weiß?) beschädigt aufwuchs«. Wird mit der Tochter des Mannes sprechen, der damals ihren Großeltern das Geschäft für einen Bruchteil des tatsächlichen Wertes abkaufte. »Ich, die ich so gut wie nichts über ihre Familie weiß oder über meine Großeltern … Ich kannte sie nie, ihr Leben … sie nicht mich oder meins.«

Ihr Vater hatte für Eva aufgeschrieben, was ihm noch im Gedächtnis geblieben war von den Erzählungen seiner Frau aus ihrer Jugendzeit in Hameln, darunter ihm vertraute Namen und bekannte Adressen von Freundinnen und Nachbarn. Ihre Mutter selbst konnte Eva nicht mehr befragen. Die war schon seit vielen Jahren tot, als ihre Tochter in Hameln das einstige Haus ihrer Großeltern Marcus suchte.

Was Eva anschließend über ihre Gefühle damals notierte, über die »Mission einer neuen Generation«, die »ihre Vergangenheit aufsucht«, steht in einem ihrer Tagebücher. Die Großeltern väterlicherseits haben sie und ihre Schwester nie erlebt, die sind Mitte der zwanziger Jahre verstorben und waren auf dem jüdischen Friedhof im Hamburger Grindelviertel beerdigt worden.

Angesichts des Pogroms vom 9. November 1938, im menschenverachtenden Jargon der Nazis »Reichskristallnacht« genannt, weil in dieser Nacht Tausende von Schaufenstern eingeschlagen wurden – Misshandlungen von Juden und Ausschreitungen waren jetzt nicht mehr wie noch in jenem Hamelner Aufruf verboten, sondern erwünscht –, änderte Wilhelm Hesse seine ursprünglichen Pläne und kümmerte sich nur noch darum, Eva und Helen in Sicherheit zu bringen. Sein jüngerer Bruder Nathan, der seit längerem mit seiner Frau Martha in Den Haag lebte, wo er sich geschützt glaubte vor dem System, das in seiner Heimat herrschte, sollte dabei helfen: »Nach dem 10. November, als alle Synagogen zerstört, alle jüdischen Geschäfte zertrümmert, fast alle Männer verhaftet und schreckliche Grausamkeiten gegen die Juden überall in Deutschland verübt worden waren, versuchte man alles, um wenigstens die Kinder so schnell wie möglich zu retten. Onkel Nathi schaffte es, sie nach Holland zu holen.«

Für den gesteuerten Ausbruch »spontanen« Terrors hatten die willigen Vollstrecker von Hitlers Befehlen nur einen passenden Anlass gesucht und in der Ermordung des deutschen Legationssekretärs Ernst vom Rath in Paris gefunden. Danach ließen sie in der Nacht vom 9. auf den 10. November 1938 den Mob, der sie gewählt hatte, von der Kette. Generalfeldmarschall Hermann Göring, auch Beauftragter für den wirtschaftlichen Vierjahresplan des Deutschen Reiches, forderte zusätzlich bereits zwei Tage danach in zynischer Verhöhnung der Opfer als »Sühneleistung der Juden deutscher Staatsangehörigkeit« wegen der »feindlichen Haltung des Judentums gegenüber dem deutschen Volk und Reich, die auch vor feigen Mordtaten nicht zurückschreckt«, die Zahlung von einer Milliarde Reichsmark an das Deutsche Reich.

Zuständig für Festsetzung und Einziehung der Zwangsabgaben sind die örtlichen Finanzämter und ihre Devisenstellen. Viele Beamte haben bei den nächtlichen Ausschreitungen an der Seite von SS, SA und Polizei im Namen des Volkes bereits tatkräftig mitgeholfen, manchmal sogar einer dienstlichen Anweisung ihrer Vorgesetzten folgend. Der auf Wilhelm Hesse entfallende Anteil dieser »Sühne« wird laut Bescheid des Hamburger Oberfinanzpräsidiums vom 6. Dezember 1938 dann mit 24 000 Reichsmark berechnet, die sich die Behörde von Hesses gesperrtem Konto holt.

In den Jahren vor dem Novemberpogrom haben bereits mehr als fünftausend Juden Hamburg freiwillig verlassen, die zweitgrößte Gemeinde Deutschlands hat ein Viertel ihrer Mitglieder verloren. Bei der zuständigen Devisenstelle des Oberfinanzpräsidiums stapeln sich die Ausreiseanträge Hamburger Juden, die nur noch eines wollen, koste es sie, was die anderen von ihnen wollen: raus aus dem Nazireich. Manche glauben noch immer, dass sich im Land ihrer Väter, das nicht mehr ihr Vaterland ist, alles mal wieder zum Besseren wenden könne, und beschließen zu bleiben. Ein tödlicher Irrglaube. Viele wiederum, die Deutschland verlassen möchten, besitzen nicht genügend Geld, um sich die Emigration leisten zu können, und haben keine Verwandten, die in der Fremde für sie bürgen. Auch sie werden mit ihrem Leben bezahlen müssen.

Die Antragsteller, die sowohl Vermögen als auch Bürgen im Ausland vorweisen können, werden vor ihrer Ausreise systematisch vom Staat ausgeplündert, wie Wilhelm Hesse erfahren wird. Damit nichts dem Staat entging, war mit dem Antrag auf Auswanderung eine detaillierte Aufstellung des gesamten Eigentums vorzulegen. Die Konten wurden per Sicherungsanordnung – wofür es ebenfalls Vordrucke gab – gesperrt, und von da an hatten die Inhaber keinen Zugriff mehr auf ihr Vermögen, weder auf Wertpapiere noch auf Sparguthaben. Für die Bedürfnisse des täglichen Lebens – die meisten Juden konnten wegen der Berufsverbote ihren Unterhalt nicht mehr selbst verdienen, allein in Hamburg waren dreitausend von ihnen auf Almosen und Suppenküchen angewiesen – wurde nach

Genehmigung durch die Finanzbeamten ein geringer Betrag freigegeben.

In Hamburg, gerühmt mal als weltoffene Stadt, hatten die Nazis 1933 bei der letzten freien Wahl zur Bürgerschaft 38,9 Prozent der Stimmen bekommen. Das Ergebnis lag knapp fünf Prozent unter dem Durchschnitt der NSDAP-Quote im Deutschen Reich und nährte nach der Befreiung 1945 die Legende, Hamburg sei wegen seiner traditionell starken sozialdemokratischen und kommunistischen Arbeiterschaft und wegen seines liberalen Bürgeradels weniger nazigläubig gewesen als andere Städte. Was nicht stimmt. Die ursprünglich als proletarische Splittergruppe verachtete NSDAP regierte, getragen von der nicht mehr heimlichen Sympathie des hanseatischen Bürgertums, die Metropole im Ungeist der Zeit. Hamburg degenerierte im Dritten Reich zu einer ganz gewöhnlichen deutschen Stadt.

Knapp zwanzig Jahre zuvor, im August 1914, hatten die deutschen Juden dem Land, in dem sie jetzt gedemütigt und verfolgt werden, noch Treue bis in den Tod versprochen. »In schicksalsschwerer Stunde ruft das Vaterland seine Söhne unter die Fahnen«, leitartikelten die »Hamburger Jüdischen Nachrichten« geschwollen deutschtümelnd wie alle anderen Blätter. »Dass jeder deutsche Jude zu den Opfern an Gut und Blut bereit ist, die die Pflicht erheischt, ist selbstverständlich.«

Nun nimmt ihnen der Staat, für den sie in den Großen Krieg gezogen sind, ihr Gut, und dass er ihnen bald auch das Leben nehmen wird, ihr Blut, steht für Wilhelm Hesse nach dem Novemberpogrom fest. Seine Töchter Eva und Helen will er um jeden Preis retten.

Erste Station der Reise ins Ungewisse, die dann am 12. Dezember 1938 auf dem Bahnhof Altona beginnt, sind die benachbarten Niederlande. Hier waren die – wie in anderen Ländern auch – geltenden Bestimmungen, wonach aus Deutschland nur einwandern durfte, wer die Zusage für eine feste Arbeitsstelle oder genügend Geld oder finanzkräftige Bürgen und Verwandte vorweisen konnte, wegen der in allen Zeitungen geschilderten Ereignisse vom 9. November gelockert worden. Die Aufenthaltserlaubnis bekamen in erster Linie Kinder, nicht Erwachsene. Wegen der hohen Arbeitslosenzahlen hätte es sonst Proteste in der Bevölkerung geben können.

Die »Reichsvertretung der Juden« in Deutschland führte Listen mit Härtefällen, die ihr aus den Gemeinden gemeldet worden waren, und bestimmte danach, welche Kinder zuerst ausreisen sollten. Auf diese Entscheidungen hatte Evas und Helens Vater keinen Einfluss, also wählte er den direkten Weg. Nathan Hesse, ein wohlhabender Kaufmann, sprach auf Bitten seines Bruders bei den zuständigen Stellen in Den Haag persönlich vor, um seine Nichten schnellstmöglich ins Land holen zu können, und er garantierte, für ihren Unterhalt aufzukommen.

Das »Königlich Niederländische Konsulat« in Hamburg bescheinigte deshalb bereits am 22. November 1938, dass »die Einreise der Kinder Helen und Eva Hesse« von der niederländischen Regierung genehmigt worden sei. Wichtig waren das amtliche Hoheitszeichen und die Unterschrift des Generalkonsuls in dem Brief, unwichtig dagegen, dass für beide Mädchen ein falsches Geburtsdatum notiert war. Bei Helen war es der 31. statt der 30. Juni 1933, Eva dagegen, geboren am 11. Januar 1936 und nicht, wie vermerkt, am 11. Januar 1935, war auf dem Dokument ein ganzes Jahr älter geworden, als sie tatsächlich war.

Auf dem Formular, mit dem daraufhin von der Hamburger Behörde ihre Ausreise erlaubt wird, ist in der Handschrift des Beamten sowohl bei Eva als auch bei Helen festgehalten: »*mit Kindertransport*«, und dass von Seiten der Devisenstelle »keine steuerlichen Bedenken gegen die Auswanderung bestehen«. Laut Vermerk und Stempel wird dies ihrem Vater am 9. Dezember mündlich mitgeteilt, nur zwei Tage nach dem schriftlichen Antrag, den er mittwochs im Namen seiner Töchter im Amt abgegeben hatte.

Wilhelm Hesse verliert keine Zeit. Der nächste Kindertransport nach Holland ist für den folgenden Montag geplant, und mit genau dem sollen Eva und Helen die feindlich gewordene Heimat verlassen.

Er weiß, warum er so drängt. Dr. Hesse ist schließlich Jurist und einer der besten. Auch wenn er seinen Beruf nicht mehr ausüben darf, so kennt er sich doch genauestens aus in juristischen Klauseln. Die Erlaubnis zur Ausreise gilt zwar bis zum 31. Dezember, ist aber eine »jederzeit frei widerrufliche«, und das Risiko zu warten will er nicht eingehen. Über die Gespräche, die er darüber mit seiner Frau Ruth führte oder über ihre Verzweiflung und ihre Ängste, gibt es damals keine Eintragungen in seinen Tagebüchern, auch später nicht. Ruth Hesse selbst schrieb zum letzten Mal 1936 etwas in die Familienchronik ein – »Leider spuckt Evchen mehr, ihre Ernährung wird geändert« –, danach hat sie alle Einträge ihrem Mann überlassen.

Wilhelm Hesses Kampf, seine Familie zu retten, muss deshalb so genau beschrieben werden, um zu verstehen, warum Eva Hesse zeitlebens das Gefühl der Verlorenheit, des Verlassenseins, nie loswurde. Zwar hat Little Eva damals nicht begriffen, nur gespürt, was passierte, aber sie hat später in den Aufzeichnungen ihres Vaters alles nachlesen können und in vielen Therapiesitzungen nach den in früher Kindheit wurzelnden Ursachen für ihre immer wieder aufbrechenden Depressionen gesucht.

Alle Kinder, die zwischen Dezember 1938 und Ende August 1939 Deutschland verließen, trugen eine Kordel um den Hals. An der hing, manchmal in ein Kuvert gesteckt, in dem Name und Adresse verzeichnet waren, eine Nummer. Diese Zahl stand gleichfalls auf ihrem Gepäck, damit es in der Fremde, hauptsächlich in England, wo es »zuging wie auf einem Viehmarkt, weil so viele Kinder auf einmal vom Bord der aus Holland kommenden Schiffe strömten«, identifiziert werden konnte.

Je ein Koffer mit »unverzichtbaren Gegenständen für den persönlichen Gebrauch« ist Eva und Helen zugestanden worden, und selbst das Unverzichtbare, das ihre Eltern da einpack-

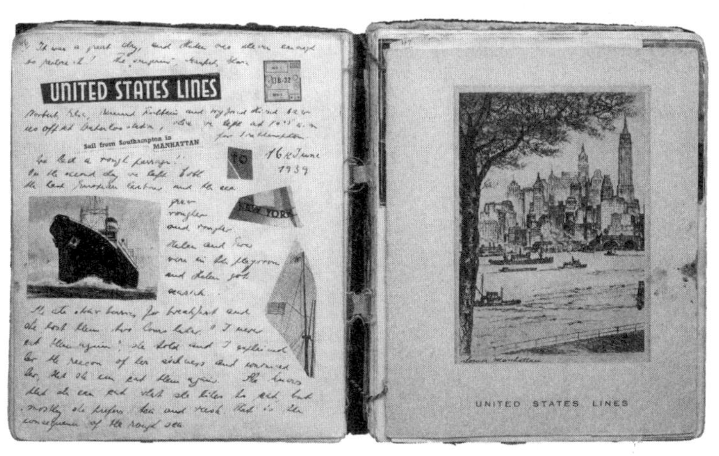

Der Chronist: Auszüge aus den Tagebüchern, die Evas und Helens Vater für seine Töchter führte.

ten, wurde kontrolliert. Das Verzeichnis der »bei der Auswanderung von den beiden Töchtern Helen und Eva Hesse nach Holland mitgenommenen Gegenstände« legten die Zöllner, die ihr Vater in seinem Tagebuch mal »Kriminelle in Uniform« nennen wird, in der Akte Wilhelm Israel und Ruth Sara Hesse ab.

Die Eheleute waren wie alle deutschen Juden verpflichtet, aufgrund eines Vorschlags des Juristen Hans Globke, der nach dem Krieg unter Konrad Adenauer als Staatssekretär und Chef des Kanzleramts am Kabinettstisch sitzen wird, Israel und Sara als zusätzlichen Vornamen in ihre Ausweise eintragen zu lassen. So waren sie abgestempelt, gebrandmarkt und vogelfrei.

Im Hamburger Staatsarchiv ist die Akte Hesse erhalten, sogar die Liste mit dem, was Eva und Helen auf der Reise dabeihatten. Fast siebzig Jahre danach liegt sie vor Helen Charash in New York auf dem Tisch. Sie liest jeden Posten halblaut, als müsse sie ihre eigene Stimme hören, um es zu begreifen. Die deutsche Aussprache der so lange nicht gebrauchten und nicht gehörten Begriffe bereitet der Amerikanerin aber keine Mühe: »1 Koffer. 2 Mützen. 1 Mantel. 1 Regencape. 2 Gamaschenhosen. 1 Schal. 1 Trainingsanzug. 2 Paar Handschuhe. 2 P. Stiefel. 1 P. Hausschuhe. 2 Pullover. 4 Kleider m. Schlüpfer. 2 Schürzen. 1 Kittel. 2 Leibchen. 4 Hemdhosen. 4 Schlüpfer. 3 Schlafanzüge. 1 Schlafhose. 10 Taschentücher. 9 Paar Socken. 3 Lätzchen. 1 Bademantel. Waschsachen.«

Details des Abschieds von ihren Eltern in Altona und von Stationen der Reise nach Holland hat Helen zwar aus ihrer Erinnerung gelöscht. Es sei aber noch immer so, meint sie, und das wahrscheinlich begründet im »früh Erlebten, als wir abfuhren in Hamburg, dass ich es nicht aushalte, auch physisch nicht aushalte, wenn ich jemand suche in größeren Menschenmengen, in einem Museum oder in einem Zug und den Gesuchten nicht gleich finde. Draußen unter freiem Himmel passiert mir das nie. Das kommt wohl von dieser Erfahrung.

Es müssen tiefe Wunden sein von damals, die sowohl Eva hatte als auch ich.«

Das lebenslange Trauma ihrer Schwester, fügt sie hinzu, die stetige Angst, verlassen zu werden von denen, die sie liebt oder zu lieben glaubt, sei auch erklärbar durch die Trennung von den Eltern im Wartesaal, durch die Zugfahrt und die folgenden Monate des Alleinseins im holländischen Kinderheim.

Was viele Kritiker nach Eva Hesses Tod zum Anlass nahmen, ihre Kunst eindimensional aus früher Verlustangst zu erklären, aus der Erfahrung des Holocaust, den sie tatsächlich ja nie erlebt hat. Ihr Psychiater Samuel Dunkell ist bis heute überzeugt davon, dass sie an einem »posttraumatischen Stresssyndrom« litt. Ihre Freundin Rosalyn Goldman, die sie in einer Therapiegruppe kennengelernt hatte, meint gar, Evas Leben und Evas Kunst seien nicht zu begreifen ohne das frühkindliche Trauma des Naziterrors.

Sogar die ironische Bemerkung des Bildhauers Tom Doyle, der einmal auf entsprechende Fragen geantwortet hatte, der Künstler mit dem größten Einfluss auf seine Frau sei nicht Jasper Johns oder Andy Warhol oder Claes Oldenburg oder Richard Serra gewesen, sondern Adolf Hitler, nahmen Hesse-Deuter ernst und interpretierten seinen zynischen Scherz wörtlich.

Das Erleben, verlassen zu sein, oder die Angst, verlassen zu werden, hat Eva Hesse selbst zwar oft in ihren vielen Tagebüchern beschrieben. Das traumatische Gefühl, in frühester Kindheit geboren, prägte ihre Kunst so wie ihre Beziehungen. Aber eben nicht nur. Ihr Freund, der amerikanische Künstler Mel Bochner, sieht in Eva Hesse vor allem »das Heitere, das Licht, das sie ausstrahlte. Sie war fröhlich, sie war besessen, sie war intelligent, sie war ein wunderbares Wesen.«

Was sinngemäß bereits Wilhelm Hesse über seine jüngste Tochter, damals zwei Jahre alt, in seinem Tagebuch als besondere Eigenschaften des »rascal« Eva, des Frechdachses, notiert hatte: »Vor allem ist sie lustig, hat ein fröhliches Gemüt, ist im tiefsten Wesen komisch.« Später wird er den Unterschied zwischen seinen beiden Töchtern so beschreiben, dass die eine, Eva, emotional und voller Feuer, aber auch sprunghaft sei, die andere, Helen, eher ernst und sensibel.

Während der Zugfahrt nach Holland kümmerte sich ein junges Mädchen, Miriam Aaron, damals sechzehn Jahre alt, um die Kinder. Onkel Nathan und Tante Martha, die sie auf dem Bahnhof in Den Haag erwarteten, durften ihre Nichten nicht mit zu sich nach Hause nehmen. Platz genug hätten sie zwar gehabt in ihrer Wohnung, und bis Ende Oktober gab es auch noch keine Beschränkungen. Doch nach dem Novemberpogrom, das die holländische Regierung offiziell bedauerte, während ihr die Lage der Juden in Deutschland nicht lebensbedrohlich erschien, wurden aus Angst vor einer großen jüdischen Flüchtlingswelle die Bestimmungen verschärft.

Für alle aus dem Dritten Reich eintreffenden Juden, sogar für unmündige Kinder, ist ab sofort die Bewegungsfreiheit eingeschränkt, um so zu verhindern, dass die Emigranten unbemerkt im Land bleiben. Eva und Helen werden im »Huize Cromvliet« am Geestbrugweg in Rijswijk untergebracht, einem Vorort von Den Haag. Die katholischen Nonnen, die das Heim leiten, nehmen ihnen als Erstes die Süßigkeiten weg. Tante Martha hatte sie Eva und Helen bei der Ankunft zugesteckt. Daran wiederum erinnert sich Helen Charash noch heute genau. »Onkel Nathi und Tante Martha haben uns aber oft besucht. Das weiß ich, auch aus den Briefen und Berichten in dem Tagebuch, das mein Vater für mich führte.«

Die frommen Frauen halten sie an, solange Eva und ihre Schwester unter ihrer Obhut bleiben, und das wird fast drei Monate so sein, einmal pro Woche an ihre Eltern nach Hamburg Briefe mit kindlichen Zeichnungen zu schicken. Außerdem schreibt Martha regelmäßig ihrem Schwager und ihrer Schwägerin, wie es den Töchtern geht, vergisst nicht zu erwähnen, wie fürsorglich es gewesen sei, dass die Nonnen am christlichen Weihnachtsfest für ihre jüdischen Schützlinge Chanukkakerzen angezündet hätten. Alle Briefe und Zeichnungen klebt Wilhelm Hesse in ein Tagebuch ein.

Hesses Notizen, drei Tagebücher Eva gewidmet und fünf ihr, der Älteren, hat seine Tochter Helen für immer aufbewahrt. Ihren dritten Geburtstag, steht da, musste »Evchen alleine feiern«, durfte keinen Besuch bekommen, nicht mal ihrer Schwester war erlaubt zu gratulieren, weil Eva mit Verdacht auf Diphtherie in einer isolierten Krankenstation des Heims lag. Dass sie dort wieder mit Bettnässen anfing, obwohl sie längst trocken war, ist unter solchen Umständen normal.

Wilhelm Hesse berichtet in seinen Aufzeichnungen zwar oft von den »härter werdenden Zeiten« in Deutschland und wie verzweifelt und wie entmutigt sie wegen der Situation in Hamburg sind, er und seine Frau Ruth und ihre Freunde von der jüdischen Gemeinde, doch vermeidet er konkrete Schilderungen. Lange Zeit gibt es auch keine Hinweise auf seinen offenbar längst gefassten Entschluss, das Land für immer zu verlassen. Sein schwermütiges Gedicht vom 6. September 1937: *»Zu Ende geht ein schweres Jahr / Viel Kummer es uns brachte / Viel Krankheit und auch Ärger war / Die Sonne wenig lachte.«*

Ein Jahr später, wieder vor dem jüdischen Neujahrsfest Rosch ha-Schana, verkündet er in seinem Tagebuch, die Buchstaben offenbar ausgeschnitten aus der Zeitung, die Botschaft: »Wir wandern aus«, um handschriftlich hinzuzufügen, dass die Kinder nichts ahnen von dieser Entscheidung.

Ihre Mutter ist Anfang des Jahres 1938 bereits für einige Wochen zur Kur in Holland gewesen. Zum ersten Mal seit langer Zeit war wieder ausgebrochen, woran Ruth Marcus schon als junges Mädchen litt: ihre manisch-depressive Krankheit. Phasen von Verzweiflung und Angst kippten um in hysterisch heitere Stimmungen. Laut Diagnose des damals behandelnden Arztes eine vorübergehende Erkrankung, nicht beruhend auf erblichen Faktoren. Nach den Ursachen musste man jetzt nicht lange forschen, es war der tägliche »Druck des Regimes«, der auf ihr lastete, es waren die bedrückend veränderten Umstände des Alltags in Hamburg. Eva Hesse, die zeitlebens fürchtete, die Krankheit von ihr geerbt zu haben, schrieb es so zwanzig Jahre später in eins ihrer zahlreichen *diaries,* bezog sich dabei aber nur auf Erzählungen ihres Vaters.

Bis zu jener Eintragung im September, wonach die Familie entschlossen sei auszuwandern, finden sich in dessen Tagebüchern fast nur Anekdoten aus dem Familienleben, ergänzt von Fotos, von Zeitungsausschnitten, gestaltet wie Collagen. Beispielsweise schildert der Vater die ersten Gehversuche von Evchen und notiert ihre ersten Wörter und Sätze und dass sie sehr genau wisse, was sie will: »Evchen ist von der Sonne gebräunt, sie sieht fabelhaft aus, die Verkörperung des Lebens. … Sie macht alle glücklich, die mit ihr zu tun haben.« Hesse erwähnt jedoch nicht, dass er 1937 bereits einmal verhaftet und von der Gestapo verhört worden war.

Die Gestapo suchte ihn damals, weil Wilhelm Hesse Mitglied war in der über Nacht verbotenen Henry-Jones-Loge und zum »Repräsentantenkollegium«, einem Leitungsgremium der Jüdischen Gemeinde, gehörte. Als Kandidat der orthodoxen Fraktion hatte er bei der Neuwahl im April 1937 zusammen mit vier anderen aus seiner Gruppe genügend Stimmen bekommen. Beiläufig schreibt das über die konstituierende Sitzung berichtende israelitische Gemeindeblatt, seit der letzten Wahl hätten von den einundzwanzig Abgeordneten des Kollegiums zehn Deutschland und Hamburg verlassen, und beschwört für die Nachrückenden den Dichter der Deutschen, als die auch sie sich fühlen: »Das neue Kollegium möge nunmehr an seine Arbeit gehen mit gleicher Hingebung und gleicher Bereitschaft zum Dienst an der Gesamtheit, im Sinne des Goethe'schen Wortes: schwerer Dienst, tägliche Bewahrung – sonst bedarf es keiner Offenbarung.«

Erst im September 1938, nachdem endlich ein Brief mit dem *Affidavit of Support* eingetroffen war, der die Voraussetzung schuf, den Wunsch nach Auswanderung mit einem konkreten Ziel formulieren zu können, beantragte Wilhelm Hesse für sich und seine Familie die Ausreise. Cousine Lena Neuberger aus New York hatte Ende August an Eides statt versichert, dass sie für den Lebensunterhalt ihrer Verwandten aufkommen werde, die in die Vereinigten Staaten emigrieren wollten, weil ihr »Cousin zweiten Grades« in Deutschland »seinen Beruf nicht mehr ausüben« dürfe. Die Frage der US-Immigrationsstelle nach dem finanziellen Status ihres Verwandten beantwortete sie mit »comfortable« – was noch den Tatsachen entsprach, als sie es hinschrieb –, außerdem sei er fähig und gewillt zu arbeiten, spreche neben seiner Muttersprache auch gut Englisch. Am 10. Oktober folgt eine ähnliche Erklärung eines anderen in den USA lebenden Hesse-Cousins, Ernst Englander.

Die Hamburger Beamten richteten sich bei der Bearbeitung von Hesses Antrag nach den Ausfuhrbeschränkungen für die »Mitnahme von Umzugsgut durch Auswanderer«. Die durften ins Ausland nur mitführen, was ihnen »nachweislich bereits vor dem 1. 1. 1933 gehört« hatte. Die von Wilhelm Hesse erstellte Liste umfasst zehn eng beschriebene Schreibmaschinenseiten. Er lässt nichts aus.

Beispiele: »12 Kuchengabeln, 364 gr, 12 M, 1 Gemüselöffel 125 gr, 3 M, 1 Handtuchhalter 0,50 M, 1 Papierkorb 1 M, Truhe 100 M, Silberbestecke für die Fleisch- und Milchküche, insgesamt 294 Teile, Gesamtgewicht 17280 gr, 520 M, Leiter, Staubsauger, Bohnerbesen, Besen und Bürsten insgesamt 40 M, 9 Moccatassen 9 M, 10 Vasen 5 M, Opernglas 17 M, Rasierapparat, Puderdose und Ähnliches 3 M, 1 Garderobenständer 1 M, Teewagen 5 M, Plattenspieler Marke Gravor 20 M, 2 Heizkissen 6 M, Gartentisch und zwei Liegestühle 20 M, Adlernähmaschine 250 M, Bücher 30 M, Brille 10 M, Belichtungsmesser (beschädigt) 2 M, Puppenkarre 20 M.«

Gartentisch und Liegestühle sind fast neuwertig, waren nur ein paar Mal im Sommer 1937 nach dem Umzug der Hesses in die Rothenbaumchaussee 181 benutzt worden. Zur dortigen Drei-Zimmer-Wohnung, gelegen im Hochparterre, 132 Quadratmeter groß – hohe, stuckverzierte Räume, eingebauter Kamin, Bad, Küche, verglaster Erker, so groß wie ein weiteres Zimmer –, gehörte ein Garten. Der ist heute mit dichten Büschen gesäumt, in der Mitte steht ein Baum. Von einem Zimmer, vielleicht war es einst das von Helen und Eva, führt eine Treppe hinunter auf eine kleine Terrasse, danach beginnt der Rasen. Auf dem standen die in der Liste aufgeführten Liegestühle und der Gartentisch.

Wilhelm Hesse musste nicht nur in heute obszön anmutender Genauigkeit den gesamten Hausstand bis hin zum gebrauchten Staubwedel wertschätzen lassen und auflisten, sogar die Sparbücher seiner Kinder mit je 50 Reichsmark gehören zum Vermögen, das offenzulegen er verpflichtet war. Was nach 1933 erworben wurde, interessiert das Finanzamt besonders. Exakt in der Höhe des so ermittelten Anschaffungswertes ist eine Abgabe an die Deutsche Golddiskontbank (Dego) fällig, und falls Auswanderer die nicht bezahlen können, müssen sie ihr Hab und Gut bei der Emigration größtenteils aufgeben.

Für Eintragungen in sein Tagebuch hat Hesse im täglichen Kampf gegen immer neue Schikanen der Bürokratie, alle mit Hinweis auf irgendwelche Paragraphen als ganz legal getarnt, keine Zeit mehr. Erst im April 1939, als die Familie in London angekommen ist, setzt er die Chronik einer einst ganz normalen deutschen Familie fort: »Zum ersten Mal kann ich die volle Wahrheit schreiben, ohne Angst zu haben, deswegen meinen Kopf zu verlieren. Weil unsere Kinder später mal diese Tagebücher lesen werden als die Geschichte ihres Lebens, muss ich einiges aus der Vergangenheit erzählen …, doch ist es weder möglich noch nötig, all die schrecklichen Ereignisse aufzuzählen.« Denn zu der Zeit, »in der unsere Kinder all das mal verstehen«, dürfte es gute Bücher von Schriftstellern geben, die dann über diese Vergangenheit berichten.

Die erste Vergangenheit von Eva Hesse in Hamburg lag in einer großen Wohnung in einem mehrstöckigen Mietshaus – heute ein Hotel – in der Isestraße 98. Da hatten die Hesses bis 1937 gelebt. Adresse ihrer letzten Hamburger Vergangenheit ist in der Rothenbaumchaussee jene Wohnung mit dem kleinen Garten, nur ein paar hundert Meter entfernt von der prachtvollen Synagoge am Bornplatz. Ihre vergoldete Kuppel war über allen Dächern sichtbar. Im November 1938 wurde sie wie fast alle Synagogen zerstört. Damals nannte man das Stadtviertel »Klein Jerusalem«, weil in den Hamburger Bezirken Harvestehude, Rothenbaum, Eppendorf und Grindel so viele jüdische Hanseaten zu Hause waren.

In der Jetztzeit erinnern vor den Häusern in die Bürgersteige eingemauerte kleine viereckige Messingtafeln, auf denen die Namen der einstigen Bewohner eingraviert sind und das Datum, an dem sie in Vernichtungslager abtransportiert wurden, an die lange verdrängte deutsche Vergangenheit. Über die sollen Nachgeborene stolpern. Deshalb heißen die Messingplatten auch Stolpersteine. Es gibt viele von ihnen in Hamburg, mehr als in jeder anderen deutschen Stadt, vor allem in den Vierteln der wohlsituierten Bürger.

Evas und Helens Vater, renommierter Strafverteidiger, Kanzlei mit bester Adresse an der Stadthausbrücke 43, laut Aussage seines Freundes Hermann Möller »elegant, stattlich, gut gekleidet, gebildet, erfolgreich«, war einer dieser wohlsituierten Bürger. Nach dem Abitur auf dem Gymnasium im Stadtteil Eppendorf, wo er schon als Kind mit seinen Eltern wohnte, hatte er in Marburg und Berlin und München studiert, 1924 als Dreiundzwanzigjähriger den Doctor juris erworben, seine Anwaltskanzlei aufgebaut und 1932 die Kaufmannstochter Ruth Marcus aus Hameln geheiratet.

Sie war in einem Pensionat erzogen worden, wo junge jüdische Mädchen getreu deutschen Vorstellungen über die Rolle der Frau auf ihre Pflichten in Ehe und Mutterschaft vorbereitet wurden: kochen, nähen, Kindererziehung, ein bisschen musizieren, ein bisschen Kenntnis von Kunst und ein bisschen von Literatur, um mitreden zu können. Im Unterschied zu anderen Schulen dieser Art wurde auf dieser Anstalt für höhere Töchter besonderer Wert darauf gelegt, dass sie alles über die Rituale bei jüdischen Festen auswendig lernten und was von Ehefrauen dabei erwartet wurde. Ruth Hesse muss mal eine sehr schöne Frau gewesen sein. Das zeigen nicht nur die wenigen Fotos, die es von ihr gibt, das behaupten nicht nur in kindlich schwärmender Rückbesinnung ihre Töchter. Eva: »Sie sah aus wie Ingrid Bergman.« Von allen, die sie anfangs in Hamburg erlebten, als es ihr noch so richtig gut ging, wird sie geschildert als »charmant, lebenslustig, anbetungswürdig«. Was später ebenso eine Beschreibung ihrer Tochter Eva hätte sein können – charmant, lebenslustig, anbetungswürdig.

Drei Wochen nach der Machtübernahme Hitlers musste Wilhelm Hesse seine Kanzlei aufgeben: »Ich verlor meinen Beruf am 25. April 1933.« Nachdem die Weimarer Republik gestorben war, weil es zu wenige Demokraten gab, die sie gegen ihre Feinde verteidigten, wurde jüdischen Anwälten, Ärzten, Journalisten, Beamten, Professoren, Lehrern durch die »Aprilgesetze« ihre Existenzgrundlage entzogen. Egal, ob sie gläubige Juden waren oder ungläubige, sie durften wegen der NS-Rassengesetze ihre Berufe nicht mehr ausüben. Auch in Hamburg begann so die Diktatur des Tausendjährigen Reiches. Hesse konnte sich jedoch nach wie vor die große Wohnung in der Isestraße leisten, mit seiner Frau Urlaubsreisen nach Italien und nach Palästina machen – die Kinder blieben so lange bei den Großeltern –, denn Ruth und Wilhelm Hesse besaßen in einem Vorort Häuser, die pro Monat 1221,65 Reichsmark an Miete einbrachten.

Sogar ein Kindermädchen gehörte noch zur Familie. Die

von der kleinen Helen geliebte Doro allerdings musste nach Inkrafttreten der Nürnberger Gesetze 1935 die Familie verlassen, weil es jüdischen Haushalten untersagt war, »arische Angestellte unter fünfunddreißig Jahren zu beschäftigen«. So sollte unterbunden werden, was in der Sprache der Nazis »Rassenschande« hieß. An ihre jüdische Nachfolgerin Lotte hat sich »Helen noch nicht gewöhnt. Das ist Helens erste Konfrontation mit den neuen Zeiten. Möge Gott geben, dass dies die einzigen Tränen sind, die sie deswegen vergießen muss ...«

Im Fotoalbum aus jener Zeit, das Helen Charash genauso sorgsam hütet wie die einst auf hundert Mark geschätzte Truhe der Eltern, die in ihrer New Yorker Wohnung unter einem Gemälde ihrer Schwester Eva steht, sind Schnappschüsse vom Alltag einer deutschen Familie in den dreißiger Jahren des vergangenen Jahrhunderts eingeklebt. »Unser Heim« in der Isestraße: das Speisezimmer, das Schlafzimmer, der Blick aus einem der Fenster auf das Nachbarhaus, der Vater mit gezückter Kamera.

Auf einem Foto sieht man Lotte, an einem »Hühnerknochen nagend«, auf einem anderen die zum Chanukkafest entzündeten Kerzen. Die Hesses, gläubige Juden, die keinen Feiertag versäumten und keinen Gottesdienst, begehen das »Fest des Lichts«. Den Leuchter, auf dem die Kerzen schon in der Isestraße standen, den hat Helen heute noch.

Zwar litt Wilhelm Hesse, wie alle, die es betraf, unter dem Berufsverbot, aber er nutzte die unfreiwillig freie Zeit, lernte ab September 1933 auf einer Hamburger Fotoschule all das, was ein professioneller Fotograf wissen musste, von der Belichtung bis zur Labortechnik. Ob er bereits geplant hat, aus seinem Hobby einen Beruf zu machen, mit dem er vielleicht einmal Geld verdienen kann?

Alle, die ausreisen wollten, wussten natürlich, dass in den Ländern, die überhaupt bereit waren, deutsche Juden aufzunehmen, Berufe wie Anwalt, Lehrer, Professor nicht gefragt waren, eher Schlosser, Landarbeiter, Gärtner, Schneider eine Chance hatten. Also richtete die Gemeinde als Vorbereitung auf diese Berufe Schulungszentren ein. Ruth Hesse, die für ihre Kinder vieles selbst geschneidert hatte, lernte dort Handschuhe zu nähen.

Deutsche Vergangenheit: Bilder aus dem Album der Familie Hesse, wohnhaft in der Isestraße 98 in Hamburg.

Sie war stolz auf ihren Mann, der sich eben nicht in Resignation fallen ließ, sondern seine erworbenen Fähigkeiten einsetzte und sich zum Beispiel ehrenamtlich um die Steuerangelegenheiten der Gemeinde kümmerte, was angesichts der immer schärfer werdenden Verordnungen der Nazis schwerer und schwerer wurde. Oder sich bei der Jüdischen Winterhilfe engagierte – laut Akteneintrag von November 1935 bis Januar 1939 –, die er mit aufbaute und die er leitete.

Die Schar der Hilfsbedürftigen in Hamburg war gewachsen, seit jüdischen Bürgern die Existenzgrundlagen entzogen worden waren. Viele aus der einst so reichen Jüdischen Gemeinde in Hamburg waren deshalb längst auf Spenden angewiesen. Die Gemeinde richtete Suppenküchen ein, verteilte an Familien, die verarmt waren, weil ihre Ernährer nicht mehr arbeiten durften, Lebensmittelpakete, im Werte von fünf Mark pro Person.

Wilhelm Hesse und seine Frau Ruth tauchen bis 1938 regelmäßig in den veröffentlichten Listen der Spender auf, ab Juli 1933, zwei Wochen nach der Geburt von Helen. Statt individueller Danksagungen – bei Geburtstag, Heirat, Jahreswechsel, Bar Mizwa – wählten sie wie andere auch die Form einer »Glückwunsch-Ablösungs-Spende« an die Jüdische Gemeinde. Mit solchen Spenden wurden traditionell finanziert: die Verschickung von Familien in die Erholungsheime an der Nordsee, der Verein zur Unterstützung armer israelitischer Wöchnerinnen, der Verein zur Gesundheitspflege schwacher israelitischer Kinder. Und seit 1933 die durch Berufsverbote in Not geratenen jüdischen Arbeitslosen.

Was in den Tagebüchern ihres Vaters steht, hat Helen oft gelesen. Manche Passagen kann sie auswendig. Anfangs schrieb er alles auf Deutsch auf, dann in England und den USA auf Englisch, dann bis Ende 1946, als er die letzten Eintragungen machte, wieder auf Deutsch, hin und wieder auf Hebräisch. Seine zweite Tochter, Eva, schrieb in seinem Sinne fort. Schon als Teenager begann sie, in »autobiografischer Besessenheit« wie einst ihr Vater zu notieren, was ihr passierte, wie sie sich fühlte, wovon sie träumte, wovor sie sich fürchtete. Ihre Schwester: »Sie hatte einen unglaublichen Drang, alles zu notieren, alles aufzuschreiben und alles aufzubewahren. Mein Vater ja auch, das hat sie beeinflusst, aber bei ihr war es extrem.« Einer ihrer Geliebten, der heute in Kalifornien lebende Künstler Victor Moscoso, glaubt, dass die »Tagebücher von Anne Frank, mit der sie sich total identifizierte, sie inspirierten, selbst Tagebuch zu führen«.

Das stimmt. »Mag irgendwie zwar anmaßend sein«, schreibt Eva Hesse zum Beginn eines neuen Tagebuchs 1958, aber sie würde gern wie Anne Frank sein, obwohl die sieben Jahre älter

Puppenmütter: Eva und Helen Hesse 1938 in Hamburg.

sei als sie. Jedenfalls sei sie von deren Tagebuch so beeindruckt, dass sie die ihren in diesem Sinne, in dieser Art führen möchte. Manche ihrer Zeilen sind nur für ihre Psychiater gedacht – Schreiben als Therapie. Manche Seiten sind voller Kritzeleien und Skizzen, erste Entwürfe für künftige Objekte. Manche Einträge sind verspielt oder sentimental in der Sprache eines jungen Mädchens, geplagt von Liebeskummer und Sehnsucht, wie bei anderen Frauen ihres Alters auch. Manche ihrer Tagebücher, die ihre Schwester den American Art Archives überlassen hat, lesen sich wie das Logbuch ihres zu kurzen Lebens auf vielen hundert Seiten.

Helen Charash ist die letzte Überlebende der Hamburger Familie, und sie weiß aus Erzählungen, welche Hindernisse ihr Vater überwinden musste, bis die hanseatischen Behörden auch ihn und seine Frau auswandern ließen, und warum ihren Großeltern die Flucht nicht mehr rechtzeitig gelang. Viele Dokumente belegen die systematische Ausplünderung des Dr. Wilhelm Hesse. Die sieht sie jetzt in New York zum ersten Mal.

Die Chronik der Ausplünderung beginnt ganz banal mit einem Brief des Wirtschaftsprüfers F. Schmidkunz, datiert vom 23. September 1938, gerichtet an die Devisenstelle des Oberfinanzpräsidenten Hamburg. Eingangsstempel der Behörde: 24. September 1938. Schmidkunz ist beauftragt, im Schriftverkehr mit den Behörden Hesse zu vertreten. Sein Honorar dafür wird er mal mit 1465,00 Reichsmark in Rechnung stellen. »Betr. Auswanderung Dr. Wilhelm Hesse, Hamburg, früher Isestraße 98, jetzt Rothenbaumchaussee 181. Herr Dr. Wilhelm Hesse hat sich entschlossen, seinen Wohnsitz nach U.S.A. zu verlegen. Ich überreiche Ihnen beigefaltet Fragebogen für Auswanderer, darunter Schulden-Erklärungen, mit der Bitte, das Weitere veranlassen zu wollen. Ich gebe Ihnen hiervon bereits im Vorwege Kenntnis, damit Sie gegebenenfalls Herrn Dr. Hesse wegen Erlass einer Sicherungsanordnung vorladen können. Heil Hitler. Anlagen.«

Die Anlage ist der ausgefüllte »Fragebogen für Auswanderer« – solche Fragebögen sind obligatorisch für alle, die das Land verlassen wollten – des »Nichtariers Dr. Wilhelm Hesse, geboren am 16. Juli 1901, verheiratet«. Welchen Beruf er bislang ausgeübt habe? »Anwalt bis April 1933, seit drei Jahren Angestellter.« Welche Personen mit ihm auswandern wollten?

Ehefrau Ruth, Kind Helen, Kind Eva. Was die amtlich zutreffende Art seiner Tätigkeit bei der Jüdischen Winterhilfe im Deutsch-Israelitischen Synagogenverband war? Angestellter. Welchen Beruf er im Land, in das er auswandern wollte, auszuüben gedächte? »Falls möglich, im Fotofach.«

Welches Einkommen er im letzten Jahr gehabt habe? Antwort: 17086 Reichsmark. Dabei handelte es sich um die Mieteinnahmen aus ihm und seiner Frau Ruth gehörenden Wohnhäusern in Höhe von jährlich 14103,10 RM, der Rest stammte aus den Erlösen der »Warenvertriebsgesellschaft Hesse & Co«, die Moritz Marcus bereits 1925 gegründet hatte, in die sein Schwiegersohn auf der Suche nach einer noch erlaubten Verdienstmöglichkeit dann im Juni 1937 eingestiegen war.

Vertrieben wurden zunächst nur Kleinmöbel, später Waren aller Art, aber die Geschäfte gingen immer schlechter. Der inzwischen allseits aus Angst aufzufallen oder aus Überzeugung befolgte Boykott jüdischer Firmen und Betriebe schlug sich in den Bilanzen nieder. Im Handelsregister ist als Kommanditistin mit einer Einlage von 11200 Reichsmark Ruth Hesse eingetragen. Der »Gegenwert dieser Einlage« aber sei, wie ihr Mann in dem Fragebogen angibt, bereits im September 1938 an sie ausbezahlt worden.

Seine Tochter Helen vermutet, dass ihr Vater nur deshalb damals noch auf freiem Fuß war, sich um die Ausreise der Familie persönlich kümmern konnte, weil die Gestapo ihn bei der ersten Verhaftungswelle im April 1938 unter einer falschen Adresse gesucht und deshalb nicht angetroffen hatte. Umgezogen von der Isestraße in die Rothenbaumchaussee, beide im selben Stadtviertel Hamburgs gelegen, waren sie zwar bereits im Sommer 1937, doch »an der Haustür gab es keine Namensschilder«. Außerdem habe er sich, wie er ihr erzählte, für einige Tage bei Handwerkern versteckt, die er von früher kannte und die ihn nicht verrieten. Anständige Deutsche, wie Helen Charash betont, Arier.

Dass ausgerechnet die allmächtige Gestapo ihren Vater unter einer falschen Adresse suchte, klingt zwar unwahrscheinlich, weil im Überwachungsstaat der Nazis jeder Ortswechsel gemeldet werden musste und registriert wurde, schon deshalb, um jederzeit auffällig gewordene Bürger verhaften zu können. Doch Helen Charash scheint mit ihrer Vermutung recht zu haben. Sogar auf der Unbedenklichkeitsbescheinigung, die schließlich Wilhelm und Ruth Hesse zur Ausreise berechtigt, steht als letzte Hamburger Adresse die Isestraße 98.

Die Vermögenserklärung der ausreisewilligen Steuernummer R. 072/131, Hesse Israel Wilhelm, liest Sachbearbeiter Howe genau. Für fast jeden Posten sollte er einen Paragraphen finden, nach der es im System, dem er und seine Kollegen dienen, rechtens ist, den Antragsteller auszuplündern, bevor die Emigration erlaubt wird. Eine pauschale Verdächtigung dient als Begründung, nicht nur für Hesse: »Sie sind Jude. Es ist damit zu rechnen, dass Sie in nächster Zeit auswandern werden. Nach den in letzter Zeit mit auswandernden Juden gemachten Erfahrungen ist es daher notwendig, Verfügungen über Ihr Vermögen nur mit Genehmigung zuzulassen.«

Da Wilhelm Hesse als Anwalt bis 1933 gut verdiente, ist er trotz seiner nun schon fünfjährigen Arbeitslosigkeit und obwohl seine Familie von der Substanz zehren musste, noch ein vermögender Mann. Zumindest auf dem Papier, das er unterschrieben einreicht:

»Bargeld: 350 RM. Girokonto Dresdner Bank: 1851,69. Sparbuch 206,44. Girokonto Hamburger Sparcasse: 62,28, Helen und Eva Hesse je RM 50. Wertpapiere: I.G. Farben RM 6000 bei M.M. Warburg. Moskau Kasan. Eisenbahn 1500 Papiermark (Wert RM 1,50). 5% Österreichische Kriegsanleihe 8000 Papiermark (ohne Wert). Grundvermögen: Anckelmannstraße 4 und Eiffestraße 3 RM 77 100. Ausschläger Billdeich, Billwärder Ausschlag 49 700 RM. Darlehensforderungen an Georg Abraham RM 1300 zu 8%. Außerdem Hausrat.«

Wilhelm Hesse unterliegt seit seinem Ausreiseantrag automatisch der »Überwachung von Judenvermögen« durch den Steuerfahndungsdienst, und er macht sich keine Illusionen, was das bedeutet. Er kennt die Fälle ehemaliger Klienten, die fast alles aufgeben mussten, bevor sie endlich ausreisen durften. Er weiß, dass willkürlich erhobene Steuern und Abgaben auf ihn zukommen, und er weiß auch, dass es zwecklos sein wird, in einem Staat, in dem Recht nichts mehr gilt, dagegen Rechtsmittel einzulegen.

Zunächst muss Hesse die Grundstücke verkaufen. Zwei davon sind auf den Namen seiner Frau eingetragen, zwei auf seinen. Er beauftragt den selbstverständlich arischen Immobilienmakler Alfred Brinktrine mit der Abwicklung. Juden dürfen keine Geschäfte mehr machen, nicht mal ihren eigenen Besitz verwalten. Brinktrine meldet bereits am 15. Oktober der Devisenstelle mit deutschem Gruß Vollzug und schickt eine Kopie des vom Notar Franz Jungnickel beurkundeten Kaufvertrags mit. Auch fragt er gleich an, wohin er nach Abzug aller Kosten – Aufrechnung der auf den Immobilien lastenden Hypotheken in Höhe von 10 341,50 RM, Grunderwerbssteuer von 4650 RM, Anwaltsgebühren in Höhe von 4188,19 RM und Maklercourtage in Höhe von 1400 RM – das Geld hinschicken darf. Aufs Sperrkonto, lautet die Antwort. Verkauft werden auch die anderen Grundstücke, die sich ein Schlachter aus Altona zu einem Schnäppchenpreis von 43 000 RM unter den Nagel reißt.

Weil genügend Geld auf dem Sperrkonto vorhanden ist, erlaubt die Devisenstelle großzügig, dass ab 1. November die verwaltende Warburg-Bank pro Monat 1500 Mark für den Unterhalt der Familie freigeben darf, die bei Auswanderung fällige Reichsfluchtsteuer in Höhe von 27 500 M wird sofort eingezogen. Die Höhe der Reichsfluchtsteuer bestimmt die Höhe einer weiteren Zwangsabgabe, die an die Jüdische Gemeinde in Hamburg zu entrichten ist, und lautet im Fall Hesse auf 5429,20 M. Nachdem auch die Göring'sche »Sühne«-Leistung in Höhe von 24000 M vom »Auswanderersperrguthaben« abgebucht wird, verbleiben knapp 52000 Reichsmark auf seinem Konto. Innerhalb von vier Wochen hat Wilhelm Hesse fünfzig Prozent seines Vermögens verloren, doch auf dem Papier ist er noch immer ein vermögender Mann.

Das wird sich jedoch bald ändern.

Notwendige Neuanschaffungen für die Ausreise – Kleidung, Koffer – schlagen mit 2738 Mark zu Buche, genauso viel ist an die Deutsche Golddiskontbank in Berlin als Ausfuhrabgabe zu überweisen. Die Spedition Röhlig, die nach erteilter Ausreisegenehmigung die Kisten packen soll mit dem freigegebenen Teil des Hausrats, stellt Kosten in Höhe von 2100 M in Rechnung. Die Schiffspassage auf der SS »Manhattan« von Southampton in die Vereinigten Staaten muss im Voraus bezahlt werden, sie kostet 1877,50 RM. Erneut werden Honorare für Wirtschaftsprüfer und Gutachter in Höhe von 2000 M eingereicht, und schließlich bestätigt die Max-Warburg-Bank, deren jüdischer Besitzer emigriert ist und deren neue Herren ihre Briefe mit »Heil Hitler« beenden, dass sie vom Konto Hesse weitere 3350 RM als »zu zahlende Abgabe für die Mitnahme von Umzugsgut« an die Golddiskontbank überweisen wird. Wilhelm Hesse muss also dafür, dass er einen Teil seines Besitzes ins Ausland mitnehmen will, Strafe bezahlen.

Nach Prüfung des »Umzugsguts des Juden Dr. Wilh. Hesse« schlagen die Zollsekretäre vor, dass die beiden Couchbetten und die beiden Klappbetten und die Nähmaschine, die er nach 1938 in »Verbindung mit der Auswanderung« gekauft hat, nicht freigegeben werden sollen, die Ausfuhr sei allenfalls zu gestatten gegen eine »erhöhte Abgabe an die Dego«. Erhöht bedeutet den fünffachen Wert des tatsächlichen Kaufpreises in Höhe von 612 RM, die Dego bekommt daraufhin noch einmal 3060 Mark von der kontoführenden Warburg-Bank.

Hesse bat schriftlich darum, wenigstens »meiner Frau die

Mitnahme ihrer Nähmaschine zu gestatten. Meine Frau schneidert sehr viel, macht Blusen, Kostüme und vor allen Dingen die Kinderkleidchen alle selbst. Die Nähmaschine ist für sie unentbehrlich ...« Helen Charash liest nach fast siebzig Jahren den Brief, den ihr Vater an die Devisenstelle geschrieben hat, und ist davon überzeugt, dass die »Adler 27« New York heil erreicht hat, denn sie hat aus der Kindheit ein ganz bestimmtes Bild vor Augen: »Ich sehe meine Mutter an der Nähmaschine sitzen, also müssen die Nazis erlaubt haben, die Nähmaschine mitzunehmen. Sie nähte für uns Kinder, und sie nähte für die Nachbarn.« Die Einnahmen aus diesen Aufträgen brauchte sie für den Haushalt. Fürs Überleben im Exil.

Auch für die beschlagnahmte Brosche seiner Frau und eine kleine goldene Kette, die aber »einen großen Erinnerungswert« haben, wagt Hesse in Hamburg einen letzten, verzweifelt höflichen Widerstand: »Ich beantrage, meiner Frau die Mitnahme der Brosche mit kleinen Perlen und Brillt. zu genehmigen, da diese ein Verlobungsgeschenk von mir ist. Ferner bitte ich, eine einfache gold. Gliederkette zu bewilligen, da es sich um ein Geschenk der Großmutter handelt.« Juwelier Hermann Schraders Schätzung der beiden erbetenen Erinnerungsstücke – Brosche 40 Mark, Band 14,50 Mark – legt er seinem Antrag bei und vergisst auch nicht, wie es jetzt Pflicht ist, mit »Wilhelm Israel Hesse« zu unterschreiben.

Seine Bitte wird ohne weitere Begründung mit einem kurzen handschriftlichen »Nein« quittiert. Den gesamten Schmuck, von einem anderen Juwelier geschätzt, lässt die Devisenstelle in einem Depot bei der Warburg-Bank lagern und sperren. Soll als Pfand für möglicherweise noch sich ergebende Steuerschulden dienen. Hesse ist überzeugt, dass die sich ergeben werden und dass es ihm wenig nutzen wird, zu protestieren.

Er wird recht behalten.

Im September 1940 tauchen in den Akten plötzlich Steuerrückstände des längst ausgewanderten Wilhelm Israel Hesse auf, insgesamt 5388,12 RM, weil angesichts der Lage im Reich eine Erhöhung der im November 1938 verkündeten Sühnesteuer um jeweils 20 Prozent beschlossen wurde. Die Notiz des Finanzbeamten in der Akte Hesse lautet, die »Einziehung dieser Steuerschuld sei erfolglos« geblieben, weil keine »inländischen Vermögenswerte des Steuerschuldners« mehr vorhanden seien.

Um den Anschein von Legalität zu wahren, ist jeder Emigrant berechtigt, falls er vor seiner Auswanderung alle Abgaben und Steuern bezahlt hat, aus dem Ausland Überweisungen von seinem gesperrten Konto zu verlangen. Auch Wilhelm Hesse. Ende Februar und Ende März 1939 werden erst 9000 und dann 7000 M aus dem Depot Hesse, jetzt Amsterdam, zum Transfer freigegeben, allerdings zum Sperrmarkkurs der Deutschen Golddiskontbank. Der beträgt damals etwa zehn Prozent des eigentlichen Reichsmarkkurses und ist für die Auswanderer ein schlechtes, für die abwickelnden Banken ein glänzendes Geschäft. Die Emigranten können sich nicht wehren, und vor allem: Sie brauchen dringend Geld. Hesse erhält ein Zehntel der ihm eigentlich gehörenden 16 000 Reichsmark.

Die Spedition Röhrig hat alles verpackt. Die gebräuchliche Formulierung, dass die Hesses auf gepackten Koffern sitzen, wäre eine falsche Beschreibung für die Situation im Januar 1939, denn was Ruth und Wilhelm Hesse mitnehmen dürfen, ist amtlich versiegelt, liegt im Hafen und wird vom Zoll bewacht. Sie warten ungeduldig in der Wohnung von Ruth Hesses Eltern, müssen sich allerdings bis zur Ausreise nicht »irgendwo in Deutschland versteckt halten«, wie ihre Tochter Eva in einem Interview mal zitiert wird.

In einer letzten Aufstellung vor der Abreise teilt Hesse der zuständigen Devisenstelle mit, was ihm von seinem Vermögen noch geblieben ist, und bittet für diesen Rest um Aufhebung der Sicherungsanordnung, da er in wenigen Tagen, genau am 5. Februar, Deutschland verlassen wird. Sechs Tage später, Geschäftszeichen R 8/2241/38, wird die Sperre tatsächlich aufgehoben, nachdem die »Genannten den Wohnsitz in das Ausland verlegt haben und devisenrechtlich als Ausländer anzusehen sind«.

Ruth und Wilhelm Hesse verlassen am 5. Februar 1939 Hamburg. Sie freuen sich zwar darauf, ihre Kinder wiederzusehen, sind erleichtert trotz allem, ihr Leben gerettet zu haben, doch vor allem Ruth Hesse ist in Sorge um ihre Eltern, die in Hamburg zurückbleiben müssen. Es ist nicht gelungen, auch ihnen Visa zu besorgen, und länger zu warten wiederum schien Wilhelm Hesse zu gefährlich. Um ihre Ausreise wollen sich Ruth und er kümmern, sobald sie selbst in den USA angekommen sind.

Ankunft in Den Haag. Martha und Nathan Hesse holen sie am Bahnhof ab. Der erste Weg führt sie in den Vorort Rijswijk. Fast drei Monate nach dem Abschied im Wartesaal wollen sie endlich ihre Kinder sehen, Evchen und Helen in die Arme nehmen. Die sind, angesichts der Umstände, in erstaunlich gutem Zustand, wie ihr Vater notiert.

Doch bevor er sie tatsächlich aus dem Heim holen darf, muss er um sie kämpfen. Als Beweis dafür, dass die Familie nicht vorhat, in Holland zu bleiben, kann er immerhin die bezahlten Schiffspassagen für die »Manhattan« vorlegen, und die sticht in England in See. Dorthin wollen sie so schnell wie möglich reisen. Man lässt die Kinder gehen. Gemeinsam verbringen sie noch ein paar Tage in Amsterdam bei Hans Meyer, einem alten Freund Wilhelm Hesses, der den Krieg überleben wird, dann setzen sie über nach England.

Entfernte Verwandte kümmern sich um sie. Die nächsten dreieinhalb Monate wohnen sie in Nummer 6 Acol Road in London. So lange wollten sie eigentlich nicht bleiben, aber noch sind die Visa zur Einreise in die USA nicht eingetroffen. Für Wilhelm Hesse beginnt wieder ein Kampf mit den Behörden, ein ganz anderer Kampf zwar als der in Deutschland, weil er hier Rechte hat, die er für sich in Anspruch nehmen kann, und dies tut der Jurist in gutem Englisch, das er schon auf der Schule gelernt hatte. Seine Kinder fühlen sich wohl, gehen mit ihrer Mutter in den Zoo, spielen im Park. »In London hatten wir trotz allem eine gute Zeit, es hat uns Kindern Spaß gemacht. Wir lernten beide sehr schnell Englisch«, erzählt Helen.

Nur Ruth Hesse hat das Lachen verlernt. Der Schock, aus Hamburg vertrieben worden zu sein, ist noch nicht mal das Schlimmste, denn sie hat ja ihre Kinder, und das ist erst einmal wichtiger als alles andere. Was aber geschieht mit ihren Eltern? Und was geschieht mit ihnen hier in England, wenn der Krieg, von dem alle sprechen und die Zeitungen schreiben, sie wieder auseinanderreißt, bevor sie ihr Schiff mit dem Ziel New York besteigen können?

Am 13. Mai 1939 wird Ruth zweiunddreißig, und an ihrem Geburtstag beginnt Wilhelm Hesse für Eva das zweite, für Helen das dritte Tagebuch. Er schreibt auf, dass Evchen groß geworden ist, freundlich zu jedermann, schon ein wenig Englisch kann und weiß, wer Hitler ist. Sie ist mit ihren erst »drei Jahren schon eine Trösterin«, was seltsam klingt, was er aber in Klammern gleich erklärt: »Trost ist nötig, da zu allen anderen schrecklichen Erlebnissen der letzten Vergangenheit jetzt auch noch die Sorge um das Visum für die USA hinzugekommen ist... We have terrible and dreadful months ... on amount of our visa from the American consulate.«

Beide Kinder werden krank. Eva hat Keuchhusten, Helen eine schwere Bronchitis. In dem ihr gewidmeten Tagebuch, begonnen an »Mammis Geburtstag«, an dem ihr Wilhelm im Namen seiner Kinder »many happy returns of the day« wünscht, trägt er alles auf Englisch ein und nicht wie bei Eva auf Deutsch, was daran liegt, dass seine Sechsjährige bereits ganz gut Englisch spricht und er wörtlich berichten will, was sie alles schon sagen kann: »Hitler is a bad man. We must be glad that we are out of Germany ... In this manner Helen talks often and very much and very clever.«

Drei Wochen später, am 7. Juni, kann er sich endlich die Visa abholen. Die Familie bleibt noch neun Tage in England, besteigt am 16. Juni in Waterloo Station den Zug nach Southampton und dort das Schiff mit dem Ziel New York. Die beiden Schwestern teilen sich die Kabine B 30, Eva ist auf der ganzen Reise seekrank. Aber alles ist vergessen, als sie am 22. Juni 1939 abends die Freiheitsstatue erblicken, die ja alle Beladenen und Mühseligen begrüßt, wie es eingemeißelt geschrieben steht im Sockel, als sie die glitzernden Lichter von Manhattan sehen.

Am nächsten Morgen betreten sie New York. »Welcome, America«, trägt der deutsche Jude Wilhelm Hesse, Anwalt aus Hamburg, in sein Tagebuch ein. Die Hitze sei zwar gewaltig, aber besser darunter leiden als unter Hitler, »better to suffer under heat than under Hitler«.

Was würde der mit den Großeltern machen, hatte Helen in London von ihrem Vater wissen wollen, und der hatte es wörtlich so in ihr Tagebuch eingetragen: »What will Hitler do with them?«

Er ließ sie ermorden. Alle Versuche, sie mit Hilfe von Visa zum Beispiel über ein Zweitland nach New York zu holen, sollten scheitern. Auch Martha und Nathan Hesse sind verloren, als die Nazis im Juni 1940 Holland besetzen, beide sterben im Konzentrationslager Bergen-Belsen. Die letzte Spur von Ruth Hesses Eltern findet sich auf den Deportationslisten der Hamburger Gestapo für die Eisenbahntransporte nach Theresienstadt, Ankunft 16. Juli 1942, von dort nach zwei Jahren Richtung Endstation Auschwitz, Ankunft 15. Mai 1944. Die Häftlinge Nummer 588 und 590, Erna und Marcus Moritz, kommen um in den Gaskammern von Auschwitz.

Fünfzehn Jahre danach beschenken sie ihre Enkelinnen. Eine Entschädigung, überwiesen von der Bundesrepublik Deutschland an Eva und Helen, für die Ermordung ihrer Großeltern durch Nazideutschland, sie beträgt umgerechnet 12000 D-Mark, Evas Anteil davon 1300 Dollar. Ihre Tagebucheintragung im Februar 1960: »Just received reparations from Germany. Money issued to me for compensation for my grandparents' stay in concentration camps. I will make use of the money wisely«, gerade habe sie Wiedergutmachung erhalten für den KZ-Aufenthalt ihrer Großeltern und wolle mit dem Geld sorgsam umgehen.

Ein paar hundert Meter entfernt vom Bahnhof Altona, wo sich am 12. Dezember 1938 ihre Eltern von Eva und von Helen verabschiedeten, ohne zu wissen, ob sie je ihre Kinder wiedersehen werden, erinnert heute ein schwarzer Stein an alle deutschen Juden, die in Eisenbahnwaggons in die Todeslager deportiert wurden, erinnert auch an Eva Hesses Großeltern. *Black Form – Dedicated to the Missing Jews* steht auf dem Platz der Republik. Im November 1989 hat der amerikanische Bildhauer Sol LeWitt die Skulptur, die er »das wichtigste Werk, das ich je gemacht habe« nennt, der Stadt Hamburg geschenkt und das ihm angebotene Honorar der »Foundation for the History of the German Jews« gestiftet.

Ein beeindruckendes Denkmal, ein Solitär, der Bilder im Kopf auslöst, obwohl man ja nur einen gewaltigen, schlichten schwarzen Block sieht, fünf Meter lang, zwei Meter hoch und zwei Meter tief. Das Werk hat nicht nur wegen des Kindertransports von Altona eine spezielle Verbindung mit dem Schicksal Eva Hesses. Denn Sol LeWitt, den das kleine Mädchen, das einst von Altona aus seine Heimat verließ, als junge Frau in New York kennenlernte, war einer der wichtigsten Männer in ihrem Leben. Ein ihr treu ergebener Freund, der sie bedingungslos liebte, mehr noch: der Mann, der für sie da war, als sie weinte über eine scheiternde große Liebe und nicht mehr weiterwusste mit ihrer Kunst und verzweifelt war am Leben und …

Doch zurück in ihre anbrechende Zukunft. Sommer 1939, New York. Evas Vater, der sich fortan William statt Wilhelm nennen wird, schreibt voller Vorfreude in der Chronik der Familie Hesse aus Hamburg: »Nun beginnt das amerikanische Leben.«

Von der amerikanischen Tragödie, die seine Familie zerstört, ahnt er nichts.

3. KAPITEL

1939–1946

»Ich hatte als Kind eigentlich immer Angst«

Zeitlebens unversöhnt mit ihrer Biografie, wird Eva Hesse ihre Kindheit in New York als beängstigend bezeichnen, als traumatisch, als bedrückend. Wird Erlebnisse, Erschütterungen, Ereignisse aus dieser Zeit verantwortlich machen für alles, was in ihrem Leben chaotisch verläuft, vor allem ihre manchmal abrupt in Hysterie kippenden wechselnden Stimmungen, abstürzend von Höchstgefühlen in Tiefstdepressionen, mit denen sie geschlagen war – oder überzeugt war geschlagen zu sein: »Ich bin jetzt fast neunundzwanzig, und so richtig gut fühle ich mich nie. Das ist so, seit ich acht bin«, klagt die erwachsene Frau am Ende des Jahres 1964 in ihrem Tagebuch.

Auch wenn diese Einschätzung übertrieben ist, weil sie nachweislich nicht der Realität entspricht, weil Eva Hesse in ihren Tagebüchern oft von glücklichen Momenten und Mut machenden Erfolgen schreibt, muss ihre subjektive Bilanz dennoch ernst genommen werden. Genau so hat sie sich gesehen, genau so hat sie es empfunden. Diesen nachgetragenen bitteren Empfindungen, diesen Pauschalanklagen widersprechen allerdings nicht nur die eigenen Bekenntnisse in ihren Tagebüchern, sondern auch die Erinnerungen ihrer älteren Schwester Helen aus genau der Lebensphase. Und viele Berichte ihres Vaters schildern kein verängstigtes Kind namens Eva, sondern ein fröhliches Mädchen namens Evchen.

Ein nur scheinbarer Widerspruch, denn beides stimmt. Eva

Hesse neigte nicht dazu, aus ihren Konflikten mit sich und ihrer Umwelt eine soap opera zu machen, indem sie sich in autobiografischer Schreibwut zum Opfer widriger Umstände und böswilliger Menschen stilisierte und sich in ihr schweres Schicksal fügte bis zu einem voraussehbar schrecklichen Ende. Für eine Umsetzung der komplizierten Wirklichkeit in simple Schwarz-Weiß-Malerei war sie zu klug, das hätte sie sich nicht durchgehen lassen. Und eine andere Eigenschaft prägte ihren Charakter – Tapferkeit. Sie war tapfer, denn sie ergab sich nie den Gespenstern, die sie bedrohten, sondern bekämpfte sie. Das altertümliche Wort »tapfer«, von Männern als die ihnen typische Eigenheit in Beschlag genommen für ihre Heldentaten in Krieg und Frieden, passt zu Eva Hesse.

Vor einem möglichen Versinken in Selbstmitleid bewahrte sie außerdem ihr angeborenes und laufend trainiertes Talent, im Tragischen das Komische zu entdecken, im Irrsinn einen Sinn, im Wahn den Witz. Sogar dann, als sie ahnt, dass sie bald sterben muss, verliert sie nicht ihren Humor. Findet es trotz ihrer Verzweiflung komisch, ausgerechnet in Zeiten die Welt verlassen zu müssen, wenn sie von der gerade entdeckt und bewundert wird. Sieht darin erneut ein Beispiel dafür, wie absurd ihr Dasein verlief, dass die verhasste Stiefmutter Eva Nathanson, die zweite Frau ihres geliebten Vaters, von denselben Ärzten zwei Jahre vor ihr im selben New Yorker Krankenhaus operiert wurde, doch im Gegensatz zu ihr, der viel Jüngeren, als geheilt entlassen werden konnte. »Klingt unglaublich, oder?«

Wenn sie sich in ihren Tagebüchern zurückversetzt in die Vergangenheit, in Situationen und Ereignisse aus ihrer New Yorker Kindheit zwischen 1939 und 1946, zählt jedoch für sie ausschließlich das, was ihr in Erinnerung geblieben ist, zählt für sie nur die eigene Wahrnehmung. Die trübt den Rückblick. Verdunkelt das gesamte Bild, bis nur noch ein winziger Ausschnitt übrig bleibt, auf dem ein verängstigtes kleines

Mädchen zu erkennen ist: »Ich hatte als Kind eigentlich immer Angst.«

In seelischen Verletzungen, die dieses Kind damals erlitten hat oder glaubt erlitten zu haben, entdeckt Eva Hesse die Ursachen für eigentlich alle Probleme, die sie außerhalb ihrer Ateliers hat. Mehr noch: Wer ihre Biografie nicht kenne, werde ihre Kunst nicht begreifen. Freud hätte seine Freude an ihr gehabt. Ähnlich banal wie dieses schlichte Wortspiel werden sich mal viele Interpretationen selbsternannter Experten lesen, die behaupten, Eva Hesse habe sich überhaupt nur durch ihre Kunst retten können. Die ihre Arbeiten, sich berufend auf die Aussage, ihre Kunst sei ohne ihr Leben nicht zu erklären, ausschließlich deuten als Ausdruck ihrer Verlorenheit. Die sie postum zur Ikone einer im Kindesalter geschundenen Weiblichkeit verklären werden.

Auf Anraten ihrer Psychiaterin Helene Papanek, der österreichischen Emigrantin aus einer anderen Generation, Frau eines aktiven Sozialdemokraten, die über Wien und Prag und Paris in die Vereinigten Staaten ausgewandert war, setzt Eva Hesse, die bei ihr als junges Mädchen eine Therapie beginnt, für die Verarbeitung traumatischer Erlebnisse deshalb ihre Tagebücher ein. Die nennt sie wiederholt ihre besten Freunde. Denen traut sie, denen vertraut sie sich an. Es gibt viele dieser Freunde. Manche sind nur vollgekritzelte Kalender, in denen sie Termine des Alltags notiert, manche benutzt sie für künftige Projekte statt eines Skizzenblocks, doch die meisten Aufzeichnungen sind entweder Ersatz für Therapien, in denen sie sich schreibend selbst analysiert, oder aber Material für die nächste Sitzung bei ihren Therapeuten.

Ihre Schwester Helen stiftet Eva Hesses *diaries* nach ihrem Tod den American Art Archives und dem Allen Memorial Art Museum in Oberlin, Ohio. Dessen Kuratorin Ellen H. Johnson organisierte die erste Retrospektive mit Zeichnungen der Künstlerin, war eine der ersten Experten, die nicht wild spekulierte, sondern an konkreten Beispielen nachwies, dass es eine klare Verbindung zwischen Eva Hesses Kunst und ihren Tagebüchern gebe, weil sie »immer versucht hat, sich durch ihre Arbeiten zu befreien«. Die Eintragungen würden, wie sie es formuliert, eindringlich belegen, warum ihre emotionalen und seelischen Qualen nie aufgehört hätten.

»Meine Symptome sind ganz real«, begründet denn auch Eva Hesse einmal, weshalb es ihr auch in augenscheinlich guten Zeiten psychisch und physisch so schlecht ging, »meine Ängste sind aber dennoch die eines Hypochonders. Langsam werde ich nicht nur körperlich immer kränker, sondern auch seelisch ... Ich wünschte, alles wäre nur psychosomatisch, aber es ist ja tatsächlich so, und ich bin schließlich kein Arzt, um das beurteilen zu können.«

Liebeskummer, Alltagskonflikte, Misserfolge, die von gesunden erwachsenen Menschen irgendwann als Teil des normalen Lebens akzeptiert werden, begriff sie letztlich stets als persönliche Niederlagen:

Dass viele Männer, die sich in die schöne Eva Hesse verliebt hatten, es mit ihr irgendwann nicht mehr aushielten und sie verließen, schien ihr deshalb symptomatisch für ihre Bindungsunfähigkeit. Doch genauso reagierte auch sie. Auch sie pflegte ausgebrannte Lieben, die für die Ewigkeit gedacht schienen, über Nacht zu beerdigen, nahm den Kummer der verlassenen Liebhaber achselzuckend in Kauf, wenn sie sich neu verliebte.

Dass sie Antidepressiva schlucken musste, worüber sie eher beiläufig berichtete – »strong drugs, anti-depressants« –, um ihren Alltag zu meistern, schien ihr der Beweis, dass sie tatsächlich an Neurosen litt und sich nicht nur alles einbildete. Doch gab es ebenso Zeiten, in denen sie keine Pillen brauchte, weil sie heiteren Gemüts mit sich und ihrer Welt im Einklang war. Aus den ersten beiden Jahren ihrer Ehe mit Tom Doyle gibt es nicht nur keine Hinweise auf Angstattacken, es gibt auch kaum Tagebucheintragungen.

Dass ihre eingereichten Arbeiten vom Museum of Modern Art für eine geplante Show viel versprechender amerikanischer Künstler abgelehnt wurden, schien ihr das Ende aller Hoffnungen, wenigstens als Künstlerin erfolgreich zu sein. Doch wenige Monate später wurden ihre Werke in der renommierten John Heller Gallery in New York ausgestellt und das junge Talent Eva Hesse als außergewöhnlich gefeiert.

Zwar beklagte sie aufschreibend alles, was ihr widerfuhr, als ob es das Schicksal nur auf sie abgesehen hätte, als ob es immer nur sie treffen würde und die anderen nie, betrachtete es als direkt gegen sie gerichtete sexuelle Belästigung, als abends mal auf der anderen Straßenseite zwei Bildhauer am Fenster ihres Ateliers standen und masturbierten, aber mit den nächsten Sätzen stellte sie sich quasi neben sich, machte sie sich lustig über die eigene Betroffenheit und Leidenslust. Für den Versuch, sich Probleme vom Leib zu halten, besser: von der Seele, ließ sie sich einen hilfreichen Trick einfallen. Spricht manchmal von sich in der dritten Person, benutzt nicht das Wort »Ich« in ihren Tagebüchern, sondern schlüpft übergangslos vom Ich in die fiktive Eva, die in dem Fall ihr anderes Ich war. Dann lässt sie frech die eine über die andere Eva lästern, fordert die zu mehr Selbstbewusstsein auf – »Fight to be a painter. Fight to be healthy. Fight to be strong« – oder gibt ihr gute Ratschläge – »You must stand on your own two feet!« –, und immer dann am liebsten, wenn es der echten Eva um die Bewältigung von Depressionen geht.

Die es jedoch tatsächlich gab und unter denen sie tatsächlich litt. Weil sie zudem fest davon überzeugt war, die manisch-depressive Krankheit der Mutter geerbt zu haben, verstärkte allein diese Furcht die Symptome. Was bei anderen in ähnlichen Fällen schlimmstenfalls zu einem Nervenzusammenbruch geführt hätte, ließ sie deshalb fast in den Abgrund fallen.

Ob sie als Studentin in Yale allerdings tatsächlich mal versucht hat, sich das Leben zu nehmen, ist nicht beweisbar. Ihre beiden Psychotherapeuten dürften während der vielen Sitzungen im Lauf der Zeit von ihr mehr darüber erfahren haben, doch das lässt sich nicht recherchieren. Dr. Helene Papanek ist 1985 gestorben. Dr. Samuel Dunkell, den die renommierte Psychiaterin als ihren Nachfolger empfahl, um sich nicht in einer Mutterrolle für Eva zu verlieren, der hochbetagt in New York lebt, ist gebunden an das Schweigegebot, das über den Tod hinaus gilt, also auch für seine berühmte ehemalige Patientin Eva Hesse. Einige ihrer Zeichnungen und Gemälde, mit denen sie seine Honorarforderungen beglichen hat, hängen jetzt an den Wänden seiner Wohnung.

In Eva Hesses Aufzeichnungen ist oft vom Sterben die Rede, vom eigenen Ende, das sie schaudernd in einem Alptraum erlebt und, so zum Beispiel im April 1960, in allen Details beschreibt: »Finde mich mit meinem zu frühen Tod ab. Alle Menschen aus meinem Leben erschienen. Am Ende mussten sie alles zugeben, ihre Irrtümer und ihre Fehler, mich betreffend, bedauern ... Alle wurden vergiftet. Doch irgendwas wurde ihnen verschrieben und half sie zu retten. Kein hoffnungsvolles Ende. Ich wache zutiefst verschreckt auf und versuche hysterisch, mich zurück ins Leben zu flüchten.«

Aber sie erwähnt nie einen Selbstmordversuch, obwohl sie üblicherweise schonungslos offen sich und ihre Schwächen und Ausfälle und Neurosen schildert, über alles berichtet, was ihr widerfuhr, selbst über intime Situationen, die alle Frauen erleben und nicht gerade typisch sind oder gar singulär für diese Frau.

Einige Bemerkungen aus dem Gutachten eines Arztes – dem wiederum Helene Papanek versichert, sie habe ein gutes Gefühl für Evas weiteres Leben – über den labilen Zustand der Studentin nähren immerhin den Verdacht, dass es einen Suizidversuch gegeben haben könnte. Mental gestört durch Anfälle von Angst sei die betreffende Person. Aber »complete rehabilitation« lautet die Diagnose, alles heilbar, vor allem deshalb, weil die Patientin sich ihrer Probleme bewusst sei und entschlossen, die Ursachen zu bekämpfen, ihre Depressionen zu bewältigen. Trotz hoher Intelligenz sowie eines ungewöhnlichen Talents, was das Malen angehe – »sie ist hoch begabt und ehrgeizig« –, habe sie Schwierigkeiten im Studium. Verschrieben werden deshalb antipsychotische Beruhigungsmittel, Compazine, die gleichzeitig gegen ihre mitunter auftretenden heftigen Kopfschmerzen, gegen ihre Migräneanfälle helfen sollen.

Sie selbst hatte den Arzt gebeten, ihr das populäre Antidepressivum Miltown zu verschreiben statt der von ihm verordneten Zehn-Milligramm-Compazine-Tabletten, deren Wirkung gegen Angstanfälle, Spannungen, Depressionen etwa zwölf Stunden anhält. Miltown war damals berühmt unter der Bezeichnung »Mother's little helper«, in der gleichnamigen Aufnahme der Rolling Stones bittet Mick Jagger als singende Hausfrau: »Doctor, please / some more of these.«

In ihrem ganzen atemlosen Leben habe sie insgesamt »nur zwei relativ glückliche Jahre« gehabt, gibt sie wenige Wochen vor ihrem Tod zu Protokoll. Sie wiederholt diese wehleidige Bilanz, die nicht passt zu ihrer selbstironischen Tapferkeit, sogar einige Tage später, als das Interview erneut beginnt, weil beim ersten Treffen mit der Journalistin Cindy Nemser deren Rekorder nichts aufgenommen hatte.

Eva Hesses Stimme auf dem Band klingt weich, sie spricht langsamer als sonst, nicht so newyorkisch tough, sucht nach Worten, die Tonlage ist eher dunkel, Moll statt Dur. Was aber nicht außergewöhnlich ist. Sie steht Ende Januar 1970, als die Aufnahme entsteht, unter der Wirkung von Sedativen, unter schmerzdämpfenden Medikamenten, ist auch hörbar geschwächt durch ihre Krebskrankheit, die ihr da nur noch wenige Monate Leben lässt.

Dass sie »als Kind eigentlich immer Angst hatte«, wiederholt sie oft. Das gehört zu ihrer subjektiven Wahrheit, ihrer Überzeugung, ein verstörtes Kind gewesen zu sein. Die familiäre Umgebung hat Little Eva ganz anders wahrgenommen, wie sich aus einem Tagebucheintrag ihres Vaters vom Oktober 1940 ergibt, der sie als fröhlich und lebendig und manchmal frech wie ein Junge schildert:

»Evchen hat sich enorm entwickelt. Sie ist gewachsen. Die Kleider müssen alle verlängert werden. Und sie ist weiblich geworden. Sie ist beinahe hübsch. Sie ist sehr liebenswürdig, und alle mögen sie gern leiden. Sie hat ein viel froheres Naturell als Helen. Sie sprüht und ist manchmal kaum zu bändigen. Sie sollte ein Junge werden und ist wie ein boy. Sie ist ein Tober und begeisterter Fighter ... Eine Zeit lang war es schlimm, und mit allen Kindern legte sie sich an.«

Neben seinen Text hat er Evas erste Zeichnung eingeklebt, kindliches Gekritzel in farbiger Pracht. Ein König erscheint links neben einer großen Figur im Vordergrund, die schützend beide Arme ausbreitet. Interpretationen sind naheliegend, aber unzulässig, denn sie ist da mal gerade vierdreiviertel Jahre alt und malt, wie alle Kinder in diesem Alter malen. Ihr Vater schreibt unter ihr erstes Bild: »Das habe ich ganz alleine gemacht. I made it without any help, Eva said with pride« und ergänzt: »Designed and painted by a young artist.«

Klingt nicht gerade nach einer besonders tragischen Kindheit, doch die als besonders fröhlich beschriebene Eva war eigener Erinnerung nach erfüllt von wiederkehrenden Alpträumen und nächtlichen Panikanfällen, über die sie allerdings erst viele Jahre später rückblickend reflektiert: »Alle Welt dachte, ich sei ein goldiges, smartes Ding, und ich habe alle reingelegt. Aber zu Hause fühlte ich mich furchtbar. Hatte Kummer. Entsetzliche Angst. Unglaubliche Angst.«

Diese Angst verließ sie eigenen Aussagen zufolge nie. Eine Angst, die sie immer wieder und in gleichen Worten »a terrible abandonment problem« nennt, ein schreckliches Problem mit dem Verlassenwerden. Von wem auch immer. Wiederum wäre es zwar naheliegend, aufgrund von ihr beschriebener Angstzustände, Depressionen, Alpträume im Rückblick Eva Hesses kurzes Leben als Biografie einer bei Berührungen ängstlich vor den Folgen erschreckenden Frau zu erzählen.

Doch das allein war sie eben nicht. Ihre andere Seite, ihr heiteres Wesen, ihre Lust auf Liebe, ihr Lachen, ihr Sinn fürs Absurde, ihre Sehnsucht nach Berührung, blieb denen, die sie näher kannten, so stark und eindringlich in Erinnerung, dass sie noch heute davon schwärmen, wie Mel Bochner, der nie müde wird zu wiederholen: »Man konnte sich wunderbar mit ihr unterhalten, sie war neugierig auf die Welt und interessiert an den Menschen.« Eva Hesse war in jeder Beziehung eine berührbare Frau, berührbar durch Nähe, berührbar durch Verluste, berührbar vor allem in ihrem und durch ihr Werk. Diese Berührbarkeit ist über ihren Tod hinaus lebendig geblieben, ist spürbar in ihrer Kunst.

Zweifellos wird sie sich verlassen gefühlt haben während der drei Monate in jenem holländischen Kinderheim. Aber warum hatte dieses Verlassensein auf ihre Schwester nicht ähnliche Auswirkungen wie auf sie? Mag daran gelegen haben, glaubt Helen heute, dass sie zweieinhalb Jahre älter war und fest darauf vertraute, die Eltern würden sie wieder abholen. Was sie ja auch taten. Evchen schien dennoch die elternlose Zeit verkraftet zu haben, schien ein ganz normales Kind zu sein, wie ihr Vater schrieb, als die Familie in London auf die Visa für die Vereinigten Staaten wartete. Aber im Unterbewusstsein muss sich etwas für immer eingenistet haben.

Zwar konnte sie es damals nicht artikulieren, doch in einem Traum, der sie Jahrzehnte später überfällt, sieht sie sich gefangen in einem Lager, in dem sie gefoltert und bedroht wird, bleibt letztlich nur deshalb am Leben, weil sie noch so klein ist. »Die Peiniger erklärten, wenn ich nicht ein Kind wäre, dann hätten sie mich getötet«, schreibt sie.

Was vermuten lässt, dass sie als knapp Dreijährige auf dem Altonaer Bahnhof zwar nicht verstehen konnte, warum da viele

Männer in Uniform auf dem Bahnsteig standen, warum ihre Eltern zurückbleiben mussten, warum sie und Helen in diesen Zug steigen mussten. Dass aber dann, als sie nachlas, was ihr Vater aus jener Zeit und speziell über jene Situation geschrieben hatte, Bilder aus ihrem Unterbewussten aufstiegen und sich mit dem historischen jüdischen Trauma des Holocaust, über den die erwachsene Eva Hesse natürlich alles wusste, auch erfuhr, was damals das unschuldige Wort »Transport« bedeutete, vor allem für ihre Großeltern, zu einem persönlichen Alptraum mischten. Einem Alptraum, in dem sie verlassen war, allein gelassen unter Folterern und Mördern.

Der Psychiater Samuel Dunkell, spezialisiert auf Forschungen über die Körpersprache der Menschen während ihres Schlafs, hält Depressionen, Angstzustände, Schlaflosigkeit nicht nur bei Patienten, die den Holocaust erlebten und überlebten, für typische Symptome, sondern auch bei denen, die ihn nicht selbst erlebten – so wie Eva –, aber als Horror, der ihre Familie traf, in sich trugen und, wie er meint: stellvertretend für die Ermordeten, in ihrem Leben verarbeiten mussten. Die Behandlung durch Samuel Dunkell hat Eva nach Meinung ihrer Schwester »ganz gut getan«, ohne dass Helen Charash davon überzeugt ist, er habe ihr wirklich helfen können.

Kind sein kann aber, und dies ist eine andere Möglichkeit, Evas Alptraum mit den Folterknechten zu deuten, Rettung vor den bösen Erwachsenen heißen. Weil sie ein Kind ist, wird sie verschont. Zwar widerspricht diese Interpretation den Bekenntnissen der erwachsenen Eva über traumatische Erlebnisse in ihrer Kindheit, über die Wunden, die ihrer Seele angeblich von Erwachsenen zugefügt worden sind. Dennoch ist diese Mutmaßung begründbar durch einen Satz von ihr selbst, dem zufolge sie sich manchmal wünschte, immer noch ein kleines Kind zu sein, für das gesorgt wird: »Still desire in ways to be the baby & be taken care of.«

Zweifellos wird sie sich erneut verlassen gefühlt haben, als ausgerechnet nach endlich geglückter Ausreise und dem voller Hoffnung auf ein besseres Leben begonnenen gemeinsamen Neuanfang der Familie in den USA die von ihr so geliebte Mutter, die schönste der Welt, wie sie oft betonte, wieder in Depressionen verfiel. Gerade dann, als beide Mädchen sie als Halt brauchten, war sie nicht mehr greifbar für die Sehnsucht ihrer Kinder, wurde stattdessen irgendwann unsichtbar und verschwand schließlich ganz aus ihrem Leben.

Später mal, in ihrem erwachsenen Leben, glaubte Eva Hesse sich nur auf eines verlassen zu können – und dieses eine war die Kunst, ihre Kunst. Sei ja eh das Wichtigste gewesen für sie, bekräftigt ihre Freundin, die amerikanische Autorin Gioia Timpanelli, die weiß, dass Eva Hesse im Memorial Hospital bis zum Schluss, als sie kaum noch klar sprechen konnte, am liebsten darüber sprach. Zwar erlebte auch die Künstlerin Eva Hesse viele Phasen der Verunsicherungen, des Selbstzweifels, aber die ließen sich im Gegensatz zu all den anderen Zweifeln besiegen durch harte Arbeit und Disziplin, angetrieben von ihrem als unbeugsam beschriebenen Willen, ihrem brennenden Ehrgeiz, sich durchzusetzen, vor allem gegen die damals von Männern dominierte Kunstszene – was sie sich selbst stolz sehen ließ als »a giant in my strength«, enorm stark zu sein, riesig geradezu.

In ihrer selbstironischen Art, mit der sie unsentimental lakonisch ihre eigenen manchmal kitschig und melodramatisch anmutenden Gefühlsäußerungen schon mit der nächsten Bemerkung ad absurdum führt und in Frage stellt, mit der sie ihr Inneres kritisch von außen betrachtet, bekennt sie, dass ausgerechnet die Kunst und nicht etwa die Liebe, die ihr aufgrund ihrer Schönheit zuflog, im Leben das Einfachste gewesen sei, »art is the easiest thing in my life« – unter oft als traumatisch und absurd empfundenen Umständen der einzige feste Halt. Was Gioia Timpanellis Einschätzung bestätigt.

Aber an ihrer Kunst konnte sie sich ja als Kind noch nicht

festhalten. Der Wunsch der kleinen Eva, sich festhalten zu können, ist deshalb wörtlich zu verstehen. Ihr deutsches Kinderbett, das von der Hamburger Spedition Röhrig mitsamt allen anderen bei der Ausreise freigegebenen Möbelstücken, Büchern und Haushaltsutensilien nach New York verschifft worden war, hatte nicht nur auf allen vier Seiten, sondern auch am Boden Gitterstäbe, an die »ich mich klammern konnte nachts«. An solche Details erinnert sich dreißig Jahre später die erwachsene Eva, wenn sie von typischen Szenen aus ihrer Kindheit erzählt. Für sie typisch, dass sie lärmende Nachmittage im Park, Spiele mit anderen Kindern, mit ihrer Schwester, dass sie die Samstage bei Kuchen und Kakao mit Verwandten

Summertime: Die beiden Schwestern Eva und Helen bei einem Ausflug an den Rockaway Beach.

und Freunden, dass sie *»the bright sides of life«*, die heiteren Seiten des Lebens, kaum erwähnt.

Typisch andererseits auch, dass sie das Ritual zur Schlafenszeit nicht vergessen hat, als Evchen darauf bestand, dass ihr Vater im Bett viele Decken um sie herum drapierte, die sie schützend umhüllten, ihr versprechen musste, dass sie nie arm sein würden und nie mehr ausgeraubt würden, was sich auf die Ereignisse in Hamburg bezieht, von denen er erzählt hatte. Und er musste schwören, dass er am anderen Morgen wieder da sei, um für sie zu sorgen. Das sei jeden Abend so abgelaufen in ihrer Kindheit. Insofern habe es keinen einzigen Tag gegeben, an dem sie sich wirklich sicher gefühlt hat – ja: »Richtig besser ist es nie geworden.« Ein Betttuch aus Evas Kindheit, an das sich Rosalyn Goldman erinnert, weil es am unteren Ende Knopflöcher hatte, lag bis zum Ende im Atelier der erwachsenen Eva Hesse.

In manchen Alpträumen wimmelte es von Kakerlaken, die es tatsächlich gab in der Hesse-Wohnung im New Yorker Stadtteil Washington Heights. So etwas war eigentlich nicht der Rede wert, die gab es in fast allen Appartements der Häuserblocks, Kakerlaken, *»cockroaches«*, gehörten da zum Inventar. Bei Eva sind es welche mit menschlichen Gesichtszügen, richtige Monster. Sie schildert außerdem riesengroße Ameisen, die an Familienmitgliedern und Freunden nagten, ebenfalls keine freundlichen Wesen. Kakerlaken schienen ihr bedrohlicher. In manchen Träumen verwandelten sie sich zwar in Ameisen, und diese wiederum in Menschen. Was aber kein Trost war, denn die Menschen kamen nicht, um sie zu retten, die waren ebenso gefährdet wie sie.

Ameisen gebrauchten nicht ihre eigenen Zangen, wenn sie attackierten. Die größte von ihnen holte sich in Evas Traumszenen die Schere, die auf Vaters Schreibtisch lag – mit der er für die so geliebten Collagen aus Zeitungen Artikel, Fotos und Überschriften ausschnitt, um sie in eine seiner Kladden einzukleben –, und schnippelte damit an den Menschen herum, die Eva erkannte, weil sie ihr vertraut waren aus ihrem wirklichen Leben, Freundinnen wie ihre Studienkollegin Camille Reubin zum Beispiel, die in diesem Traum in Vaters Bett lag und »selbst aussah wie eine Kakerlake ... Ameise krabbelt durch ihr Haar, Camille bittet mich, ihr das Haar abzuschneiden, um damit die Ameise loszuwerden … die wird immer riesiger, ich rufe um Hilfe.«

In den Tagebüchern ihres Vaters, in die er – wenn auch mittlerweile in Abständen von drei, vier Monaten – sowohl für Helen als auch für Eva, wie schon zuvor in Hamburg und London, Szenen aus dem Alltag eintrug, die sie als Erwachsene mal über die ersten Jahre ihres Lebens informieren sollten, steht nichts davon. Da schwärmt William, vorm. Wilhelm, Hesse nur von Little Evas Anhänglichkeit und wie ungeheuer liebebedürftig sie sei. Dass sie kein strenges Wort vertrage, sofort zu weinen beginne, immer wieder rufe, bitte nicht böse sein, erst wieder zufrieden sei, wenn ihr versichert wird, dass alles wieder gut ist: »Dann drückt sie uns fest und freut sich.« Erzählt davon, dass sie zu ihrem Geburtstag eine Gummipuppe bekommen hat, die sie sich schon lange gewünscht hatte, die »trinken konnte und Geschäfte machen«. Fleißig würde sie Gedichte und Lieder in der neuen Sprache lernen, mit ihrer Schwester Englisch sprechen, beim Spielen mit anderen Kindern draußen sowieso, ihrer Mutter helfen, das richtige Wort für einen deutschen Begriff zu finden. Von der übrigens gibt es nach wie vor keine einzige handschriftliche Eintragung. Sie schreibt nicht mit an der Chronik ihrer Familie, über sie wird geschrieben.

William Hesse notiert Alltägliches in Englisch wie in Deutsch. Was eine leichte Übung ist, denn er fühlt sich längst als Amerikaner, ist mündlich wie schriftlich in der neuen Heimat zu Hause. Im Juni 1940, kurz nach dem Einmarsch der deutschen Wehrmacht in die Niederlande: »Vor fünfzehn Monaten lebten die Kinder noch in Holland … fifteen months ago Helen and Eva still were in Holland«, und er ist voller Dankbarkeit, dass es gelungen ist, sie rechtzeitig nach England zu bringen.

Seine Frau spricht die Sprache des Landes, in das sie aus Not und nicht aus Neigung kam, nur gebrochen. Sie muss sich im

Alltag nicht mal bemühen, Englisch zu lernen, sie kommt auch so zurecht. Denn in Washington Heights, wo die Hesses nach zwei, drei Wochen Aufenthalt im New Yorker Appartement von Cousin Ernst Englander eine Wohnung gefunden haben, spricht man überall Deutsch – beim Bäcker, beim Schlachter, beim Schuhmacher, Lebensmittelhändler, im Kindergarten und in der Synagoge sowieso. Ruth Hesse und ihre jüdischen Nachbarn holen sich die verlorene deutsche Vergangenheit, ihre Heimat täglich durch die Sprache zurück.

Das Stadtviertel am nördlichen Ende der Insel Manhattan ist als Folge der Novemberpogrome 1938 in Deutschland zu einer jüdischen Großgemeinde gewachsen, es wird auch »Frankfurt on the Hudson« oder zynisch gar »Viertes Reich« genannt, weil sich ausgebürgerte und emigrierte deutsche Juden – zwanzigtausend werden es mal sein – dort niedergelassen haben. Viele haben sich ihre kleinbürgerlichen deutschen Eigenheiten bewahrt. Man schaut genau, was der Nachbar macht und treibt und ob er einen neuen Anzug trägt oder seine Frau ein neues Kleid und wie sich die Neuankömmlinge in der noch fremden Umgebung benehmen. Man habe, weiß Helen Charash, sehr deutlich die Unterschiede erkennen können zwischen den Juden, die aus Deutschland gekommen waren – »formal, proper« –, und denen aus Osteuropa. Korrekt und sauber waren die Hesses, die einst zur besseren Gesellschaft Hamburgs gehörten, trotz beschränkter finanzieller Möglichkeiten selbstverständlich immer noch. Dafür sorgt Ruth Hesse, die so begabte Schneiderin, die auch aus wenig etwas Ansehnliches machen kann. Vor allem Kleidchen für ihre Mädchen.

1939 wohnen die Hesses unter beengten Umständen, kein Vergleich natürlich mit den großen Wohnungen in der Isestraße oder der Rothenbaumchaussee, in 272 Washington Avenue, dann ein Jahr später in 650 West 172nd Street, schließlich ab 1942 für viele Jahre in 630 West 170th Street. Sie pflegen die Rituale getreu dem jüdischen Kalender, feiern ihre Feste so, wie sie die einst zu Hause gefeiert haben. Nicht ganz so streng wie andere orthodoxe Juden. Gott werde es ihnen bestimmt verzeihen, sagt die kleine Eva einmal, und ihr Vater notiert es, dass sie auch am heiligen Sabbat »das Toilettenpapier zerreißen«, bevor sie es benutzen. Aber die Kinder lernen Hebräisch, sie gehen zum Religionsunterricht in die Synagoge. Darauf achtet William Hesse.

Der kann in seinem Beruf keine Arbeit finden, weil sein Studium, sein deutscher Universitätsabschluss, sein Doktortitel, seine Hamburger Erfahrungen als Rechtsanwalt in den Vereinigten Staaten nichts wert sind. Da gelten andere Gesetze, da gilt ein anderes Rechtssystem. Das angelsächsische ist mit dem deutschen, in dem er sich auskennt, nicht vergleichbar, und er ist mit seinen achtunddreißig Jahren zu alt, um noch mal ganz von vorne anzufangen und noch mal Jura zu studieren. Außerdem muss er möglichst schnell Geld verdienen, denn vom Vermögen sind nach dem Raubzug der Nazis nur noch ein paar tausend Mark geblieben.

Was er außerdem noch gelernt hat, ist brotlose Kunst. Als freier Fotograf kann er seine Familie nicht ernähren. William Hesse lässt sich umschulen. Für eine Ausbildung in bestimmten Branchen gibt es Zuschüsse von der Stadt New York. Viele aus Deutschland vertriebene Juden bekommen nicht nur Unterstützung, um sich eine neue Existenz aufzubauen, sie sind auch als *citizens* willkommen im neuen Vaterland und erhalten unbürokratisch schnell die Staatsbürgerschaft. Versicherungsmakler will William Hesse werden, nicht gerade sein größter Wunsch, aber entscheidend ist: Es muss ein Beruf mit Zukunft sein. Versicherungen brauchen alle und zu allen Zeiten. Zwar bäckt und kocht und näht seine Frau und verringert so die nötigen festen Ausgaben für den Haushalt – »sie war eine wundervolle Köchin, am besten konnte sie Hamburger Butterkuchen backen« (Helen) –, doch es müssen Lebensmittel eingekauft und es muss die Miete bezahlt werden.

Für diese Ausgabe wenigstens findet sich bald eine Lösung. Die Mutter des Cousins Ernst Englander, bei dem sie nach ihrer Ankunft in New York untergekommen sind, zieht zu ihnen nach Washington Heights. Ruth Hesse versorgt Flora Englander, die von beiden Kindern als »neue Oma« betrachtet wird, weil die echte in Hamburg bleiben musste, dafür übernimmt ihr Sohn Ernst die Miete. Die Belastung für Evas und Helens Mutter, die es aus besseren Zeiten gewöhnt war, dass ihr ein Dienstmädchen die groben Arbeiten im Haushalt abnahm, erhöhte sich dadurch. Sie vermisste ihren einst privilegierten Status als Gattin eines renommierten Rechtsanwalts. Darüber kam sie nicht hinweg. Sie muss sich wohl, je weniger sie für sich eine Zukunft zu erkennen glaubte, wieder einem jener Abgründe genähert haben, die sie schon früher zu verschlingen drohten. Was aber von ihrer Umgebung nicht als bevorstehender Ausbruch ihrer alten Krankheit erkannt, sondern mit den neuen Schwierigkeiten erklärt wird, sich in der Fremde zurechtzufinden.

Im »Aufbau«, der deutschsprachigen jüdischen Zeitung, die alle lesen in Washington Heights, abgedruckte Nachrichten aus dem Nazireich sind besorgniserregend. Nicht nur, was nach Beginn des Zweiten Weltkrieges die allgemeine politische Lage betrifft, denn die Hoffnung, Hitlers Armee werde im »nächsten Winter in die Hölle gejagt« (William Hesse), erfüllt sich nicht. Im Gegenteil. Von vielen deutschen Siegen ist die Rede. Umso dringlicher wird es für Hesse, seinen Bruder und seine Schwägerin und seine Schwiegereltern aus Europa herauszuholen. Der gelernte Jurist macht sich systematisch daran, wie damals, als er in Hamburg die Ausreise seiner Familie vorbereitete und sich von Schikanen und Demütigungen auf dem Weg zum Ziel nicht abschrecken ließ.

Er wird hier natürlich anders behandelt als dort, ist kein Bürger zweiter Klasse, sondern ein *citizen*. Aber das Ziel zu erreichen ist hier so schwierig, wie es dort gewesen ist. An seiner Treue zu den Vereinigten Staaten, wo angesichts des diskutierten Kriegseintritts der USA auch Überlegungen angestellt werden, ob man eingewanderte deutsche Juden nicht lieber als feindliche Ausländer internieren solle, besteht allerdings kein Zweifel. Er besitzt sogar eine gerahmte Urkunde, die bestätigt, sein Name sei unter jenen, die auf der Declaration of Loyality stehen, die vom »New Yorker Komitee der Opfer nazi-faschistischer Unterdrückung« dem US-Präsidenten übergeben worden ist. Darauf ist er stolz. Aber es ist nichts weiter als ein Zertifikat, das an alle ausgegeben wurde, die bei einer Kundgebung in New York sich lautstark zu Amerika bekannt hatten.

William Hesse schickt verschiedene von ihm unterschriebene Affidavits, in denen die US-Einwanderungsbehörde bestätigt, er habe garantiert, für den Unterhalt der auf dem Dokument Genannten zu sorgen, nach Deutschland. Wie er es tatsächlich schaffen soll, falls sie ausreisen dürfen, weiß er nicht. Seine Briefe werden nicht beantwortet. Er versucht für seine Schwiegereltern wenigstens Visa zur Einreise nach Chile oder nach Kuba zu bekommen, um ihr Leben zu retten, um sie dann später von Chile oder Kuba nach New York zu holen, aber eine bereits bestätigte Schiffspassage von Erna Marcus nach Chile wird storniert. Vielleicht hat sie es auch abgelehnt, ohne ihren Mann, der nicht auf der Liste der Ausreisenden stand, das Land zu verlassen. Erfahren wird man es nie.

Hesse überlegt sogar, ob er dem Angebot einer obskuren Fluchtorganisation trauen soll, die allen Emigranten, die sich in einer ähnlichen Lage befinden wie er, gegen Vorkasse von 12 500 Dollar verspricht, ihre Angehörigen über Schweden und Brasilien in die USA zu bringen. Er macht es nicht. Das Misstrauen des gelernten Strafverteidigers, sein Verdacht, dass hinter den angeblichen Helfern deutsche Dienststellen stehen, die Geld von verzweifelten Angehörigen erpressen wollen, die um jeden Preis ihre Verwandten retten wollen, bestätigt sich. In verschiedenen Zeitungsberichten ist mal zu lesen von einer

Aktion der Nazis, Verwandte der Menschen zu erpressen, die sie in ihrer Gewalt haben.

Nachdem die deutsche Wehrmacht Holland besetzt hat, bricht der briefliche Kontakt zu Martha und Nathan ab. William Hesse bekommt keine Antwort mehr auf seine Schreiben, auch das eingeschaltete Rote Kreuz kann nicht weiterhelfen. Ab Ende 1941 hört er auch nichts mehr von Ruth Hesses Eltern. Letztes Lebenszeichen von Erna und Moritz Marcus aus Hamburg ist die kurze Nachricht, dass sie umgesiedelt wurden in ein so genanntes Judenhaus in der Bornstraße 22, neben der dem Erdboden gleichgemachten, einst prächtigen Synagoge am Bornplatz. Erst nach dem Krieg werden Ruth und Wilhelm Hesse erfahren, dass alle ihre Verwandten in den Konzentrations- und Vernichtungslagern Bergen-Belsen und Auschwitz umgebracht worden sind.

Beide Kinder bekommen von den Sorgen ihrer Eltern, von der Verzweiflung Ruth Hesses wenig mit. Die Erwachsenen wollen sie nicht mit ihrem Kummer belasten. Den kann ihre Mutter ja selbst kaum ertragen. Wie sollten ihre kleinen Töchter damit umgehen können? Immerhin wissen sie, dass Oma und Opa von diesem bösen Mann, von Hitler, festgehalten werden. Sie wünschen deshalb der Mama zum Geburtstag, dass sie ihre Mutter bald wiedersehen darf. Ihr Vater macht aus diesen Wünschen ein anrührend holpriges Gedicht: »Nothing better we can wish mother Ruth / that her greatest hope will soon be truth / that grandma soon will come over here / and we will meet her at the freedom's pier.«

Helen und Eva erobern sich spielend die fremde Welt. Bereits ein halbes Jahr nach ihrer Landung in New York sprechen beide so gut Englisch, dass sie manchmal nachfragen müssen, was dieses oder jenes Wort auf Deutsch heißt. Deutsch ist die Sprache, in der sich die Familie nach wie vor zu Hause unterhält. Sie spielen im J. Wood Wright Park, benannt nach einem reichen Banker aus Manhattan, der auf dem Gelände zwischen der 173. und der 176. Straße mal sein Anwesen hatte, sommers plantschen sie in dem Becken, das extra für alle in der Gegend wohnenden Kinder angelegt worden war, winters fahren sie Schlitten. Helen geht bald zur Schule, Little Eva noch in den Kindergarten.

William Hesse stellt fest, dass seine jüngste Tochter »ein großes Mutterkind ist, das stets an Mutters Rockzipfel hängt und ihr möglichst nicht von der Seite weicht … Wenn ihre Mutter mal wieder traurig ist, wird sie von Evchen getröstet«. Eva, das Mutterkind. Der Vater wird erst zur Hauptperson für sie, der einzige Erwachsene, der ihr noch vertraut ist und dem sie traut, als der Rockzipfel ihrer Mutter nicht mehr greifbar ist. Von ihren Ängsten spricht sie nicht, die kann Evchen nicht artikulieren, und deshalb steht davon nichts in den Tagebüchern ihres Vaters. Sie ist vier Jahre alt, als ihr »erstes Refugeejahr zu Ende geht, ihr deutscher Reisepass abgelaufen ist, ein unliebsames und exnationales Andenken«. Bis Eva Hesse 1945 die amerikanische Staatsbürgerschaft erhält, gilt sie als staatenlos. Über ihre *»nightmares«* erzählt sie erst in ihren eigenen Tagebüchern – und tritt mit ihrem anderen Ich in einen Dialog ein. Über diese Alpträume berichtete sie ihren Therapeuten. Zunächst Helene Papanek, bei der sie ab 1954 in Behandlung war, dann Samuel Dunkell, der sie mit oft langen Unterbrechungen bis zu ihrem Tod betreute. Beide haben sie ermutigt, hemmungs- und schonungslos zu notieren, was sie bewegte, was sie belastete. Das verordnete Schreiben war Teil ihrer Therapie.

»Sah meinen Doktor nach sechswöchiger Abwesenheit. Wir sprachen über meine Träume. Das Symbolische, an das ich mich erinnere. Drei Stufen meiner frühen Entwicklung: 1. mit Mutter. 2. allein mit Vater. 3. mit Stiefmutter. Wahrscheinlich Schuldgefühle in Verbindung mit Mutters Krankheit. Enge Nähe mit Vater, allein – probably sexual & otherwise. Rolle beider Eltern vom Vater allein erfüllt. Schuldgefühle auf meiner Seite, Vater für mich allein zu haben. Einmischung of stepmother. Ihr Versuch, diese Nähe zu trennen. Schuldgefühle.«

Das alles schreibt sie unmittelbar auf, wenn es ihr im Traum passiert ist und sie nachts aufwacht, oder am anderen Morgen, wenn sie versucht, sich an einen Alptraum genau zu erinnern. So entstehen Bilder aus ihrer Kindheit, die schrecklich sind. Doch die sind fern der Realität, denn die Erklärungen, die sie nachreicht und an die sie glaubt, haben mit der Wirklichkeit nichts zu tun. Würden eher in den Traum passen, über den sie berichtet: Dass sie oft nachts allein gewesen ist als Kind, dass sie bei Verwandten und Freunden herumgereicht wurde, weil zu Hause niemand für sie sorgte, dass ihre Mutter wegen ihrer Depressionen in verschiedenen Kliniken untergebracht und ihr Vater wegen seiner Umschulung nicht da war – »I was raised in different places and so was my sister« –, stimmt so nicht.

Erzählt hat sie es vier Monate vor ihrem Tod. Kann also sein, dass der Gehirntumor, an dem sie bald sterben sollte, nicht ohne Auswirkungen geblieben ist auf ihr Gedächtnis, denn »dass meine Mutter so oft im Krankenhaus war und wir allein waren, stimmt nicht«, sagt ihre Schwester Helen, »wohl aber erinnere ich mich sehr genau an ein dunkles Zimmer, in dem sie lag, und ich weiß, dass wir bei solchen Anfällen still sein mussten.«

Was in einem schleichenden Prozess der Vereinsamung mit Ruth Hesse passiert, wird dann zum echten Alptraum. Für beide Kinder. Warum ihre Mutter hin und wieder depressive Anfälle bekommt, bei denen sie sich ins verdunkelte Schlafzimmer zurückzieht, keine lauten Geräusche verträgt, Eva und Helen still sein müssen, können sie sich zwar nicht erklären – ihr Vater spricht nur vage von einer vorübergehenden Schwäche –, aber das ist nichts Ungewöhnliches. Solche Zustände sind ihnen vertraut, weil das ja auch schon in Hamburg und in London so war.

Ruth Hesse ist zu oft allein. Die Anwesenheit der »neuen Oma« Flora Englander ist kein Trost. Die erinnert sie im Gegenteil eher an die Abwesenheit ihrer eigenen Mutter, an die ihres Vaters. Sie muss kaum noch Hoffnung gehabt haben, sie je wiederzusehen. Ihr Mann ist tagsüber nicht da, weil er seinen neuen Beruf erlernen muss, eröffnet dann, als er die Prüfung bestanden und die Zulassung bekommen hat, eine eigene Versicherungsagentur und ist danach noch länger außer Haus. Kommt oft spät heim, Klienten muss er sich abends suchen, wenn die von ihrer Arbeit in ihr Zuhause zurückgekehrt sind. Ab Herbst 1941 entfällt das Zupfen am Rock, ihre anhängliche Jüngste wird eingeschult, geht nun auch morgens mit ihrer älteren Schwester aus dem Haus. Wie sich herausstellt, beginnt die Einschulung für die noch nicht mal Sechsjährige zu früh. Sie schafft das geforderte Pensum nicht. Ein paar Monate später, im Februar 1942, fängt sie noch einmal mit der ersten Klasse an, von da an bekommt sie nur noch gute Noten. Das wird so bleiben während ihrer gesamten Schulzeit.

»Wir haben aber große Sorgen«, schreibt William Hesse, ohne näher auf die Ursachen für diese Sorgen einzugehen, »denn Mami ist sehr krank.« Die Umschreibung dafür, dass Ruth Hesse von einem Anfall ihrer Depressionen befallen ist. Eva schildert erst als junges siebzehnjähriges Mädchen die damalige Situation: »Während ihrer Krankheit wollte sie sterben, sprach oft darüber mit Vater. Auch über ihre wechselnden Stimmungen, die über sie kamen und gingen. Sie blieb meist im Bett ... Sie war aber nie allein.« Dass ihre Mutter von Todessehnsucht getrieben war, geboren aus ihrer wieder aufgetretenen Depression, hat Evchen damals natürlich nicht mitbekommen. Das wurde ihr später von ihrem Vater erzählt, als sie alt genug war, zu erfahren, was passierte, und zu verstehen, warum es passierte. Helen dagegen, die Ältere, begriff schon damals mehr, als ihrem Vater lieb war, der lieber schwieg als zu reden.

Ruth Hesses Zustand scheint sich Anfang 1944 endlich wieder gebessert zu haben. Wie nach dem Sanatoriumsaufenthalt in Holland glaubt William Hesse, seine Frau sei nunmehr von ihren Depressionen geheilt, ein schlimmes Jahr sei überstanden. Alltag bedeutet nicht mehr verdunkeltes Zimmer und Flüstern auf dem Flur und Tränen am Bett, bedeutet jetzt Alltäg-

Neue Heimat New York: Ruth und William Hesse mit ihrer Tochter Eva 1940 in Washington Heights.

liches: Ausflüge der Familie in den Zoo, Spaziergänge im Park, Fahrten der beiden Schwestern, allein und ohne Begleitung!, mit der U-Bahn zu Verwandten nach Manhattan in die Innenstadt. »Wir alle lieben Dich so«, versichert William Hesse seiner Little Eva, als die acht Jahre alt wird, beschließt so das zweite Tagebuch, das er für sie geführt hat, vergisst aber nicht, an die Schrecken zu erinnern, die sie gemeinsam erlebt haben.

»Im ersten Buch beschrieb ich Dein Leben in Nazideutschland, dem Du mit Gottes Hilfe entkommen bist. Im zweiten Buch liest Du über die Zeit, die wir in England verbracht haben und dann in die Vereinigten Staaten emigrierten... Du wirst daraus ersehen, wie aus Dir ein gutes richtiges American Girl wurde. Du kannst dankbar sein, dass Du eine so gute Zeit in Amerika hattest, während in Deutschland und fast überall in Europa Kinder darben mussten ... Ich wünsche Dir so viel Glück für die Zukunft wie in der Vergangenheit ... Your Daddy.«

Der 38. Geburtstag seiner Frau im Mai 1944 wird als Rückkehr ins normale Leben mit Freunden und Verwandten gefeiert. Die haben mitbekommen, wie schlecht es Ruth Hesse ergangen war, wie sehr die Familie darunter auch leiden musste, aber darüber zu sprechen, gar mit ihr, ist nicht erwünscht. Evchen wirke locker und glücklich, freut sich ihr Vater, weil »sie sich Mammys Kummer so zu Herzen genommen hatte« – mit dem allgemeinen Begriff von Mammys Kummer umschreibt er, als sei ihm das nach wie vor peinlich, ihre Depressionen. Alles wird wieder gut.

Nichts wird wieder gut.

Es beginnt der letzte gemeinsame Sommer der Familie Hesse. Anfangs scheint sich zu bestätigen, dass in Washington Heights Alltag eingekehrt ist. William Hesse arbeitet. Ruth Hesse kümmert sich um den Haushalt. Eva und Helen bekommen beide gute Zeugnisse. In den Schulferien dürfen sie deshalb in ein von der Jüdischen Gemeinde betriebenes Camp nach Lebanon in New Jersey. Obwohl sie dort mehrere Wochen bleiben, obwohl das Ferienlager von New York aus schnell erreichbar ist, besucht ihre Mutter sie nur ein einziges Mal. Schickt auch keine Briefe und fragt nicht, was normal gewesen wäre, wie es ihnen geht, und schreibt auch nicht, dass sie ihre Töchter vermisst. Irgendwas stimmt nicht, aber was es ist, wissen die Schwestern nicht.

Als sie zurückkehren nach Washington Heights, erfahren sie es hautnah. Ihre Mutter ist kaum mehr ansprechbar. Weder für sie noch für ihren Vater. Ihre Krankheit hat sie schon wieder eingeholt. Sie zieht sich in der Wohnung in die dunkelste Ecke zurück. Sie will alles hinter sich lassen, was sie bedrückt, sie will raus aus der gewohnten Umgebung, sie will versuchen, aus eigener Kraft ihr Leben wieder in den Griff zu bekommen. Sie will vor allem allein sein. Sie kann es einfach nicht mehr aushalten, Verantwortung tragen zu müssen. William Hesse konsultiert einen Psychiater, doch der ist keine Hilfe. Eva äußert später sogar den Verdacht, dass sich der Arzt in ihre Mutter verliebt habe, ihr geraten habe, sich scheiden zu lassen, das werde ihre Probleme lösen, und dass er deshalb gar nicht erst versucht hat, sie zu therapieren, sie ihrer Familie zu erhalten.

Ruth Hesse verlässt im Herbst 1944 Mann und Kinder, verzichtet auf finanzielle Unterstützung, findet bei einer reichen Familie im Staat New York eine Stelle als Gouvernante. Helen Charash erinnert sich an den Tag, an dem ihre Mutter plötzlich nicht mehr da war: »Wir wussten beide, dass was Furchtbares passiert war, aber wir wussten nicht, was, nichts wurde uns erklärt.« Warum nicht? War es William Hesse peinlich, den Kindern eingestehen zu müssen, dass seine Ehe gescheitert war? Oder gab es außer der Krankheit von Ruth Hesse noch andere Ursachen für ihre Depressionen? Über die William Hesse erst recht nichts seinen Kindern sagen wollte?

Ihr Vater engagierte eine Haushälterin, Hilde Löwenstein, die sich um die Versorgung der beiden Kinder kümmerte. Was ihn sonst bewegt haben muss, Verzweiflung über das Ende seiner Ehe, Sorge um die berufliche Zukunft, wie seine Töchter ohne Mutter aufwachsen sollten, behielt er für sich. Helen erinnert sich noch heute genau, dass sie, die ernsthafte Elfjährige, anders reagierte als die jüngere Schwester, die einfach völlig verstört war. »Ich sagte irgendwann zu ihm: ›Warum lässt du dich nicht scheiden?‹«

Zu Evas neuntem Geburtstag am 11. Januar 1945 schickt ihre Mutter nur einen kurzen Brief – »Liebes Geburtstagskind, sei nicht so traurig, dass ich nicht bei Dir bin« – und legt einen Geldschein dazu, damit sich Evchen einen Kuchen kaufen könne und irgendetwas, was sie sich wünsche. Was die sich eigentlich gewünscht hat, ist ihre Mutter.

Eva habe heimlich viel geweint, stellt ihr Vater fest, betont schon im nächsten Satz, ohne weiter auf die Abwesende einzugehen, als hätte es sie nie gegeben, dass sie alle gemeinsam harte Zeiten durchmachen, er jeden Morgen Frühstück für die Kinder zubereite, bevor sie in die Schule gehen, dass er besonders für Evchen Vater und Mutter zugleich sei. Die ältere Tochter, die schon mehr begreift und auch, dass ihre Mutter nie mehr zurückkehren wird, deshalb wohl auch ihre Aufforderung an den Vater, sich scheiden zu lassen, macht alles mit sich selbst ab.

Wilhelm Hesse, der hart arbeiten muss, um sich gegen die Konkurrenz durchzusetzen und einen eigenen Kundenstamm aufzubauen, folgt im Mai 1945, als der Krieg zu Ende ist und Deutschland von den Nazis befreit, dem Rat seiner Ältesten. Was damals nicht so einfach war. Er muss sechs Wochen in Reno im Bundesstaat Nevada verbringen, denn nur dann ist eine Scheidung rechtskräftig. Tränenreicher Abschied von den Kindern. Vor allem von der Jüngsten. Allein bleiben in der Wohnung können sie nicht. Eva wird zunächst bei einer befreundeten Familie untergebracht, dann in Brooklyn bei einer Cousine ihres Vaters, bei Mollie Grünberg. Helen wohnt die ganze Zeit über bei anderen Freunden, bei Hannah und Hermann Möller.

Wieder bricht bei Eva aus, was sie das Trauma ihres Lebens nennen wird: quälende Verlustangst. Begütigende Erklärungen und Versprechungen helfen da nichts: dass ihr Vater im Gegensatz zur Mutter, die ihr so fehlt, ganz bestimmt wiederkommen werde, dass es nur eine Trennung auf Zeit sei, dass sie nie allein sein werde, dass sie ihre Schwester besuchen könne, wann immer sie wolle. Die Wirklichkeit ist eine andere: Mutter weg, Vater weg, Helen weg – und an diese Situation wird sie sich immer erinnern, obwohl es wie versprochen nur sechs Wochen dauert, bis ihr Vater aus Reno zurückkommt, geschieden und frei.

Von Ruth Hesse hören sie selten etwas. Nur ab und zu treffen Briefe ein für die Töchter. William Hesse sucht Ablenkung in einem deutsch-jüdischen Verein, bei den »New York Enthusiasts«, der seinen Mitgliedern nicht nur an Clubabenden ein soziales Umfeld in der Fremde bietet, sondern gemeinsame Wanderungen, »walking tours«, durch Manhattan offeriert. Er macht mit. Auf einem dieser Spaziergänge spricht er eine Frau an, die neben ihm läuft, Eva Nathanson.

Bald trifft er sich regelmäßig mit ihr, auch außerhalb der walking tours. Eva Nathanson ist emigriert wie er, leidet wie er unter dem Verlust der einstigen bürgerlichen Existenz, muss wie er immer ums Geld kämpfen, hatte »wohl auch ein schreckliches Leben« (Helen) und sucht Sicherheit. Er braucht einen Partner in seiner kleinen Firma, benötigt Hilfe im Büro, wenn er unterwegs ist, um Kunden zu beraten. Sie scheint ihm die Richtige zu sein. In jeder Beziehung. Auch in der Hoffnung, sie könnte seinen Kindern eine gute Mutter werden. Bald beschließen sie, nicht nur das Geschäftliche zu teilen, sondern das Leben. Sie wollen heiraten. Die große Leidenschaft wird es nicht gewesen sein.

Aber dass Big Eva auf ihre Art ihren Vater geliebt haben muss, gibt sogar Little Eva zu. Ohne diese ihn beschützende Liebe, schrieb sie einmal widerstrebend, hätte er wohl manche Krankheiten und Operationen nicht überlebt. Es gibt keine Aufzeichnungen, wie William Hesse den Einzug der neuen Frau seinen Kindern mitgeteilt hat oder ob er seiner geschiedenen Frau einen Brief geschrieben hat. Eva Nathanson heißt ab Herbst 1945 Eva Hesse.

Die kleine Eva Hesse lehnte sie von Anfang an ab. Sie sah in ihr nur die Frau, die ihre geliebte Mutter von der Seite und aus dem Bett ihres Vaters verdrängt hatte. Helen nahm die Nachricht gefasst auf. Aber auch sie lehnte die Stiefmutter ab. »Wir beide, Eva und ich, mochten sie von Anfang an nicht. Ja, man kann sagen, wir hassten sie.« Die Schwestern sind sich einig, dass sie eine »kalte Frau« war, an Religion nicht interessiert, und dass sie vor allem keine Neigung verspürte, die Rolle der fehlenden Mutter zu übernehmen. Sie war die neue Gattin, sie war die Partnerin im Geschäft, die Kinder nahm sie in Kauf, die gehörten halt dazu. Aber sie liebte sie nicht.

Helen Charash kann heute besser begründen, warum Eva Nathanson, die von ihr und ihrer Schwester »Big Eva« genannt wurde, was nicht nur zur Unterscheidung von Little Eva dienen, sondern auch etwas Großes, Bedrohliches bezeichnen sollte, scheitern musste: »Sie war zwar eine intelligente Frau, aber sie hatte kein Herz. Dabei hätte sie uns beide so leicht gewinnen können, wenn sie anders gewesen wäre, denn wir waren geradezu ausgehungert nach Gefühlen, nach Nähe.« Sie sei allerdings leichter damit fertig geworden, dass Big Eva keine Mutter für sie war, kam im Alltag allein zurecht, denn »ich war die Ältere«.

Eva drückte ihren Hass deutlicher aus. »Mein Vater heiratete ein Miststück, das Eva hieß«, diktiert sie Cindy Nemser aufs Band, und man kann das Wort *»bitch«*, das sie für Eva Nathanson benutzte, auch anders übersetzen. Danach folgt jene Passage, in der sie sich darüber lustig macht, dass ausgerechnet diese Eva Hesse so wie sie einen Gehirntumor hatte, von denselben Ärzten operiert worden war, aber im Gegensatz zu ihr, der einzig wahren Eva Hesse, als geheilt entlassen werden konnte.

Big Eva ist neben zwei fragilen Figuren, die Helen und Eva darstellen könnten, die dritte, die schwarze, bedrohliche Gestalt auf dem Bild *Untitled* ihrer Stieftochter. Es hängt in der

Wohnung Helen Charashs in New York. Befragt, welches Werk der Schwester ihr am liebsten sei, wählt sie dieses aus.

»Ich träumte von meiner Mutter«, beginnt ein langer Absatz, den Eva Hesse am 19. Oktober 1964 in ihr Tagebuch einträgt und der im Gegensatz zu vielen ihrer sonstigen Aufzeichnungen aus ganzen Sätzen besteht und nicht aus Kürzeln und einzelnen Stichwörtern, »ich träumte von meiner Mutter. In Zeiten, in denen ich noch ein Kind war, und in Zeiten, in denen ich erwachsen war. Mir wurde erzählt, dass sie noch lebte, jemand hatte sie vor drei Jahren gesehen. Ich erlebte, wie alle meine Frustrationen Gestalt annahmen, als ich versuchte, sie ausfindig zu machen. Ich musste sie finden aufgrund weniger Hinweise von Leuten hier und dort. Es gab immer wieder Störungen, Hindernisse auf dem Weg. Ich fürchtete, dass in den drei Jahren, seit sie zuletzt gesehen worden war, ihr etwas passiert sein könnte. Ich glaube, ich habe sie nie gefunden, aber all meine Gedanken kreisten nur um sie. Ich war besessen davon, sie zu finden. Ich stellte mir vor, wie das sein würde. Das meiste aus diesem Traum erinnere ich nur vage, verschwommen. Ich glaube, es gab auch Gefühle von Wut und Hass gegen sie. Warum sie in den vergangenen zwanzig Jahren nicht mal mich gesucht hatte. Ich wünschte, ich könnte mich an mehr erinnern.«

Als sie diesen Traum aufschrieb, waren tatsächlich zwanzig Jahre vergangen, seitdem Ruth Hesse ihre Kinder verlassen hatte. Und achtzehn Jahre, seitdem sie nicht nur ihre Kinder, sondern die Welt verlassen hatte.

Vom Selbstmord ihrer Mutter erfährt Little Eva in der Schule, nicht etwa von ihrem Vater. Eltern von Klassenkameraden haben in den Zeitungen gelesen, was mit ihrer früheren Nachbarin Ruth Hesse passiert war, dass die vom Dach eines achtzehnstöckigen Gebäudes in den Tod gesprungen war. Die »New York Post« in ihrer Spätausgabe vom 8. Januar 1946: »Ailing Woman Dies in Eighteen-Story Plunge«, und der

»New York Herald Tribune« einen Tag später: »Divorcee Dies in Jump from Thirty-Story Building«, und die Schlagzeile in der »Daily News« lautete: »Woman Leaps off Eighteen-Story Building«.

Wochen zuvor haben Helen und Eva, die ja allein mit der U-Bahn nach Manhattan fahren können, ihre Mutter noch besucht. Ruth Hesse war wieder in die Stadt gezogen, hatte eine Stelle bei einem Zahnarzt gefunden. Was sich als ein Stückchen Normalität zu entwickeln schien – zwar war die echte Mutter nicht mehr zu Hause, aber jederzeit für ihre Töchter erreichbar –, endet 1946, drei Tage vor Evas zehntem Geburtstag. Ruth Hesse stürzt sich vom Dach der Eldorado Apartments am Central Park West. Sie hinterlässt einen auf Deutsch geschriebenen Abschiedsbrief, in dem sie begründet, warum sie in ihrem Leben keinen Sinn mehr sieht und es deshalb beendet. Ihre wenigen Besitztümer bittet sie an Arme zu verteilen.

Als die Leiche identifiziert ist, wird ihr Ex-Mann von der Polizei informiert. Die Beamten fragen nach Gründen für den Selbstmord. Er nennt die Verzweiflung über die Ermordung ihrer Eltern, von der sie erfahren hatte, erzählt von ihren Depressionen. Andere vermuten, dass sie es nicht verkraftet hat, wie schnell er wieder eine neue Frau gefunden hatte. Aber das sind Spekulationen. Seinen Töchtern will er erst nach der Beerdigung vom Tod ihrer Mutter erzählen, doch die Zeitungen mit ihren Berichten über den Sturz vom Dach kommen ihm zuvor.

Dem Sarg von Ruth Hesse folgen nur wenige Freunde und Verwandte. Eva und Helen will ihr Vater nicht dabeihaben, will es ihnen nicht zumuten, er geht erst später mit ihnen gemeinsam zum Grab.

Den Schock über den Selbstmord ihrer Mutter, von dem sie völlig unvorbereitet in der Klasse getroffen worden ist, verarbeitet Eva Hesse nie. Jedes Jahr am Todestag ihrer Mutter, immer kurz vor ihrem eigenen Geburtstag, fällt sie in den Abgrund eigener Depressionen. Sie hat zwar ein Leben lang Angst, so zu enden wie die, sieht Selbstmord allerdings auch als die endgültige Befreiung von ihren Alpträumen, denkt immer daran, dass ihr diese Alternative bleiben wird: »I always think of my last alternative and it is always there.«

4. KAPITEL

1946–1959

»Mich kann man leicht glücklich und leicht traurig machen«

Helen Charash unterbricht ihre Reise in die Vergangenheit, steigt in der Gegenwart aus und ruft Murray, ihren Mann. Der ist gerade zurückgekommen aus dem Fitnessraum im Souterrain des Hochhauses, das Geräusch der ins Schloss fallenden Wohnungstür hat es ihr verraten. Er reagiert nicht. »Murray«, ruft sie noch einmal, »komm doch bitte mal kurz her!« Murray kommt. »Ich will gerade erzählen, wie es war, als du mich zum ersten Mal abgeholt hast, aber das kannst du ja viel besser.«

Murray Charash, einst Kantor der Synagoge seiner Heimatgemeinde in New Jersey, bis er und seine Frau vor einigen Jahren hierher an die teure Upper East Side von Manhattan gezogen sind, hat eine heitere Stimme, die zu seinem Lächeln passt. Die klingt hörbar ungebrochen auch im Alter. Um ihrem Tonfall zu lauschen, braucht man nur die Telefonnummer der Charashs zu wählen. Murray hat die Ansage auf dem Anrufbeantworter nicht etwa gesprochen, sondern nach der Melodie eines berühmten Klassikers mit einem eigenen Text besungen, in dem er Paris durch New York ersetzt hat: »I Love New York In The Springtime.«

Und, wie war das damals? Also, Murray läutete an der Tür der Hesse-Wohnung in Washington Heights, das muss gewesen sein im Herbst 1953, denn im Juni 1954 hat er die dann einundzwanzigjährige Helen geheiratet, und danach haben sie eine eigene kleine Wohnung gemietet. Zwischen ihrem ersten Treffen, wahrscheinlich von den jeweiligen Vätern arrangiert, dem sich Ineinander-Verlieben, einem offiziellen Antrag, mit dem Murray Charash dann William Hesse bat, ihm seine Tochter anzuvertrauen, und schließlich der Hochzeit vergingen viele Monate. So lange zu warten gehörte sich in jenen Zeiten, als alles noch seine Ordnung haben musste, Zwischenmenschliches unter herrschenden Moralvorstellungen sowieso und erst recht im kleinbürgerlich deutschen Biotop der jüdischen Gemeinde, zu der William Hesse gehört. Liebespaare, die sich vor der Ehe in jenem Sinne erkannten, wie ihn die Bibel definiert, waren eher selten.

Nicht Helen, die Ältere, öffnete ihm die Tür, sondern ihre jüngere Schwester Eva. Hätte er gewusst, wie attraktiv die ist, dann »hätte ich die genommen und nicht die andere«. Er hat die Geschichte offenbar schon oft erzählen müssen, gräbt nicht lange in seiner Erinnerung. Sicher gab es mal Zeiten, in denen Helen diese Anekdote über die umwerfende Schönheit ihrer Schwester nicht so gern gehört hat, weil damals eh schon jeder Mann von Eva schwärmte. Warum musste es also auch noch ihrer sein?

»Damals« heißt: Ende der fünfziger, Beginn der sechziger Jahre des vergangenen Jahrhunderts. In Evas Erzählungen vom aufregenden Leben in SoHo spielten Männer die Hauptrollen. Sie liebte es, begehrt zu werden, Mittelpunkt verruchter Partys zu sein. Verrucht natürlich nur aus der Sicht des langweiligen Vorortes in New Jersey, in dem die Hausfrau Helen Charash mit Kindern und Hund und nur einem und nur sie verehrenden Mann lebte. Ach, ist das alles schon lange her.

Murray lacht und geht zum Lunch in die Küche. Mehr als fünfzig Jahre hat er mit Helen verbracht, schon damals in Wahrheit nie eine andere gewollt als sie. Was sie selbstverständlich weiß, und deshalb hat sie ihn leichten Herzens gerufen, um von seiner ersten Begegnung mit Eva zu erzählen, bevor die Reise weitergeht, zurück zu den Hesses.

Der Selbstmord von Ruth Hesse, die in den Erinnerungen und Träumen ihrer Töchter weiterlebte, was die eine mehr quälte, weil sie ihrer Mutter nicht verzieh, sie verlassen zu haben, und die andere mehr verarbeitete, weil sie die Krankheit ihrer Mutter als den entscheidenden Auslöser für den Suizid sah, wurde in der Familie totgeschwiegen. Eva Nathanson wollte nicht darüber sprechen, denn sie ahnte, insgeheim würde von Willliams Verwandten und Freunden auch ihr ein allerdings nie ausgesprochener Vorwurf gemacht, weil Hesse nur wenige Monate nach der Scheidung bereits mit einer neuen Frau sein Leben teilte und dies einer der Gründe gewesen sein konnte, warum Ruth Hesse ihr Leben weggeworfen hatte. Über ihren Sturz vom Dach zu reden würde außerdem bedeuten, dass zwangsläufig bestimmte Bilder im Kopf entstehen müssten, Bilder eines zerschmetterten Körpers auf dem winterlich kalten Trottoir vor dem Hochhaus in New York. Also schützte Schweigen auch vor solchen schrecklichen Vorstellungen, insbesondere die Kinder.

Aber genau dieses Bild, das sie in der Wirklichkeit nie gesehen hat, muss sich tief bei der damals zehnjährigen Eva Hesse eingebrannt haben – das Bild von ihrer Mutter, tot in einer Blutlache liegend. Eines ihrer frühen Gemälde, entstanden im Sommer 1960, heute im Besitz von Samuel Dunkell, zeigt inmitten freundlich farbiger Landschaft eine hingestreckte weibliche Figur, statt geöffneter Augen hat sie große schwarze Löcher im Gesicht, aus ihrem Kopf strömt eine blutrote Lava, die nicht versickert und sich verflüchtigt, sondern die Form eines zweiten Körpers anzunehmen scheint.

Eine nachgetragene Deutung, eine gewagte, zugegeben. Es kann sich schlicht um eine andere Erinnerung handeln, an das, was ihr ein früherer Lehrer, Nicholas Marsicano, auf der Cooper Union vorgemalt hatte in seinen Figuren, meist nackte Frauen, die sich in bunten Farben zu verlaufen schienen. Doch viele Bilder, die Eva Hesse um die gleiche Zeit im Sommer 1960 malte, drücken Grauen aus, Verzweiflung, Schrecken. Manche erinnern auf den ersten Blick sogar an den berühmten *Schrei* von Edvard Munch, keines der Gemälde hat einen Titel, was allerdings nicht außergewöhnlich ist, denn dass jedes Kunstwerk getauft werden müsse, um es mal identifizieren zu können, hat Eva Hesse erst später akzeptiert. Dann voller Lust an absurden Wortspielen verrückte Namen für ihre vielen Kinder ausgesucht. Samuel Dunkell ist bis heute überzeugt davon, dass alle Gemälde aus dieser Phase, auf denen Frauenfiguren zu erkennen sind, mal liegend, mal stehend, mal allein, mal in einer Gruppe, und die Porträts sowieso, in Wahrheit nur eine einzige Person zeigen: seine Patientin. Ob sie selbst sich so im Spiegel gesehen hat oder ob sich die vielen verschiedenen Frauen nur in ihren Alpträumen so gespiegelt und die Gestalt ihrer Mutter angenommen haben, kann der Psychiater nicht beantworten.

Die Erklärung, dass Ruth Hesse aus Verzweiflung über ihre immer wiederkehrende Krankheit Selbstmord gemacht hatte, war für William Hesse die gültige, und da in ihrem Abschiedsbrief nichts anderes stand, musste er sich keinen weiteren Fragen aussetzen. Schuld waren allein ihre Depressionen, unter denen sie ja seit ihrer Jugend litt, und die hatten sie irgendwann nicht mehr losgelassen, sie an den Abgrund getrieben. Um sie endlich endgültig loszuwerden, um Frieden zu finden, war sie gesprungen. Mögliche weitere Erklärungen, die sich auf der Suche nach tieferen Ursachen hätten aufdrängen können, ließ er gar nicht erst aufkommen, verdrängte konsequent andere Auslegungen – zumindest in der Familienchronik, die er in Hamburg begonnen hatte, als er noch Wilhelm statt William hieß und Anwalt war. Den einsamen Tod seiner Frau in New York sparte er in den Eintragungen aus, ebenso jede Andeutung eigener Schuldgefühle. Ruth Hesses Nachfolgerin, Eva Nathanson, dürfte dabei hilfreich gewesen sein, weil Verdrängung auch sie befreite.

Die andere Eva, die kleine, hasst diese Eva, die große, aber nicht nur deshalb, weil sie ihre Mutter verloren hat und die neue sie täglich an diesen Verlust erinnert, sie gönnt ihr auch den Mann nicht, ihren Vater. »Mutter starb, Vater wies mich ab und nahm sich eine kalte Frau. Ich habe das Gefühl, hilflos zu sein … bin, wie meine Mutter war: abhängig, weiblich, krank.«

Diese merkwürdige Eifersucht, deren naheliegende Interpretation ihr nach vielen Sitzungen mit ihren Therapeuten natürlich nicht verborgen bleibt, verfolgt sie bis in ihre Träume. Von ihr spricht sie auch immer wieder in ihren Tagebüchern, ermahnt sich, endlich damit aufzuhören, ihrem Vater vorzuwerfen, dass er sie dann für ihre Stiefmutter verlassen habe, als »ich ihn endlich für mich allein hatte«.

Er kommt, trotz manch erkannter Schwächen – »there is much in his character that I dislike« –, die sie aber nicht genauer benennt, ihrem Ideal von einem Mann am nächsten. Selbst dann noch, als Eva Hesse eine erwachsene Frau geworden ist, andere Männer in ihrem Leben wichtig sind. In einem Brief an ihren damaligen Geliebten Victor Moscoso schreibt die Dreiundzwanzigjährige: »Der heutige Tag war sehr angenehm. Paradoxerweise deshalb, weil meine Stiefmutter im Krankenhaus ist … Es geht ihr gut, und sie kommt morgen nach Hause. Das tolle Gefühl eines friedlichen Nebeneinanders allein mit meinem Vater wird dann aber vorbei sein, und ich muss wieder unter die Leute, statt heimzugehen.«

Wilhelm Hesses Familie, die er über viele Jahre hinweg als einzigen Halt unter allen widrigen Umständen geschildert hat, gibt es zwar nicht mehr. Doch er tut so, bis auf vage Andeutungen über harte Zeiten, durch die man wieder mal ginge, als gäbe es diese Familie noch, als bestünden die entscheidenden Ereignisse nach wie vor hauptsächlich aus Alltäglichem wie seinen Eintragungen über Gewicht und Größe der zehnjährigen Eva oder seinen Bemerkungen über die nachdenkliche Ernsthaftigkeit der dreizehnjährigen Helen und wie viel Freude er an seinen Töchtern habe.

Diese von ihm als nachdenklich, ernsthaft, selbstbewusst beschriebene Tochter Helen gilt deshalb als die stärkere Schwester, sich mit beiden Füßen fest auf dem Boden jeweiliger Tatsachen behauptend und in allen Situationen zurechtfindend. Eva dagegen als die schwache, die unsichere, die leidende. Es war damals wohl eher umgekehrt. Rosalyn Goldman, eine frühe Freundin Eva Hesses, mit Unterbrechungen treu sich um sie sorgend bis zum Tod, sieht das heute als vierundsiebzigjährige, vom Leben gebeutelte Frau klarer als damals. In Wahrheit, meint sie, sei Helen die Schwächere gewesen, habe auf sie gewirkt wie ein »verängstigt flatternder kleiner Vogel«, der sich in ein Nest in New Jersey flüchtete, wo es für sie Sicherheit gab. Eva dagegen, die jüngere Schwester, war willensstark, ließ sich nie etwas sagen, konnte laut und aggressiv werden, setzte auch ihre Schönheit ein, wenn sie unbedingt etwas erreichen wollte. Was genauso zu ihrem Wesen gehörte wie ihre regelmäßig ausbrechende Lebensangst, die sei unstrittig vorhanden gewesen und habe sich nie gelegt, aus der habe sie aber auch Kraft für ihre Arbeit gesaugt.

Ruth Hesse starb zweimal. Einmal tatsächlich und einmal dann, als sie aus seinen niedergeschriebenen Erinnerungen verschwand. Bei ihrem 38. Geburtstag vor nicht mal zwei Jahren war sie in den Eintragungen noch die geliebte Mammy gewesen, die mit einem Gedicht gefeiert wurde und für die Mann und Töchter hofften, dass es ihr bald besser gehen möge und dass ihre Eltern, Evas und Helens in Hamburg festgehaltene Großeltern, bald nach New York ausreisen durften. Doch wenige Monate nach ihrem Selbstmord im Januar 1946 fand sie da nicht mehr statt, als hätte es sie nie gegeben.

Bereits nach der Hochzeit mit Eva Nathanson hatte sich William Hesse in den Tagebüchern von seiner bisherigen Schreib-Weise verabschiedet. Da der Krieg vorbei war, die Nazis besiegt, Deutschland und Europa befreit, Hitler und Goebbels und Göring tot, was er noch einmal mit ausgeschnittenen Schlagzeilen festhielt: »Victory over Nazis«, verzichtete er jetzt auf historische Bezüge in der eigenen Historie. Erzählte vom Alltag weniger in seiner Sprache, klebte stattdessen lieber Fotos und Postkarten und Briefe seiner Kinder zum Beispiel aus dem Sommercamp Lebanon ein, schien sich in die Rolle eines distanzierten Beobachters zu flüchten, blieb bei dieser Form, um nichts Persönliches von sich preisgeben zu müssen, erst recht nach Ruth Hesses Tod.

Dass sie in den Alpträumen, vor allem denen ihrer jüngsten Tochter, weiterleben würde, ahnte er vielleicht, wusste es gar, wollte es aber gar nicht so genau wissen. Er hatte genug zu tun mit der Bewältigung des Alltags, der Sicherung ihrer Existenz, fand nicht mal Zeit für sein so geliebtes Hobby, das Fotografieren. Von außen betrachtet, schien ja auch alles in Ordnung zu sein. Die Familie Hesse bestand wieder aus vier Personen. Es gab Mutter und Vater und zwei Kinder.

Die haben trotz der erlebten Brüche keine Schwierigkeiten auf der Humboldt Junior High School. Zudem sind beide inzwischen groß genug, selbst beschreiben zu können, was sie bewegt, falls sie es denn wollen. Sie reden darüber vor allem nicht mit Big Eva. Ihren Vater, den sie lieben, lassen sie spüren, dass seine Frau, zugleich Geschäftspartnerin in der Versicherungsagentur Hesse, während tagsüber beide Schwestern von einer Haushälterin versorgt werden, nie ihre Mutter ersetzen wird. Mit ihm gemeinsam besuchen sie die auf dem Friedhof, was er als kleine Notiz einträgt, ohne aber näher darauf einzugehen, ob die drei am Grab geweint haben und ob er sie hat trösten müssen oder sie ihn. »Sunday … I went to the cemetery with the children to visit their mother's grave.«

Er hatte seit Mitte der dreißiger Jahre, als er in Hamburg mit dieser Art Chronik begann, viel geschrieben und viel fotografiert und viele Collagen aus seinen Texten und seinen Fotos und Zeitungsschlagzeilen gemacht. Das färbte auf Eva ab. Eine Begabung für Collagen fanden auch Evas Professoren zu Beginn ihres Studiums bemerkenswert.

Mit einem letzten Eintrag für die jüngere Tochter beendete William Hesse 1946 seine Protokolle aus dem Leben einer Familie, die eine so andere gewesen war, als er mit seinen Aufzeichnungen begonnen hatte. »Mögen diese Bücher über Deine Kindheit Dich durch Dein späteres Leben geleiten ... Du wirst erfahren, wie Du aufgewachsen bist, Du wirst Namen und Ereignisse finden, die Du sonst längst vergessen hättest ... denn es gibt nichts, was uns die Nöte, die Mühsal des Lebens besser aushalten lässt als die Erinnerung an unsere Kindheit.«

Sicherlich hat er es liebevoll gemeint, wenn er ganz allgemein Kindheit als einen Garten Eden verklärt, bevor der Sündenfall Erwachsensein passiert und die Vertreibung aus dem Paradies beginnt, während die konkret von ihm gemeinte Kindheit seine Tochter Eva in ihrer Erinnerung als sie bedrückende Last empfunden hat, die ihr eben nicht half, die Mühsal des Lebens besser auszuhalten, im Gegenteil diese Mühsal verstärkte. Ob er die wahren Gefühle von Evchen nicht bemerkt oder ob William Hesse bewusst verschwiegen hat, wie sehr Little Eva unter der Abwesenheit ihrer echten und der Anwesenheit der kalten Mutter Eva gelitten hat, weiß übrigens auch Helen nicht.

Vielleicht wollte sie es so genau nie wissen. Was wahrscheinlicher ist. Denn was hätte es genutzt, irgendwann den Vater mit Fragen zu quälen, die er sich vielleicht längst gestellt und worauf er keine Antworten gefunden hatte?

Ein Foto, das Eva als Schulmädchen zeigt – da muss sie etwa vierzehn, fünfzehn gewesen sein –, spricht eine andere Sprache. Eine Bildsprache. Ihre Schwester hat wohl nicht zufällig genau dieses Foto ausgesucht und der Kritikerin Lucy Lippard zur Verfügung gestellt, die 1976 ein erstes, inzwischen als klassisch geltendes schmales Buch über die Stationen in der

Karriere der Künstlerin Eva Hesse schrieb, die sie gut kannte aus gemeinsamen Zeiten des Aufbruchs in der New Yorker Kunstszene. Finanziert wurde die Arbeit mit einem Zuschuss von 5000 Dollar aus dem Nachlass von Eva Hesse, den Helen Charash verwaltet und bis heute prägend bestimmt.

Warum ausgerechnet dieses Foto? Warum nicht ein Foto, auf dem zum Beispiel ein fröhliches Schulkind namens Eva Hesse zu sehen ist, Blick neugierig Richtung Zukunft gerichtet, die bereits sichtbar am Horizont auftaucht und spannend zu werden verspricht? Weil offensichtlich genau dieses Foto über die damalige Eva mehr aussagt als andere. Eva blickt nicht in die Kamera, sie schaut nach unten. Über ihren Kopf hat sie schützend eine Kapuze gezogen. Ihr Gesichtsausdruck wirkt nicht etwa verträumt oder nachdenklich, nur verloren. Sie lächelt nicht. Mit einer Hand, der linken, bei einer Linkshänderin wie ihr ein automatischer Vorgang, umklammert sie ihre Schulter. Es sieht so aus, als hielte sie sich an sich selbst fest, weil sonst niemand da ist, an dem sie sich festhalten könnte. Was bei einem Betrachter die automatische Reaktion hervorruft, sie in die Arme nehmen zu wollen, den Instinkt weckt, sie zu beschützen.

Mag sein, dass sie sich wieder mal und genau in dem Moment, als das Foto gemacht wird, in die Vergangenheit begeben hat und dass dieses Abtauchen ihre Haltung und ihre Miene erklärt. Oder dass sie sich bewusst so gegeben hat, weil dieses Image ihrer Vorstellung von einer sensiblen Künstlerin besser entsprach als ein optimistisches Lachen samt entsprechender Körpersprache.

Was aber nicht bedeuten muss und auch tatsächlich nicht bedeutet hat, dass Eva Hesse etwa unsicher ist, was ihre Zukunft betrifft. Sie weiß schon früh sehr genau, was sie nicht möchte, zum Beispiel mal ihr Leben als Gattin eines reichen Arztes in der Park Avenue verbringen. Unter ihren Freundinnen gilt dagegen als erstrebenswert, in jüdischer Tradition zu heiraten, Kinder auf die Welt zu bringen, einen Haushalt zu führen, wie es ihre Mütter getan haben, und dafür die Sicherheit einzutauschen, stets gut versorgt zu werden vom Mann, der das Geld verdient.

Eva Hesse stellte sich eine solche Idylle als Käfig vor. Zwar gab es mitunter Einträge in ihren Tagebüchern, wie schön es vielleicht sein könnte, Kinder zu haben und mit denen zu leben und sich nicht täglich darum kümmern zu müssen, wovon sie, die Künstlerin, die nächste Miete bezahlen sollte, aber das waren nur jene seltenen Momente, in denen sie glaubte, dem Chaos ihrer Welt durch die Verheißung einer geordneten kleinen entfliehen zu können: »I am looking forward to having children, home and all these significant relations with real meaningful touches of life.«

Sentimentale Sehnsüchte dieser Art hielten nie lange vor, vergingen so schnell, wie sie gekommen waren. Sie sah ihre verheiratete Schwester, der es mit Murray gut ging, besuchte die gelegentlich an Wochenenden in New Jersey, wenn sie nicht gerade mal wieder verkracht waren, spielte mit ihrem kleinen Neffen und ihrer kleinen Nichte, und das zu erleben »machte sie mitunter auch neidisch, aber eigentlich wollte sie nie eigene Kinder haben« (Helen). Anders verhielt sie sich, wenn sie Geld brauchte und entweder in einem der Jewish Clubs oder im Sommercamp Lebanon, das sie ja aus einer anderen Perspektive gut kannte, auf Kinder aufpasste. Mit den ihr fremden kam sie locker zurecht, zeichnete und spielte mit ihnen, war dabei stets zu Blödsinn aufgelegt, was ihre Schützlinge an ihr liebten. Das fiel ihr leicht, denn sie war nur eine Mutter auf Zeit, konnte sich abends wieder in ihre Welt verabschieden. Brauchte sich also nie um schreiende und kranke Babys kümmern oder darum, wer auf die lieben Kleinen aufpassen würde, wenn sie sich in ihr Atelier zurückziehen wollte, um zu malen.

Immer dann, wenn sie sich während des Studiums etwas

dazuverdienen wollte, um sich Material für ihre Arbeiten leisten zu können, oder auch nur, um nicht wieder ihren Vater um einen Zuschuss bitten zu müssen, wählte sie deshalb unter den Angeboten lieber die Aufsicht in einem Kindergarten aus – obwohl das frühes Aufstehen bedeutete – als die ebenfalls offerierten nachmittäglichen Malkurse mit nervigen Teenagern. Morgens zu arbeiten sei schon allein deshalb vorteilhafter, weil »ich dann den Rest des Tages für mich habe und keinen der Kurse versäume, die ich brauche oder die mich interessieren«.

William Hesse wollte seine jüngste Tochter, so wie die andere, versorgt wissen von einem gut situierten Ehemann, gern von einem Anwalt, wie er mal einer gewesen war, noch lieber von einem Arzt mit einer Praxis in New York, am liebsten eben von einem, der sich eine in der Park Avenue leisten konnte, der besten Adresse in Manhattan. Ob er darunter litt, nur ein Versicherungsvertreter zu sein, wenn auch einer mit einem Doktortitel, in seinen Fähigkeiten beschränkt und im wahrsten Sinn des Wortes deklassiert, weil er im Exil keine Chance hatte, seine Klasse als Jurist zu beweisen? Dass für Eva außerdem nur ein Jude als Ehemann in Frage kam, der garantierte, dass mögliche Enkel religiös erzogen würden, stand für den einstigen Deputierten der orthodoxen Fraktion der Israelitischen Gemeinde in Hamburg fest. Hesse mochte nichts davon hören, dass Eva Künstlerin werden wollte, das sei brotlose Kunst. Wie frei Künstler zu leben liebten, war ihm ebenfalls nicht fremd und deshalb auch nicht geheuer. Er lehnte Evas Wunsch in der Überzeugung ab, sie damit vor einem großen Fehler zu bewahren,

Aber er täuscht sich, was die Kraft seiner zerbrechlich wirkenden Jüngsten betrifft, die er als anhängliches Wesen kennt. Unterschätzt Evas festen Willen, ihren einmal gefassten Vorsatz, das Abenteuer Kunst zu wagen und in die Tat umzusetzen. Sie mag Schwächen ihrer Mutter geerbt haben, deren Stimmungsschwankungen zum Beispiel, zumindest denkt sie selbst so. Sichtbar ist nur eine andere Ähnlichkeit, denn Eva gleicht ihrer Mutter, ist so schön, wie ihre Mutter es einst war. Rosalyn Goldman wagt sogar den Vergleich mit Vivian Leighs Schönheit im Klassiker »Vom Winde verweht«, aber da scheint sich im Laufe der Jahre ihre Erinnerung doch verklärt zu haben. Vom Vater hat sie, wenn denn schon spekuliert werden darf über die elterlichen Gene, das Auge geerbt, den instinktiven Blick für Formen und die Lust, in biografischer Detailversessenheit ihr Leben schreibend festzuhalten.

Eva ist nicht nur stur, was ihre Sehnsucht Kunst betrifft. Sie ist auch stark in der Tradition jüdischer Frauen, deren Kraft sich insbesondere dann zeigte, wenn die Situation ausweglos schien. Das hat nichts mit vererbten Genen zu tun, stammt weder von der Mutter noch vom Vater. Diese ganz andere Kraft ist über Generationen verankert im kollektiven Bewusstsein eines als Volk gemeinsam erfahrenen Schicksals, gewachsen über Jahrhunderte, in denen sich Juden behaupten mussten gegen eine feindliche Umwelt, die sie vernichten wollte – oder, wie gerade geschehen im Holocaust, auch tatsächlich vernichtet hat. Ist nicht zuletzt eine Kraft, die aus dem Glauben wuchs, aus der Verheißung einer besseren Welt als der eigentlichen, die es zu ertragen galt mangels Alternative.

Daran glaubte Eva Hesse natürlich nicht. Eine bessere Welt als die, in der sie lebt, gibt es nicht. Also musste alles, was sie sich für ihr Leben vorgenommen hatte, im Diesseits geschehen. Sie ist orthodox jüdisch erzogen worden, und selbst dann, als sie nach diesen strengen Regeln nicht mehr leben musste, weil keiner darauf achtete, ließ sie der Glaube an das Jenseits und den, der dort herrscht, nicht los. Ähnlich erging es auch anderen aus anderen Religionen, die als Erwachsene vom Glauben ihrer Kindheit in eine von göttlichen Geboten befreite Existenz fielen, aber dennoch zögerten, Gott zu leugnen. In den Künstlerkreisen, die ihre Welt bestimmten, hat Eva Hesse sich vehement an Diskussionen über Humanismus und

Existentialismus beteiligt und ob Kunst einer höheren Kraft zu gehorchen habe oder nur subjektiven Vorstellungen, doch dass ihre Wurzeln im Glauben der Kindheit vergraben waren, hat sie nie bestritten.

Sie wird ihren Plan, Künstlerin zu werden, ihrem Vater mal Wort für Wort aufschreiben müssen, weil er dem gesprochenen Wort nicht glaubt, wird ihm schriftlich geben, dass es nicht die vorübergehende pubertäre Laune einer dann Sechzehnjährigen ist, die sich zu Höherem berufen fühlt, und dass in ihrem Fall dieses Höhere die Kunst sei: »Ich habe mich immer danach gesehnt, groß zu sein, wichtig zu sein, aber gleichzeitig auch immer gefürchtet, dass ich mangels eigener Leistungen nichts vorweisen könnte, um das zu erreichen, und deshalb die mir wichtigen Dinge in einer Ehe suchen müsste. Doch ich habe begriffen, … dass man etwas aus sich selbst heraus schaffen muss. Was man im Kopf hat, ist entscheidend, nicht, was man in der Tasche hat. Und dass ich, wenn ich eine Künstlerin sein will, eine wirkliche Künstlerin, mit Kopf und mit Herz ganz in dieser Sehnsucht, in diesem Ziel aufgehen muss. Nicht nur für ein paar Stunden pro Tag, sondern einfach immer … Ich will studieren, will lernen, diese verrückte Welt zu verstehen, und will alles wissen über die Menschen, die sie so gemacht haben, wie sie ist. Ich will einfach alles erfahren, was das Leben zu bieten hat, und ich muss das allein schaffen. Ich bin eine Künstlerin.«

Weil sie immer schon ein wenig anders gewesen sei als normale Menschen, sensibler und dadurch die Welt besser verstehend, würden »Menschen wie ich Künstler genannt«. Diese romantische, aber dennoch ziemlich selbstbewusste Beschreibung ihrer eigentlichen Bestimmung beendet Eva Hesse mit einer grundsätzlichen Absage an das, was sich der Vater für sie wünscht: »Daddy, ich will mehr als nur so existieren, glücklich leben mit Heim und Kindern und jeden Tag die gleichen Hausarbeiten erledigen.«

An wen hatte sie dabei gedacht? Sicher nicht an ihre Schwester, die noch nicht verheiratet war, als Eva diese Zeilen schrieb. Eher an ihre Mutter – die richtige. Die ja, wenn man die wenigen bekannten Details in der Biografie der jungen Ruth Marcus richtig deutet, außer Kochen, Backen, Nähen durchaus auch andere Interessen hatte. Kunst zum Beispiel habe sie im Unterricht auf dem Pensionat in Hamburg besonders interessiert.

Und an welchen Mann, der genau das repräsentiert, was sie verabscheut? Ihren Vater. Der zahlt die Rechnungen. Der steht auf Familienfotos aufrecht, während die anderen, Frauen zumeist, sitzen. Der entscheidet alles. Auch das, was für seine Kinder gut ist. Sie greift also auch ihn an mit ihrem Brief, seine Rolle als Familienoberhaupt. Hätte so in ihren Tagebücher stehen können, aber so weit ist sie noch nicht. Noch hat sie nicht begonnen, die als vertraute Freunde zu betrachten und denen ihre geheimsten Gedanken mitzuteilen.

Ehrgeiz allein ist es bei Eva nicht, ein Ehrgeiz, mehr aus ihrem Talent zu machen als ein paar hübsche Zeichnungen im Malunterricht auf der Humboldt Junior High School. Ihre Noten in dem Fach übrigens liegen unter dem Durchschnitt der Zensuren ihrer anderen Fächer. Sie hat instinktiv erkannt oder zumindest gespürt, dass Kunst genau der Halt im Leben sein könnte, den sie mal brauchen würde gegen ihre »Unruhe und das emotionale Durcheinander«.

Ihr Vater hatte angesichts dieser Entschiedenheit keine Chance, aber noch war er in der stärkeren Position. Denn Eva wohnte zu Hause und musste sich seinen Anweisungen fügen. Helen Charash hat nicht vergessen, dass er sich über Evas Wunsch »furchtbar aufregte, er war upset, er wollte doch was ganz anderes für sie, er bestand darauf, dass sie was Richtiges lernen sollte«. Die Ältere wählte einen Weg, der ihrem Vater besser gefiel, ihrer Art entsprach. Sie studierte auf dem Hunter College, machte im Januar 1954 ihren Abschluss in Betriebswirtschaft, arbeitete während ihrer ersten beiden Ehejahre bei Standard Oil in New Jersey und hörte im Beruf erst auf, als sie 1956 ihr erstes Kind bekam.

William und Eva Hesse einigten sich auf einen Kompromiss. Sie ging weiter zur Schule, jedoch auf eine, die halbwegs ihren Wünschen entgegenkam, auf die High School of Industrial Arts. Die hatte zwar was mit Kunst zu tun, was Eva Hesse hoffen ließ, aber eher mit einer Kunst, die man gebrauchen konnte, was William Hesse hoffen ließ. Dort sollte sie unter anderem lernen, wie man Schaufenster dekorierte oder was man als Grafiker und Designer beherrschen musste, um an Werbeaufträge aus der Industrie zu kommen. Damit ließe sich wenigstens mal Geld verdienen. Wenn sie mit dieser Schule fertig sein würde, zwei Jahre älter und reifer, wäre sie, hoffte ihr Vater, vielleicht eher bereit, über ihre Zukunft neu nachzudenken.

Walter Erlebacher, ein Freund, Kind von Emigranten wie sie, drei Jahre älter, hatte sich dort ohne große Illusionen über das Gebotene in einem Kurs eingetragen, in dem man Anzeigengestaltung lernte. Die Anstalt sei eigentlich eine »berufsorientierte Schule gewesen, hatte außer ihrem Namen mit Kunst wenig zu tun«.

Ihr Ziel verliert Eva Hesse nicht aus den Augen. Eine Eigenschaft, die sie ihr ganzes Leben lang behält, diese am Ziel orientierte Stärke, diesen Glauben an sich, selbst dann, wenn sie den Weg zum Ziel noch nicht genau erkennen kann. Angeblich hat sie sich einsichtig den Wünschen des Vaters gebeugt, will lernen, auf welche Art man am besten Schaufenster dekoriert. Sie weiß aber, dass sie dies nur jetzt und auf dieser Schule machen wird, weil es nun mal im Lehrplan steht, dass sie niemals tatsächlich auf die Idee käme, ihr Lebensziel Künstlerin in einem Schaufenster bei Bloomingdale oder einem anderen Kaufhaus von Manhattan umzusetzen.

Sie gibt sich sogar Mühe. Zum Beispiel sucht sie in der

»*Window Display Class*« Werkstoffe und Gegenstände aus für ein Projekt zwischen Kunst und Kommerz – Rasierklingen, Holz, Stecknadeln, Wasserwaagen, Lineale –, baut das Modell einer Schaufensterdekoration, was sie nicht mehr interessiert, als es fertig ist. Doch sie merkt sich, wie spannend es sein kann, alltägliches Material vom bloßen Nutzwert in ein anderes Wertesystem zu transferieren, in das der Kunst. Fürs Schuljahrbuch »The Palette« liefert sie einen Bericht ab, in dem sie genau die einzelnen Entwicklungsphasen beschreibt bis hin zum fertigen Modell.

Zum Abschluss im Juni 1952 bekommt sie nicht nur ein gutes Zeugnis, sondern auch eine Auszeichnung, für die es keiner besonderen Anstrengung bedurfte. Eva Hesse wird zum schönsten Mädchen ihrer Klasse gewählt, »most beautiful girl in the senior class«, was sie wie selbstverständlich akzeptiert. Dass ihr die Ehre zusteht, dass sie sichtbar hübsch ist, kann man auf einem Foto sehen, auf dem sie dem Leben ihr Lachen hinhält. Ein Bild der anderen Eva, auf dem sie mit der auf jenem frühen Foto sichtbar keine Ähnlichkeit hat. Als ob es stets und bereits damals erkennbar zwei Eva Hesse gab, als ob Beschreibungen und Beurteilungen derer, die sie kannten und erlebten, nicht miteinander in Einklang zu bringen, deshalb gleichermaßen gültig sind.

Als ob? Nein, so war es wohl tatsächlich. Den einen wird sie als eher leichtfüßiges, den anderen als eher schwermütiges Wesen in Erinnerung bleiben. Aus beiden sie überlebenden Bildern muss ein Porträt gemalt werden, das der Lebenden gerecht wird, beide Evas sind wesentlich für ihre Biografie. In einem einzigen lakonischen Satz hat Eva Hesse das früh erkannt: »Mich kann man leicht glücklich und leicht traurig machen.«

Und weil sie das wusste, fürchtete sie selbst dann, wenn sie sich wohl fühlte und es ihr objektiv gesehen gut ging, dass es am nächsten Morgen vorbei sein könnte, vertraute nur dem

Augenblick und nicht darauf, dass er verweilte, ließ sich deshalb nicht fallen ins Glück: »Ich habe einfach zu viel Angst, verletzt zu werden.« Hoffte aber auch immer dann, wenn sie »deeply down« war, es ihr schlecht ging und sie mal wieder

Ausgezeichnet: Eva Hesse gilt im Juni 1952 als schönstes Mädchen der Klasse.

in ein dunkles Loch gefallen war, dass diese Verzweiflung so schnell verschwinden würde wie das Glück. Die Hoffnung erfüllte sich zu oft nicht, obwohl sie sich immer wieder selbst beschwörend aufforderte, den traumatischen Erfahrungen ganz einfach mit der Kraft ihrer Träume zu begegnen, ihre eigentliche Stärke einzusetzen, die sich in ihrer Kunst ausdrücken ließ. Dafür werde sie kämpfen, darum könne man sie als ehrgeizig bezeichnen, »these are the things you may call me ambitious«.

Dass es leicht sei, sie sowohl glücklich als auch traurig zu machen, hat sie allerdings richtig erkannt. Ihre mal bittere Bilanz dagegen, eigentlich habe sie ihr Leben lang unter Angst gelitten, ist deshalb nur zu verstehen aus der Situation, in der sie sich im Angesicht des Todes befand und wusste, dass sie keine Chance mehr hatte. Den Satz als Schlüsselsatz für ihre Kunst zu nehmen, vor allem ihre Spätwerke aus dieser Lebensangst heraus zu erklären war für manche Interpreten aber nach Eva Hesses Tod einfach zu verlockend eindimensional, als dass sie es sich entgehen lassen wollten. Die Rolle der zu früh vollendeten, zu früh verstorbenen, dem Leben nicht mehr gewachsenen Künstlerin ließe sich besser besetzen mit Sylvia Plath als mit Eva Hesse.

Auf dem Foto aus dem Sommer 1952 jedenfalls sieht man ein fröhlich freches sechzehnjähriges Mädchen namens Eva Hesse. Schaut mich an: Ich bin die Schönste zwar nicht im ganzen Land, aber ich bin es gerade jetzt in diesem Sommer und an diesem Strand und an diesem Tag. Die Zukunft gehört mir, wovor sollte *ich* denn Angst haben?

Richtung Zukunft ist das renommierte Pratt Institute of Design ihre nächste Station, aber auch die ist für Eva Hesse eine Art Wartesaal, in dem sie sich vorübergehend aufhalten muss, weil der Zug zu ihrem eigentlichen Ziel Verspätung hatte. Um ihren guten Willen unter Beweis zu stellen, um ihrem Vater zu zeigen, dass sie seine Einwände, *art* sei brotlose Kunst, ernst nimmt, ist sie sogar bereit zu lernen, wie man ein ansprechendes Layout macht, wie man am besten Anzeigen gestaltet. Ihrer Vorstellung von einem Kunststudium entspricht das aber nicht. Sie mochte weder die Schule noch die Lehrer, fühlte sich, obwohl die Jüngste in ihrem Kurs, in ihren Fähigkeiten unterfordert und langweilte sich. Was sie bereits vorweisen konnte, zwar noch ohne spezifische Handschrift, noch ohne eigene Idee, jedoch technisch ausgereift, waren Arbeiten im Stil des damals modernen Abstrakten Expressionismus.

Diese Art Kunst interessierte ihre Lehrer wenig. Die verließen sich auf das, was sie selbst konnten, Abbildung der Wirklichkeit – und genau das brachten sie ihren Studenten bei. Man habe anfangs ein Stillleben mit einer Zitrone malen müssen, lästerte Eva Hesse, und habe das Studium, was natürlich übertrieben dargestellt ist, mit dem Stillleben einer Zitrone beenden müssen, um im Unterschied der jeweiligen Gemälde den im Studium erfahrenen Fortschritt zu zeigen. Es durfte auch »mal eine Zitrone und ein Stück Brot sein oder gar eine Zitrone und ein Brot und ein Ei«, aber es blieben halt ganz normale Stillleben, resümierte sie verächtlich, nichts weiter, und das alles entsprach »nicht meiner Vorstellung von Malerei«.

Sie malte dennoch in dieser Art, weil es von ihr so verlangt wurde. Ihr erstes Ölgemälde ist eine leicht ins Impressionistische abgleitende Vase mit hingetupften Andeutungen von Blumen. Danach beschränkt sie sich auf das Gegenständliche, immer wieder Sträuße, in denen die einzelnen Blumen deutlich erkennbar waren, oder schlanke Vasen, vor denen zwei Äpfel liegen und eine Kerze steht, malt zur Abwechslung auch ein Käsebrett mit einer – immerhin – geschälten Zitrone. Das einzige Bild, dem sie überraschenderweise plötzlich einen Titel verpasste, *Sailing*, fällt aus diesem Rahmen, es war nach einem der Kurse in grafischem Design entstanden, zeigt viele kubistische Formen in bunten Farben.

Layout und Grafikdesign interessierten Eva Hesse genauso wenig, wie umgekehrt ihre Lehrer sich für ihre Wünsche interessierten. Überhaupt »legten die dort wenig Wert auf Malerei«, aber was sie stattdessen lehrten, ist entscheidend für diejenigen ihrer Mitschüler, die Bildhauer werden wollten: zweidimensionales und dreidimensionales Zeichnen. Für Walter Erlebacher und seine künftige Frau Martha Mayer, die er dort kennenlernte, war es die passende Schule. Beide schlossen mit einem Diplom ab, beide lernten auf Pratt das Handwerk, um ihre Kunst tatsächlich auch realisieren zu können. Walter schien zunächst in Eva verliebt gewesen zu sein, denn als er Jahre später seiner Martha einen Heiratsantrag machte, trug Eva Hesse in ihr Tagebuch ein: »Walter rief an. Er ist gespannt auf die Antwort seines Mädchens. Will aber unabhängig davon unbedingt mit mir befreundet bleiben.«

Erlebachers Kunstwerke stehen in Museen und auf öffentlichen Plätzen in den USA, darunter zwei Bronzestatuen im Public Art Park in Philadelphia, sie sind mit den haptischen Skulpturen von Eva Hesse, die in derselben Klasse neben ihm saß und im Atelier denselben Lehrern lauschte, nicht vergleichbar. Das liegt nicht daran, dass er ein Mann war und sie eine Frau, dass sie nach landläufiger Meinung also von verschiedenen Sternen stammten. Die eine Nackte von Erlebacher wacht gerade auf, die andere geht gerade schlafen. Es sind naturalistische Allegorien des täglichen Lebens. So was Natürliches hat Eva Hesse nie fasziniert.

Die schmiss trotz ihrer Unzufriedenheit mit den angebotenen Kursen nicht sofort hin – »war ihr eigentlich alles zu reglementiert, und mit der verlangten Disziplin kam sie nicht klar« (Erlebacher) –, hielt bis Ende 1953 drei Semester stur so lange durch, bis sie auch in der von ihr verachteten Kunst, in Design und Layout, zu den Besten gehörte, so dass keiner behaupten konnte, zum Beispiel ihr Vater, sie habe das Studium aus mangelnder Begabung nicht geschafft und solle sich doch bitte jetzt mal etwas ganz anderes überlegen. »Ich wollte mir selbst beweisen, dass ich nicht deshalb wegging, weil ich es nicht konnte, sondern weil ich es nicht wollte.« So hat sie sich selbst mal im Rückblick analysiert.

Sie ist nicht besonders traurig darüber, dass es mit ihr auf dem Pratt Institute nicht geklappt hat, eher fühlt sie sich durchs Scheitern bestätigt in dem, was sie tatsächlich will. Viel mehr stört sie sich daran, immerhin bald achtzehn Jahre alt, dass sie im Dezember 1953 wieder zu Hause einziehen muss und angewiesen ist auf Zuwendungen ihres Vaters. Außerdem lebt dort ja auch die verhasste Big Eva, und die lässt Little Eva, die nicht mehr klein ist, sondern fast erwachsen, deutlich spüren, wer Frau im Hause Hesse ist. Sagt der Stieftochter, sie möge sich wenigstens einen Job suchen, wenn es schon mit dem Studium nicht geklappt hat.

Sich ihren Freunden, den Tagebüchern, anzuvertrauen, hat die einzig wahre Eva Hesse noch nicht begonnen, damit fängt sie erst ein Jahr später an. Ansprechpartner statt Tagebuch ist damals noch ihr geliebter Vater, er ist die Autorität, die es zu überzeugen gilt, gegen die sie sich durchsetzen muss. Sie misst sich mit dem überlebensgroßen Mann, der bisher für sie Tagebücher geführt hat und darin ihre Kindheit so verklärt hat.

Wie sie selbst ihre Kindheit einschätzt, wird er allerdings mal zwischen den Zeilen lesen können. Im September 1954 erscheinen im Teenagermagazin »Seventeen« auf den Seiten »It's all your's«, die in jedem Heft Leserinnen und Lesern zur Verfügung gestellt werden – »Leute, dies ist eure Rubrik. Alle von euch, die unter zwanzig sind, können uns ihre Gedichte, Artikel, Ideen, Zeichnungen einschicken« –, Arbeiten einer jungen New Yorkerin, achtzehn Jahre alt, ihr Name ist Eva Hesse. Raffiniert seien die abgedruckten Zeichnungen, Lithografien, Gemälde, betont die Redaktion in der Einleitung, spitzfindig und gleichzeitig waghalsig, frech und technisch ausgereift. Gern würde sich »Seventeen« damit brüsten, Eva Hesse entdeckt zu haben, aber »tatsächlich ist es so gewesen, dass sie uns entdeckt hat«.

Ihr forsches Auftreten habe die überzeugt, ihre Frechheit, erzählte Eva Hesse und bestätigte damit die Einschätzung von Rosalyn Goldman, mit der sie sich um diese Zeit anfreundete, über die Kraft, die sie entwickeln konnte, wenn sie wirklich etwas wollte. »I think it was just because of the gall …«, ihre Frechheit also, und weniger die Layoutentwürfe in ihren Bewerbungsmappen. Im Februar 1954 bekam sie deshalb bei »Seventeen« einen Halbtagsjob, was das war, was sie wollte, denn der ließ ihr genügend Zeit, dreimal pro Woche in der Art Students League am lebenden Modell Aktzeichnen zu üben oder im Museum of Modern Art die hängenden Berühmten zu bewundern und dabei vom künftigen eigenen Ruhm zu träumen.

Fünf Beispiele ihrer Arbeiten, alle entstanden in den Monaten, nachdem Eva Hesse vom Pratt Institute geflohen ist und bevor sie im Herbst 1954 die Aufnahmeprüfung für die Cooper Union School bestehen wird, hat die Redaktion für den Abdruck ausgewählt. Bisher hatte sie keine Gedanken darauf verschwendet, wie sie ihre Bilder nennen sollte. Das war unwichtig. Was sie sagen wollte, war zu sehen, und mehr gab es ihrer Meinung nach nicht zu sagen. In einem Magazin veröffentlichte Bilder jedoch mussten, wie andere Fotos auch, beschriftet sein, selbst Kunst sollte journalistisch getauft werden, um Leser zu informieren. Eva Hesse macht es sich einfach, gibt ihnen simple Titel, die nur das benennen, was eh auf den ersten Blick zu sehen ist.

Wie sie auf die Idee kam und was die einzelnen Werke aussagen sollten, beschreibt sie im Begleittext: »Für das Bild namens *Conflict*, eine Gouache, wählte ich aufwühlende Bewegungen und Farben.« Immer wieder habe sie die Stellung der abgebildeten Männer verändert, um den Konflikt deutlich zu machen. »Das Aquarell *Tree* steht für sich allein, fest und stark wie viele Bäume, ich habe versucht, den Baum mit einem menschlichen Wesen gleichzusetzen. Entstanden ist es übrigens in einem Ferienlager, in dem ich war, zwischen Schwimmen und Basketball. *Portrait of a Woman* ist eine Skizze, die ich beim Kurs der Art Students League machte. *Mother and Child* hat eine gewisse Leichtigkeit. Ich habe kreisende Bewegungen und Schatten benutzt, um die sie verbindende Fessel Liebe auszudrücken. *Subway* ist meine erste Lithografie, abgezogen von einer Steinplatte.«

Weiter erklärt sie, warum ihre Kunst so und nicht anders

sei, und auch, warum ihre Kindheit eben nicht so gewesen sei, wie sie ihr Vater zuletzt beschrieben habe. Was sie antreibe, sich nicht mit der Oberfläche von Dingen zufriedenzugeben und allem auf den Grund zu gehen, liege in ihrer Kindheit begraben. Weil sie aufgewachsen sei mit Menschen und deren Schicksalen, mit Menschen, die durch die »Leidenswege ihrer Zeit« gegangen waren, habe sie das geprägt. »Ich begann, mir über die Welt Gedanken zu machen«, und Kunst sei zu der ihr gemäßen Art geworden, sich auszudrücken: »Künstlerin zu sein heißt, Menschen zu beobachten und zu versuchen, sie zu verstehen, ihre Stärken, ihre Schwächen. Ich male, was ich sehe und was ich fühle, um das Leben in all seinen Schattierungen zu erfassen.«

Die Zeichnung *Mutter und Kind* ist nicht die beste – unter künstlerischen Kriterien ist das eher *Subway* –, aber die interessanteste Arbeit der fünf in »Seventeen« abgedruckten Frühwerke. Eva Hesse zeichnet nicht nur, was sie sieht, nein, wie sie selbst bekannt hat, drückt sie mit ihrer Kunst aus, was sie fühlt. Es ist nach ihrer Überzeugung die ihr gemäße, die einzige Art, sich auszudrücken. Doch damit ist sie nicht einzigartig, damit steht sie nicht allein, das könnten alle unterschreiben, die sich für Künstler halten, egal, ob Maler, Bildhauer, Musiker, Schreiber.

Lässt sich in ihrer Art, sich auszudrücken, also mehr erkennen? Die Figur der Mutter wirkt gegenüber der Figur des Kindes nicht nur riesengroß, sondern gleichsam entrückt. Scheint mit dem Kind einen Reigen zu tanzen, während sie dahinschweben, doch die kleine Tänzerin schafft es nicht, die große zu berühren. Ihre Arme erreichen sie nicht mehr, die »Fesseln der Liebe« sind nicht mehr stramm genug. Die Brüste der Frau liegen frei, ihre Augen tief in den Höhlen, als ob sie bereits in einer anderen Welt zu Hause sind. Man kann den Kopf auch als Totenmaske interpretieren und den Versuch des Kindes, die Gestalt zu erreichen, als Versuch, sie im Diesseits festzuhalten. Rechts führen Stufen zu einer geöffneten Tür, dahinter endet die Treppe im Nichts.

Für den ersten Abdruck ihrer Kunst erhält die Halbtagskraft Eva Hesse 100 Dollar Honorar. Viel Geld für die Achtzehnjährige. Wichtiger ist die Anerkennung des Vaters, von ihm zu hören, wie stolz er auf sie sei. Ab sofort wird nicht mehr darüber diskutiert, was mal aus ihr werden soll. Big Eva, der das Kommerzielle, das Normale näher ist als das Waghalsige, das Ideelle, die Kunst, hat nichts mehr zu sagen. Was Little Eva ein wenig friedlicher stimmt. Ja, sogar ein-, zweimal in ihrem Tagebuch das Wort »*parents*« auftauchen lässt, wenn sie von Begegnungen oder Besuchen ihres Vaters und seiner Frau berichtet.

Es ist nicht belegbar, aber es ist wahrscheinlich, dass Vater und Tochter nicht nur über Kunst gesprochen haben und das, was sie bedeutet für Eva, sondern auch über das, was sie geschrieben hat in »Seventeen«. Also was ihre Kunst antreibt, warum sie so ist und nicht anders. Ihre Sicht der Ereignisse in der Kindheit, die abgedruckt waren, ist genau das Gegenteil von dem, was ihr Vater für sie aufgeschrieben hatte. Denkbar deshalb, aber, noch einmal: nicht belegbar, dass er deshalb einer Behandlung seiner Jüngsten durch die Psychiaterin Helene Papanek zustimmte – und die Kosten übernahm, auch wenn es ihm schwerfiel –, mit deren Hilfe versucht werden soll, Eva zukünftig von den Schatten aus ihrer Kindheit zu befreien, von denen sie sich subjektiv bedroht fühlt in der Gegenwart.

Wenn es trotzdem mal nicht reichte, weil es entweder knapp zuging im Hause Hesse oder weil Eva eine Sitzung mehr brauchte, als abgemacht war, half ihre Kunst aus. Ein Gemälde in wilden gelben und weißen Farben, das Eva Hesse ihrer Therapeutin 1957 offerierte, genügte Helene Papanek als Ausgleich für ihre offene Rechnung. Sie gab ihm den Titel »Die Eierspeis«, worauf ihre Patientin wohl nie gekommen wäre. Irgendwann hat sie die Eierspeise verkauft.

Die Gespräche zwischen Helene Papanek, die aus Wien stammt, und Eva Hesse werden in beider Muttersprache auf Deutsch geführt, und Eva Hesse fängt damit an, in ihre Tagebücher aufzuschreiben, was sie bewegt, was sie traurig, was sie glücklich macht. Dass es Teil der Therapie ist, sich schreibend zu häuten, um zum Kern ihrer Probleme vorzudringen, ist ihr bewusst: »Heute schrieb ich meinem Doktor … aber indirekt ist alles, was ich hier aufschreibe, an sie gerichtet.« Der nächste Satz ist nur verständlich, wenn man weiß, dass sie ihr Tagebuch oft als einen Freund anspricht, also duzt: »You see anything I could feel or think was to be spoken of with Dr. Papanek.«

Helene Papanek, geboren 1901, könnte Evas Mutter sein, aber genau deshalb, um nicht mehr und mehr als Ersatz für die tote Mutter in einer falschen Rolle falsche Ratschläge zu geben, wird sie ihr mal empfehlen, den Psychiater zu wechseln, und ihr vorschlagen, sich bei Samuel Dunkell in Behandlung zu begeben. Bleibt aber dennoch eine lebenslange Freundin, eine Vertraute, die Eva immer wieder in vielen Eintragungen erwähnt und anspricht: »Ich will nur glücklich sein und frei und mit jemand zusammen sein, den ich liebe und der mich liebt … Doctor says you can't count on it … Dr. says, I am O.K. will manage well«, sie würde es schon schaffen. »Meine Beziehung mit Therapeutin ist, glaube ich, ausgezeichnet«, macht sie sich selbst Mut, denn die sei ein stabilisierender Faktor in ihrem Leben, der stärkste. Was sie dann aber auch von deren Nachfolger behaupten wird: »I trust and like Dunkell.«

Dessen Rechnungen wurden zum Teil von der Stadt New York übernommen, die für die Betreuung traumatisierter Kinder und Jugendlicher Geld zur Verfügung stellte. Da Samuel Dunkell einige Jahre lang im Rahmen dieses Programms eine Gruppe übernommen hatte und da er die Ergebnisse dieser Gruppentherapie wissenschaftlich in einer Studie verarbeitete, konnte er Eva Hesse in diese Gruppe aufnehmen und dadurch William Hesses Etat entlasten.

Bei Helene Papanek lernte sie eine Frau kennen, die ihr bis zum Ende treu bleibt. Rosalyn Goldman, vier Jahre älter als Eva und bereits verheiratet, wie es üblich war damals, hatte ganz andere Probleme als Eva Hesse, aber ebenso große Schwierigkeiten, mit denen fertig zu werden. Eva Hesse brachte als Einstand einen verschlüsselten Text mit, in dem es um einen jungen Mann ging, der merkte, dass er anders ist als andere seines Alters. Es handelte sich natürlich um Eva, was schon nach wenigen Sätzen klar wurde: »Die Erfahrungen in diesem jungen Leben waren anders als die normalen. Man sagt ja, dass all das, was einem jungen Menschen früh passiert, ihn in seinem ganzen weiteren Leben beeinflussen wird. Er ist sich darüber klar, anders zu sein als andere, und das kann sogar dazu führen, dass er sich gut findet. Er könnte dieses Anderssein verwechseln damit, etwas Besonderes zu sein, im positiven wie im negativen Sinne. Könnte in sich Qualitäten entdecken, die andere nicht zu haben scheinen, und um das alles noch zu komplizieren, hat unser Freund ein Talent als Maler entwickelt und außergewöhnliche Fähigkeiten gezeigt.«

Geschrieben ist es Mitte 1954, bevor das eigentliche, das von ihrem Vater jetzt nicht mehr in Frage gestellte richtige Kunststudium beginnt, nachdem Eva Hesse die Aufnahmeprüfung an der Cooper Union for the Advancement of Science and Art bestanden hat.

Ihre Schwester ist bereits verheiratet. William Hesse, der gemeinsam mit Big Eva seine Agentur inzwischen so weit entwickelt hat, dass es fürs Leben reicht, aber hart dafür arbeiten muss, dass es auch so bleibt, ist über Evas Wahl froh. Die Cooper-Union-Hochschule verlangt keine Studiengebühren. Für das, was sie zusätzlich noch braucht, Miete und Materialkosten, gibt es noch einen Zuschuss von der »Educational Foundation for Jewish Girls«. Sie wohnt in der East 6th Street in bescheidenen Verhältnissen, bekommt irgendwann ein Zimmer in einem Studentenwohnheim. In den Semesterferien verdient sie sich etwas dazu im Camp Lebanon, beaufsichtigt Kinder, die, wie einst sie als Kind, dort den Sommer verbringen, spielt mit ihnen Spiele, die sie mal spielte, versucht auch, in ihnen Begeisterung fürs Malen zu wecken, und da sie gut schwimmen kann, passt sie auch mal auf, wenn die Kleinen schwimmen gehen. Beruf: *lifeguard*.

Die Cooper Union ist bis zur heutigen Zeit begehrt bei Anfängern, weil sie ihrer Gründungsphilosophie treu geblieben ist: Man macht den Studierenden keine Vorschriften über ein geregeltes Studium samt entsprechenden Zwischenprüfungen und dann erteilten Zensuren, im Gegenteil, sie werden ermutigt, möglichst viel zu versuchen im Art Department: malen, bildhauern, zeichnen, Filme drehen, zu erleben, in welchem Fach sie scheitern und in welchem sie mehr erreichen können als der Durchschnitt, um dann selbst zu entscheiden, welchen Weg sie wählen. Zu den Ehemaligen, auf die man heute stolz verweist, gehört natürlich Eva Hesse, gehört der Architekt Daniel Libeskind, gehört der legendäre Designer Milton Glaser, dessen Kunst eine ganze Generation von Grafikern auf der ganzen Welt prägte, der den besten Magazinen ein unverwechselbares Gesicht gab.

Prägender in den drei Jahren, in denen sie die Akademie besuchen wird, ist eine andere Erfahrung, die einer großen Liebe. Sie lernt den gleichaltrigen Studenten Victor Moscoso kennen, dessen Eltern auf der Flucht vor den spanischen Faschisten Europa hatten verlassen müssen und emigriert waren in die Vereinigten Staaten. Er spricht mit ihr über den Bürgerkrieg, sie mit ihm über den Holocaust. Dass sie mehr als Freunde sind, dass sie nicht nur über die sie verbindende Geschichte reden und über ihre gemeinsame Sehnsucht, mal als Künstler berühmt zu werden, ist nur für William Hesse ein Geheimnis. Alle anderen sehen täglich das verliebte Paar.

Victor Moscoso ist nicht der erste Mann im Leben von Eva Hesse, das war Wilbert Feinberg, damals Student, später Bildhauer, Schwerpunkt Plastiken aus Silber und Bronze, aber mit ihm teilte sie nur das Bett, nicht ihre tieferen Gefühle und Gedanken. Ihrer Psychiaterin Helene Papanek, die eben doch fast eine Mutter für sie war, gefiel das allerdings überhaupt nicht. Eva, damals achtzehn, schien ihr noch zu jung. Sie hatte nichts gegen Sex, wie sie ihr sagte, doch sie hätte gehofft, Eva würde noch warten. Am liebsten natürlich bis zur Ehe.

Rosalyn Goldman glaubt im Rückblick, dass ihre Psychiaterin deshalb so gegen diese Affäre war, weil sie fürchtete, Eva würde mit den Folgen nicht zurechtkommen. Folgen hieß nicht eine mögliche Schwangerschaft, Folgen hieß verletzte Gefühle. Da habe sich aber Helene Papanek getäuscht in Eva, die habe diesen Mann nur als Sexobjekt betrachtet – ganz so, wie es umgekehrt Männer auch mit einer Frau machen würden.

Victor dagegen wird gleichermaßen als eine leidenschaftliche Affäre und eine tiefe Seelenverwandtschaft beschrieben. »Wir lieben uns wirklich, aber wir verstehen nicht, welcher Art unsere Liebe eigentlich ist. Oder was überhaupt Liebe bedeutet. Wir haben Frieden ineinander gefunden.« Er wird in ihrer Erinnerung bleiben auch dann, als er längst mit einer anderen verheiratet ist. Worüber sie verzweifelt war. Sie malte ein Bild, Sommer 1960, ein Doppelporträt – rechts eine Frau im Brautkleid, links eine dunkle, versteinerte schwarze Figur. Wurde mal interpretiert als *wedding painting*, aber wie so vieles ist auch das eine nachgetragene Deutung. Sie selbst hat darüber nie gesprochen.

Victor Moscoso taucht immer wieder bei Eva Hesse auf, mal als ferner Schatten, mal als einzige Hoffnung. Sie hat ihn nie wirklich aufgegeben, nicht nur in ihren Träumen, und sich nach seiner Berührung gesehnt, immer dann, wenn eine andere Liebe gerade zerbrach oder sie sich in der zu langweilen begann. Ihre Beziehung zu Victor Moscoso zieht sich zwischen Leidenschaft und Abkühlung über fünf Jahre hin, ist eine stets von anderen Umständen gefährdete Liebe, wird immer wieder unterbrochen von kurzfristigen Affären, die sich von ihr beschrieben stets gleichen, auch wenn die jeweiligen Liebhaber in jedem Fall andere Namen haben, doch gleichgültig ist er ihr nie. »Victor und ich waren glücklich an diesem Wochenende, alle Unstimmigkeiten sind ausgeräumt ... unsere Liebe ist so echt, ich hoffe nur, dass ich weiter mit Victor zurechtkomme, auch wenn es schwierig ist.«

Diese große Liebe endete, als ihr Geliebter 1959 von New York nach San Francisco zog und andere Frauen für ihn, andere Männer für sie wichtig wurden. Eva Hesse hatte zunächst vorgehabt, ihm zu folgen, sich beworben, um in seiner Nähe zu bleiben, um erreichbar zu sein und ihn erreichen zu können, an der University of California, um dort ihr Studium fortzusetzen, aber das klappte nicht. Tatsächlich hat sie es wohl nur halbherzig betrieben, denn ihre Stadt war eigentlich New York, dort spielte die Musik, bei der sie mitsingen wollte, dort gab es Museen und Galerien, dort würde sie das finden, was sie suchte.

Aber endete die große Liebe tatsächlich, nachdem Moscoso im Sommer 1959 New York verließ, um in San Francisco zu studieren? Tagebucheintrag vom 13. Januar 1960: »Vic is here in New York, das bringt alles durcheinander«, womit Eva Hesse ihre da aktuelle Affäre mit einem anderen Mann meint, der seit drei Wochen allerdings nicht von sich hatte hören lassen, was die Chancen von Victor erhöhte: »I love him dearly.« Oder eine andere Eintragung, ein weiteres Jahr später, in der sie ihr schlechtes Gewissen bekennt, weil sie mit Victor geschlafen hat, der nur zwei, drei Tage nach New York gekommen war, der aber schließlich mal ihr Liebhaber gewesen sei, den sie deshalb gut kenne, so dass er deshalb die meiste Zeit mit ihr verbrachte – »spent nineteen beautiful hours with Victor«. In der sie andererseits im folgenden Satz trotzig fragt, was denn dabei sei, guten Sex mit einem Mann zu haben, den sie mal geliebt hat, obwohl sie natürlich wisse, dass der bald wieder verschwunden sein wird aus ihrem Leben und zurückgehe in sein eigenes nach Kalifornien.

So ganz sicher aber ist sie nicht, ob sich das auch so ziemt. Ist ja schließlich mal ganz anders erzogen worden. Stellt sich schreibend neben sich, mischt fröhlich, zwischen dritter und erster Person hin- und herhüpfend, die andere mit der richtigen Eva, die gerade erregende Stunden mit ihrem Geliebten erlebt hat: »Ich habe viel zu viel geredet. Ich war so ausgehungert. Nach Gesprächen, nach Nähe, nach Sex … Ich muss einfach lernen, auch dann Sex zu genießen, wenn ich nicht verliebt bin. Warum muss ich denn verliebt sein, wenn ich Sex will? Das liest sich seltsam. Warum? Weil Eva immer noch etwas unreif ist, was Liebe und Sex betrifft. Krank. Mag sein. Ich fühlte mich großartig, was Eva und Victor und ihren Sex betrifft. Nichts, nichts war falsch daran … Falsch war nur, dass es nur einen Tag lang dauerte. Immerhin, einen Tag … Als ich daran dachte, war ich traurig. Aber es gab keine Lügen, keine Versprechungen, keine Erklärungen, stets füreinander da zu sein und so was.« Und als ob ihr dieses eindeutige Bekenntnis peinlich wäre, hebt sie es wieder auf eine andere Ebene: »Wäre ich meiner selbst sicher, könnte ich das leicht, Sex ohne Liebe«, findet damit eine überzeugende Erklärung, begründet in ihrer ja bekannten Zerrissenheit, für ihr scheinbar unmoralisches Verhalten, die es ihrer Psychiaterin leicht macht, sie vom schlechten Gewissen zu befreien.

Großartig aber sei es auf jeden Fall gewesen, denn zwar ist es lange her, dass sie mal ein Paar waren, sie wüssten aber beide genau, egal, in welcher Beziehung der eine oder die andere gerade lebt, an dieser Liebe werde sich nie etwas ändern. Ein paar Wochen später erwähnt sie, dass Victor verheiratet sei und sie aufhören müsse, sich zu wünschen, ebenfalls geheiratet zu werden: »The obsession for me getting married must halt.« Und dass es doch nur weh tut, ihn zu treffen: »Ich sollte ihn nie wieder sehen. Es ist eine unlösbare, aber wunderbare Beziehung ..., aber ihm geht das nicht so, er ist mit sich im Reinen, ist glücklich ... Liebe von Dauer ist ihm schon deshalb nicht erstrebenswert, weil das bedeutet, alles andere aufgeben zu müssen.« Sie meint: alle anderen, aber das hätte sie auch von sich behaupten können.

Victor Moscoso, inzwischen siebzig Jahre alt geworden, jung geblieben, hat sich als Künstler durchgesetzt wie die geliebte Eva, aber in einer anderen Art. Er ist einer der wenigen, die es dank ihrer Kunst schafften, die Rockmusik der sechziger und siebziger Jahre des 20. Jahrhunderts auch optisch sichtbar zu machen durch leuchtende Farben und wahnsinnige Illustrationen auf Plattencovern und auf Konzertplakaten. Er konnte gut leben von dem, was er gelernt hatte, weil es sich gut verkauft, sogar noch in heutigen Zeiten kleinformatiger CDs, für die es keiner Kunst mehr bedarf, ist sein Werk gefragt. Es gibt sogar ein Buch über sein Lebenswerk, »Sex, Rock & Optical Illusions – The Art of Victor Moscoso«. In dem wird er gefeiert als ein »Master of Psychedelic Poster and Comix«. Seine Poster, seine Konzertplakate aus San Francisco, seine Zeichnungen in »Zap Comix«, seine frechen Illustrationen und vor allem seine Plattencover zu Aufnahmen legendärer Bands wie The Doors, Big Brother and the Holding Company, Three Dog Night, der Steve Miller Blues Band oder der von Jerry Garcia sind in der Subkultur so berühmt wie die Kunst von Eva Hesse in der Hochkultur.

Seine wahre Begabung hat sich nicht während des Studiums an der Cooper Union School oder später in Yale gezeigt, nicht mal am San Francisco Art Institute, nachdem er dem Versprechen des populären Rocksongs »It Never Rains in Southern California« gefolgt und ins sonnige Kalifornien gezogen war. Er entdeckte sie beim Tanzen im damals berühmten Avalon Ballroom. Dort sah er Plakate über die kommenden Auftritte von Rockbands, die so gar nichts von der Kraft der Musik hatten, die konventionell und langweilig aussahen, und seine Idee, er könne »ein wenig Geld verdienen, wenn ich für diese Jungs Poster gestalte«, war genau die richtige. Psychedelische Töne erforderten eine kongeniale Umsetzung in psychedelische Farben, die von den Fans dieser Musik nur gesehen wurden, wenn sie zuvor LSD eingeworfen hatten. Moscoso war so wirksam wie LSD, und was die Nebenwirkungen und Nachwehen betrifft, zudem viel gesünder.

Dass er dabei mehr Erfolg hatte als andere, die es bald auch in diesem Geschäft versuchten, lag an dem, was er an der Cooper Union und der Yale University gelernt hatte – mit Farben so umzugehen wie mit Noten, sie so lange zu mischen, bis sie klangen.

Wer heute für Victors Illustrationen und Comics und Poster bis zu 15 000 Dollar bezahlt, weil der in der Welt von Rock und Pop eine Legende ist, kennt wahrscheinlich nicht die Skulpturen der Eva Hesse, aber wer für deren Objekte bereit ist, Millionen auszugeben, wird wahrscheinlich noch nie etwas gehört haben von einem Künstler namens Victor Moscoso. Milton Glaser, einst so jung wie er und Eva an der Cooper Union, hat für das Retrobuch seines alten Freundes Victor ein hymnisches Vorwort geschrieben, in dem er ihn als einen der fünf wichtigsten Pop-Artisten seiner Zeit feiert. Pop-Artisten, die Glaser damit meint und zu denen Victor Moscoso gehört, sind natürlich andere als die in der Kunstgeschichte gefeierten Popartisten wie Rauschenberg oder Warhol.

Moscoso holt aus seiner Erinnerung ein Bild von Eva, das er stets bei sich trägt. Er hat noch zwei andere Bilder, beide aus dem Jahre 1956, beide ohne Titel, die sie ihm, ihrem Geliebten, damals geschenkt hat. Dass die Frühwerke inzwischen viel wert wären, wenn er sie denn verkaufen würde, interessiert ihn nicht. Sein eigentliches Bild ist eh ein virtuelles, eines zudem, das nie altern wird: »Wir lernten uns 1954 kennen. Wir waren beide achtzehn. Sie war charmant, sie war attraktiv, sie war begabt.« Was außerdem von ihr in ihm geblieben ist, außer der Erinnerung an ihre große Schönheit oder eine kleine Wehmut über die gemeinsame Vergangenheit, beschreibt er so: »As we got closer I could see the anxiety and depression that ran through her spirit« – als sie sich näher kannten, habe er immer die Depressionen und die Angst spüren können, die ihr Wesen bestimmten. »Ich glaube, sie hat sich an der Kunst festgehalten, um nicht wahnsinnig zu werden.«

Als sie beide mit dem Studium an der Cooper Union begannen, war er der Halt, nicht die Kunst. Ihn konnte sie umarmen, an ihn konnte sie sich anlehnen, seine Nähe konnte sie spüren, wenn sie fror. Die im Fach Kunst angebotenen Kurse dagegen wärmten nicht, befriedigten sie nicht. War ihr alles zu theoretisch. Sie hatte nicht vor, mal selbst Kunst zu lehren, sondern Kunst zu leben. Man würde im Unterricht zu oft über das Gemalte diskutieren, statt einfach mal drauflos zu malen, sie wisse noch immer nicht, ob sie wirklich eine außergewöhnliche Begabung habe fürs Malen usw.

Die Ursachen für ihre Verstimmungen, für ihre Launen waren aber mitunter, da die Antibabypille noch nicht erfunden worden war, die ganz normalen einer jungen Frau, die Angst hat, schwanger zu sein, weil ihre Periode ausbleibt. Als sie endlich eintrifft, wird dies von Eva Hesse witzig formulierend begrüßt – »my over-welcomed friends' arrival«. Sogar ihrer Psychiaterin teilt sie das freudige Ereignis mit, und die freut sich, laut Tagebuch, mit ihr.

Andere Äußerungen spiegeln ihre sie wieder aus dem Nichts überfallenden Depressionen wider, aber nicht nur solche, die aus ihrer Biografie zu erklären wären. Sie fragt sich, ob sie je ihr selbstgestecktes hohes Ziel, sich als Künstlerin durchzusetzen, überhaupt erreichen kann mit ihrem Talent. Ob es ihr überhaupt einmal gelingen wird, mehr als nur ein paar nett anzusehende Bilder zu malen. Ob sie als Frau überhaupt eine Chance hat, denn auch hier an der Akademie sind die Männer dominant. Typisch für Eva Hesse, allein unter Männern, dass sie selbst bei so quälenden Selbstzweifeln mit dem nächsten Satz ihr Alter Ego auffordert, nicht verzagt zu sein, Stärke zu zeigen: »Okay, Hesse, come on.«

Wieder lädt ein Foto zu Interpretationen ein. Ein Foto aus dem Jahre 1958. Da ist sie zweiundzwanzig Jahre alt und bereits Studentin der Yale University. Auf ihrer Stirn sind winzige Narben zu sehen, stammen wahrscheinlich von der Wunde, nachdem sie einst als Kind beim Spielen im Park von einem Baseball getroffen worden war. Ihre großen dunklen Augen scheinen zu leuchten, und wenn es nicht so kitschig klingen würde, könnte man behaupten, auch in diesem Leuchten ließe sich erkennen, dass sie kein Kind mehr ist, sondern eine Frau. Sie blickt wissend skeptisch, nicht mehr verzagt skeptisch.

Eva Hesse nahm zwar schon an der Cooper Union School von Anfang an das Studium ernst, kein Vergleich mit dem Pratt Institute, schrieb gehorsam alle Regeln auf, die von ihren Lehrern verkündet wurden, auch dann, wenn sie von denen nicht so überzeugt war wie von Nicholas Marsicano, dessen Lebensthema die Darstellung nackter Frauen war. Stets bereit, ihre eigenen Vorstellungen, wie man malen müsse und was man malen müsse und wie Kunst zu sein habe, um wirklich einzigartig zu werden, in Frage zu stellen. Allerdings fiel die Antwort immer zu ihren Gunsten aus: so jedenfalls, wie man es ihr vorschrieb, so jedenfalls nicht. Sie ließ deshalb keine Gelegenheit aus, intensiv darüber zu diskutieren, gern auch zu streiten, weil sie nie mit dem zufrieden war, womit die zufrieden waren.

Tatsächlich bewegten sie aber ganz andere Gedanken, andere Probleme. Die hatten mit Kunst nichts zu tun, es waren die eines jungen Mädchens. »Ich will lieben, und ich will geliebt werden von einem Mann«, beginnt eine längere Passage in ihren Aufzeichnungen, in der sie in romantischer Verklärung erklärt, wie sie sich die große Liebe vorstellt. Mit einem Mann alles zu teilen hieße auch seine Sehnsucht, seine Hoffnungen, seine Gedanken zu teilen, frei zu sein von Ängsten und doch nicht »gefesselt an meine Emotionen«.

Man kann dies abhaken als typische Gedanken einer Zwanzig-, Einundzwanzigjährigen, keiner weiteren Rede wert, aber Eva Hesse bleibt nicht im Archetypischen, wenn sie schildert, was sie bewegt und was sie treibt und wovon sie träumt. Es sind die für Eva Hesse typischen Brüche zwischen Wunsch und Wirklichkeit, aber genau aus diesen Brüchen hat sie die Kraft für ihre Kunst geschöpft.

Der Mann ihrer Träume, in diesem Fall Wunschträume, in diesem Fall Victor Moscoso, den sie zärtlich »meinen göttlichen Prinzen« nennt, sollte den gleichen Wunsch nach Unabhängigkeit haben wie sie, sollte kreativ sein, wie sie nie zufrieden mit dem, was man gerade erreicht hatte, sollte immer mehr wollen, so wie sie bereit sein, über alle bestehenden Grenzen zu gehen, Konventionelles zu verachten. Kurzum: anders als alle anderen und damit ihr nahe, ihr gleich. »Es gibt so viel Gutes in der Welt, und ich will es immer spüren«, sie will es einatmen und sich einverleiben. Klingt geschwollen, klingt wie angelesen, und bei ihrem nächsten Satz ist man sogar geneigt, zu verallgemeinern und sie typisch deutsch zu nennen, wenn sie nach dem Sinn des Lebens an sich gründelt. Nur dann, wenn »ich so ein Mensch werde, wenn ich das schaffe, kann ich all den Schmerzen, Tragödien, Enttäuschungen widerstehen, von denen ich weiß, dass es sie gibt und dass sie mich befallen wie andere auch«.

Bevor sie sich einen Befehl gibt, Stärke zu zeigen, ihre emotionalen Probleme nicht nur zu beschreiben und zu begreifen, sondern in den Griff zu bekommen – »Ich will für mein Glück arbeiten« –, taucht sie erneut ab in die vermeintlichen Tiefen des menschlichen Seins, schlägt aber wiederum nur Wellen auf der Oberfläche, schwimmt im Kreise der Klischees, indem sie sich fragt, ob denn geben nicht seliger sei als nehmen.

Bleibt bei dieser banalen Frage nicht hängen, sondern bekennt, ihr jedenfalls sei es so ergangen, was sie mit Erstaunen festgestellt habe. Gut zu sein mache Spaß. Glücklich mit diesem Hochgefühl des Gutmenschen war sie dann doch nicht: »This too is not ideal.« Warum erwarte jemand Dankbarkeit dafür, dass er sich für andere Menschen aufopfern möchte? Hat sie vom Helfersyndrom gerade bei ihrer Psychiaterin etwas erfahren? Es klingt alles wie gehört, nicht wie erlebt, was sie plötzlich ihrem Tagebuch, ihrem »besten Freund«, erzählt: »Auf der einen Seite bin ich ziemlich altmodisch, was Manieren betrifft und Höflichkeit«, denn ohne gewisse Konventionen sei es unmöglich, dass Menschen miteinander leben, »nur wer sich selbst respektiert, kann auch andere respektieren«. Das genau aber sei ihr Problem, sich selbst immer wieder in Frage zu stellen, statt sich in allen Facetten einfach zu akzeptieren, mit allen Schwächen und mit allen Stärken.

Viele Eintragungen sind unwesentlich, um die Künstlerin Eva Hesse besser zu verstehen, so oder so ähnlich – Liebessehnsucht, Glücksuche, Gutes tun – hätte es jedes junge Mädchen ausdrücken können. Dass sie dennoch hier ausführlicher zitiert werden, lässt sich begründen. Aus diesen Zitaten kann man ablesen, dass Eva Hesse eben nicht nur ein von den Dämonen ihrer Vergangenheit getriebener Mensch war, sondern klarsichtig genug, ihre alltäglichen Probleme, die sie »befallen wie andere Menschen auch«, zu trennen von denen, die nur sie hatte. Selbst dann, wenn sie in einer Beziehung die Stärkere ist, selbst dann, wenn sie glaubt, gefunden zu haben, wonach sie suchte, bleiben Angst und Depressionen ständige Begleiter, und die verlassen sie nie.

Victor Moscoso nahm ihr für eine Zeit lang sogar diese Angst, so groß war die große Liebe. Er schien die Erfüllung ihrer Sehnsucht zu sein. Zwar gebe es »in sexueller Hinsicht Schwierigkeiten zwischen uns«, aber fast alles andere, wovon sie stets träumte, ist in ihm vereint. Er hört ihr zu. Er will Künstler werden. Er hat Ähnliches erlebt wie sie, Verlust von

Heimat, wenn auch nicht so traumatisch wie sie. Dennoch bleibt sie »restless and unsatisfied«, weil der Gleichaltrige »mich eigentlich nicht richtig braucht«, außerdem vielleicht doch zu jung sei, zu unerfahren. Sie verlässt ihn nicht, kann verstehen, dass Frauen zwar ihrer Partner überdrüssig sind, sich oft langweilen in einer Beziehung und die dennoch nicht beenden können, weil sie an sie gefesselt sind und die Alternative, allein zu sein, viel schlimmer ist.

Damit meint sie nicht irgendwelche Frauen, über die sie gerade gelesen hat oder die sie in einem Film gesehen hat, damit meint sie sich: »Soll ich mich aber weniger annehmen, nur weil ich oft so unvernünftig emotional reagiere? Ich fühle mich gleich angegriffen, wenn ich in meiner Arbeit kritisiert werde, und um mich zu schützen, lasse ich die Spannung dadurch raus, dass ich mich schlecht benehme und herumschreie.«

Immer dann, wenn sie schildert, was dem geliebten Victor fehlt, bricht ihr Verlangen durch nach Vaterfiguren, die ihr überlegen sind, zu denen sie aufblicken kann. Schreibt sie vom Reiz, den ältere, erfahrene Männer auf sie ausüben, von denen sie sich angezogen fühlt. Gleichzeitig schreckt sie vor Nähe zurück, scheut sich, jene auch wirklich zu berühren: »There is truth in that I fear the men who are further in their studios or greatly accomplished in the academic world«, bekennt Furcht vor denen, die in ihrer Kunst, ihren Ateliers weiter sind als sie und bereits anerkannt in der akademischen Welt.

Sie versuchte, die sie manchmal einengende Beziehung mit Moscoso zu lockern, gar mit ihm zu brechen, fragte sich, warum es nicht erlaubt sein sollte, sich ihre sexuellen Wünsche auch dann zu erfüllen, wenn sie außer Sex nichts mit dem Kerl zu tun haben, also nicht unbedingt mit dem tiefer gehende Gefühle teilen wollte. Das sei bei Männern in umgekehrten Fällen doch selbstverständlich. Die würden auch dann mit einer Frau schlafen, wenn sie bereits in der Nacht ahnten, dass sie nicht wüssten, was sie am anderen Morgen mit ihr reden sollten. »Es ist ja nicht so, dass ich die Gefühle, die mir entgegengebracht werden, nicht erwidern mag, … aber ich mag mich nicht verstellen. Ich erwarte so verdammt viel, und das alles kann eine einzige Person unmöglich erfüllen.« Zuneigung, Anbetung, Liebe, Sex könne sie »von Männern ja jederzeit und leicht bekommen«.

Sie hielt sich offenbar für unwiderstehlich.

War sie es?

Sie war es.

Langes schwarzes Haar, dunkle Stimme, viel versprechende Augen. Erotische Ausstrahlung. Sagen die Männer. Erstaunlich vollbusig für eine so kleine Person, nur 1,58 Meter groß, erinnern sich schmallippig die Frauen. Sie selbst bekennt ohne falsche Bescheidenheit, dass sie es genießt und sich darüber freut, wenn Männer sie anhimmeln. Eine berührbare Frau. Die Frage sei nur für sie, bei wem es sich denn lohne, eigene Gefühle zu entwickeln oder die des anderen zu erwidern, denn sie kann sich einfach nicht vorstellen, etwas vorzutäuschen, was nicht in ihr ist. Eine unberührbare Frau.

Das klingt einleuchtend, so beschrieben. Aber noch bleibt trotz aller Selbstbeschreibungen Eva Hesses Bild verschwommen. Übertragen auf ihre Kunst: Der Rahmen, in dem sich ihr Leben abspielt, ist gezimmert, die ersten Farben auf der Leinwand sind zu erkennen, Bruchstücke ihrer Biografie bilden bereits den Hintergrund, aber es gibt noch viele weiße Flecken. Lässt sich vielleicht mit dem Rückblick auf das, was sie berührte und begeisterte, diesseits von Kunst und Liebe, einer dieser Flecken mit ihrem Leben 1957, 1958, 1959 füllen?

Versuch einer Annäherung: Sie liest Dostojewskis »Erniedrigte und Beleidigte«, einen Roman, der das Schicksal der kleinen Nelly in den Elendsquartieren von St. Petersburg schildert. Ein düsteres Werk. Sie erlebt am Broadway »The Andersonville Trial«, ein Drama über den amerikanischen Unabhängigkeitskrieg, als im Gefängnis von Andersonville tausend gefangene Soldaten zu Tode gequält wurden und sich nach der Niederlage der Südstaaten der Gefängnisdirektor vor dem Gericht der Sieger verantworten musste. Sie identifizierte sich mit der weiblichen Hauptperson im Theaterstück »A Raisin in the sun« von Lorraine Hansberry, in dem ein junges Paar mit den moralischen Zwängen einer verkrusteten Gesellschaft, aber auch den jeweiligen eigenen Vorstellungen, was denn Liebe sei, zu kämpfen hat. Sie sieht »Lust for Life«, die Verfilmung der Lebensgeschichte von Vincent van Gogh und seiner Verbindung mit Paul Gauguin, gespielt von Kirk Douglas und Anthony Quinn, notiert kurz »gut gemacht« und bekennt dann, dass sie aufgewühlt war, dass sie alles habe nachempfinden können, dass sie geweint hat.

Unter den Fragen, wie das mit ihrer großen Liebe und manchen kleinen Lieben weitergehen könne und wie mit der Kunst und wie mit dem Leben überhaupt, taucht dann plötzlich wieder eine Eintragung auf, die in anrührender Naivität im Poesiealbum einer jung Verliebten stehen könnte: »Ich hoffe, dass Victor heute zurückkommt. Erwarte jeden Moment, wenn ich auf der Straße bin, hinter mir das Geräusch seines Motorrollers zu hören ... oder wenn es klingelt und ich an die Tür renne, dass er da vor mir steht.« Er kommt, trotz mancher Schwierigkeiten, die sie in drastischer Deutlichkeit beschreibt, ihrem Ideal von Liebe immer noch am nächsten – »I do believe that this is much of what we term love« –, was sie nicht daran hindert, andere auszuprobieren. Es gibt immer wieder Liebschaften, von denen Victor nichts ahnt. Dann macht sie sich Selbstvorwürfe, beschreibt ihr schlechtes Gewissen: »I have been unfaithful to Victor.«

Benennt und beschreibt die auch, mit denen sie ihn betrogen hat. Mal ist es Chet, und die Beziehung zu ihm sei großartig, bis sie ein paar Seiten weiter ernüchtert feststellt, ihr Verliebtsein habe sich in Hass verwandelt. Stan kommt ganz gut weg, und auch Mark taucht immer wieder auf. Offensichtlich wusste keiner vom anderen, was ganz nebenbei auch eine logistische Meisterleistung von Eva Hesse ist. »Where am I involved and why still with all 3?« Grundsätzlich beobachtet sie, dass sich die Männer alle ähnlich sind, mit denen sie ein Verhältnis hat, und dies wohl daran liegen mag, dass sie vielleicht immer nur einen ganz bestimmten versucht zu finden, »until I no longer see men as fathers«.

Dem Rat ihrer Psychiaterin folgend, versucht sie, intellektuell das Problem zu lösen. Drei ihr wichtige Männer werden in einer Tabelle aufgelistet, in der ihre Eigenschaften wie bei einem Kassenbuch unter Soll und Haben verzeichnet werden, als würde sie danach genau wissen, wer der richtige Mann wäre. Bei Chet steht, dass es eine masochistische Beziehung sei, doch hinter das Wort »masochistisch« setzt sie ein Fragezeichen. Bei Vic notiert sie »sadistisch« und bei Stan schlicht »in between«. Es ist aber nicht ihre Meinung, es ist die Anklage, die Eva vertritt, es ist das, was die andere Eva, die intellektuellere von den beiden, und die ist jetzt gefragt, ihren so verschiedenen Geliebten vorwirft.

Denn danach spricht die Verteidigung, und die vertritt die wahre, die liebevolle Eva Hesse. Chet ist nun hilfreich und gutmütig, ja: gefügig. Vic strahlt die stärksten Gefühle aus, Wärme, Mitleid. Er ist feinfühlig, und deshalb ist sie stets in Sorge, ihn durch ihre Art zu verletzen. Mit Stan habe sie eine wunderbare Verbindung – was die gemeinsame Arbeit betrifft. Womit geklärt ist, dass er als Liebhaber ausscheidet.

Bleibt Victor Moscoso. Das Paar, das sich an der Cooper Union gefunden hat, zieht im September 1957 gemeinsam nach Yale, New Haven. Eva hatte zunächst nur ein Stipendium für einen Sommerkurs in Norfolk erhalten, doch es wird verlängert und gilt nun für die Yale School of Art and Architecture. Ist sie endlich da, wohin sie wollte? Hat sie endlich die richtigen Lehrer gefunden? Ist sie überzeugt, endlich was Wesentliches zu lernen? Als sie kurz vor ihrem Tod mit Cindy

Nemser über ihre Erfahrungen in Yale spricht, erinnert sie sich wieder mal zunächst an die Schwierigkeiten, die sie hatte: »Ich mochte es dort eigentlich überhaupt nicht.«

In ihrem wichtigsten Lehrer fand sie wieder eine Vaterfigur, an der sie sich messen konnte. Josef Albers. Der wollte längst seinen Ruhestand genießen, aber sie hatten keinen Nachfolger gefunden, und deshalb unterrichtete er weiter. Eva Hesse kannte seinen Ruf, wusste von seinem Können, vor allem von seiner Bauhaus-Vergangenheit, aber ihr Held hieß Willem de Kooning. Sie war jung und wollte mehr lernen als den besten Umgang mit Farben. Josef Albers, der bereits 1933 in die USA emigriert war, nachdem das Bauhaus in Dessau und dessen Künstler und Lehrer, zu denen er gehörte, von Göring als »Brutstätte des Bolschewismus« verteufelt worden waren, sprach mit seiner Lieblingsschülerin Eva Hesse Deutsch.

Als sie in seine Klasse kommt, ist er neunundsechzig Jahre alt. Er könnte ihr Vater sein, sie seine Tochter, aber sie ist kein Kind mehr, sie ist erwachsen, und sie will sich nichts von ihm vormalen lassen. Ihr Lehrer lehrt die Kunst kühl angeordneter Farben auf einem Bild, sie will wild Abstraktes. Er verlangt abstrakte Geometrie. Sie möchte im Geist des Abstrakten Expressionismus ihre Gefühle ausdrücken, er besteht auf der Klarheit von Gedanken, die sich ausdrücken sollten in der Kunst, sie glaubt an die Kraft der Emotionen. An ihre.

Viele Jahre nach seinem Tod, in einem anderen Jahrtausend, widmete ihm und seinem Freund László Moholy-Nagy, den beiden so unterschiedlichen stillen Meistern des Bauhauses, die Tate Modern in London eine große Ausstellung und würdigte den Avantgardisten Albers, Vorläufer der Op-Art, als einen Mann, der sein Leben lang theoretisch und praktisch auf den Spuren von Form und Farbe gewesen sei. Zwei zerbrechliche Objekte seiner Schülerin Eva Hesse – *Tomorrow's Apples* und *Addendum* – sind ein paar Räume weiter ausgestellt, gehören zum wertvollsten Besitz des Museums.

Er sei irgendwie doch schrecklich auf das fixiert, was er für wesentlich hält, beklagt sie sich bei ihrem Freund, dem Tagebuch. Fast schon doktrinär in seinen Ansichten. Zwar frage er bei jeder Stunde, was seine kleine Eva wieder gemacht habe, natürlich auf Deutsch und dann erst auf Englisch, »What did Eva do?«, aber sie will nicht seine kleine Eva sein. Little Eva war sie nun lange genug gewesen. »Wenn alles nur auf einer einzigen Konzeption beruht, auf einer einzigen Idee, dann kann daraus nie etwas Neues entstehen, es wird immer nur eine Variation dieses einen Themas sein.«

Die anderen Lehrer neben Albers, Rico Lebrun zum Beispiel, bezieht sie in ihre Kritik mit ein, obwohl der in seiner Klasse genau das Gegenteil der »Color Courses« von Albers fordert und fördert, Emotionen und Menschen, abstrakt und möglichst in grauen, braunen, schwarzen Farben. Die beiden tragen ihre Konflikte übrigens gern auch auf dem Rücken ihrer Studenten aus, was deren Verwirrung steigert. Nicht bei Eva Hesse, die sich wehrt und weiß, was sie will. Aus diesen erfahrenen Gegensätzen – von Emotion und Ratio, Expressionismus und Intellekt, Gefühl und Verstand – schafft sie mal Eigenes. Keine klaren, sondern verwischte Farben, keine kühlen Formen, sondern mit Leben erfüllte. Mit ihrem Leben. Bei allen aber sei es schwierig, sich mit neuen Ideen durchzusetzen. »Zur Hölle mit ihnen. *Male dich selbst aus*. Immer wieder und immer wieder, und komme mit deiner eigenen Arbeit zurecht, und nicht mit der von irgendwelchen anderen.« Die neuen Ideen, an denen sie sich erproben will, haben einen Namen. Abstrakter Expressionismus. Der verträgt sich nicht mit den Theorien von Josef Albers, er lehnt ihn ab, zu emotional, zu subjektiv, der widerspricht allem, was er in der Kunst für wesentlich hält, und deshalb verträgt sich Eva Hesse nicht mit ihm.

Sie fühlt sich von ihm ungerecht behandelt, was aber auch daran liegen kann, wie sie selbst oft genug in anderen Fällen zugegeben hat, dass sie mit Kritik schwer umgehen kann und sich gleich persönlich angegriffen fühlt, entsprechend wütend reagiert oder sofort wieder alles in Frage stellt, was ihr Talent und was ihr Können betrifft. Auch auf die Kunst bezogen stimmt ihre Selbsteinschätzung, man könne sie leicht glücklich machen – durch ein Lob – und leicht traurig – durch einen noch so geringen Einwand. Am konkreten Fall von ihr beschrieben, der sie an der Kompetenz ihrer Lehrer zweifeln lässt. Einer von den Yale-Professoren hatte ein Bild von ihr gelobt, genau dieses Werk aber hielt Albers für misslungen. Er schaute es an und sagte, von ihr wörtlich zitiert: »Unter den Formen gibt es keine Einheit … Was hat ein Kopf mit dem anderen zu tun? Selbst dann, wenn man als Stilmittel einen großen Kontrast zwischen Farben wählt, selbst dann müssen sie doch zueinander passen.«

Auch die Vorlesungen in Kunstgeschichte finden keine Gnade vor ihren Augen, die ja mehr erblicken wollen als das, was sie vor sich sehen. Die italienischen Maler der Renaissance lassen sie deshalb unbeeindruckt. Bei einer Zwischenprüfung versagt sie – »I got scared and did poorly«. Sie langweilt sich bei einer Gastvorlesung von Suzanne Langer, kann damit nichts anfangen, wird deren Bücher erst viel später lobend erwähnen.

Die ganze Richtung passte ihr nicht. In einem Brief an Helene Papanek, verfasst während der Semesterferien 1958, begründete sie diese innere Unzufriedenheit: »Ich schiebe alles auf die lange Bank. Ich bin ängstlich. Was teilweise daran liegt, dass ich nicht weiß, ob meine künstlerische Arbeit gut genug ist. Ich rebelliere gegen die Ideologie der Schule, aber ich schwanke, ob ich wirklich auch recht habe. Die Lehrer akzeptieren einfach keine Experimente, kein Suchen, keine Freiheit, keinerlei Art von Ausdruck. Das Gesetz von Yale lautet: Malen entsteht im Kopf, nicht aus der Hand. Ich akzeptiere ja Disziplin, aber es ist schwierig, wenn die Regeln von einem

Einzigen aufgestellt werden, selbst ein Maler, der geradezu fanatisch davon überzeugt ist, dass nur das, was er unter Kunst versteht, die richtige Deutung ist – eine sehr persönliche, reine, theoretische Kunst.« Josef Albers, der gemeint war, nannte sie den »mächtigen König«.

Genervt: Mit ihrem Lehrer Josef Albers an der Yale School of Art and Architecture streitet Eva Hesse über Formen und Farben und Gefühle.

Im Rückblick betrachtet, sind die Bilder, die zwischen 1957 und 1959 in Yale entstanden, aber nicht nur in den Formen, sondern auch in den Farben außergewöhnliche Gemälde. Die dunklen Töne strahlen nicht wie bisher Grauen und Angst aus, sondern Wärme und Nähe. Spiegeln Eva Hesses Lebensgefühl in dieser Zeit: Leichtigkeit, Heiterkeit, Harmonie – trotz aller beschriebenen Probleme mit Josef Albers oder der völlig andersartigen mit Victor Moscoso. Die waren offensichtlich nicht so schwer wiegend wie die von ihr geschilderten. Sie verkaufte sogar zum ersten Mal ein Bild, an Leif Sjöberg, Professor für Vergleichende Literatur an der Columbia University, damals Anfang dreißig, Freund des Dichters W. H. Auden, dem er dabei behilflich war, schwedische Gedichte ins Englische zu übersetzen.

Ihre finanzielle Situation ist zwar nicht berauschend, aber es reicht fürs Leben und für das, was sie »mehr denn je braucht«, die Therapie bei Helene Papanek. In einer Jahresübersicht von Einnahmen und Ausgaben, die sie so penibel auflistet wie einst die über die Eigenschaften ihrer Liebhaber, ist zum Beispiel die Miete mit 420 Dollar verzeichnet – monatlich 35 Dollar –, die Ausgaben für ihre Psychiaterin schlagen mit 400 Dollar zu Buche – zwanzig Sitzungen à 20 Dollar –, wofür insgesamt das Stipendium nicht ganz reicht, aber sie verdient sich etwas dazu mit Gelegenheitsjobs, womit sie schon auf der Cooper Union begonnen hat: Nachhilfeunterricht, Aufsicht im Camp Lebanon, im Winter gelegentlich Babysitting an Wochenenden oder Aushilfe in einem der Jewish Clubs. Ergibt 490 Dollar Einnahmen pro Jahr.

Eva Hesse hat einmal das Studium an der Yale University als, trotz aller Schwierigkeiten, die bis dahin spannendste Phase ihres Lebens bezeichnet, zwei Jahre, in denen sie sich dramatisch verändert habe. Wie es danach weitergehen wird, weiß sie Anfang 1959 noch nicht: »Ich werde ja bald sozusagen ausgeliefert an unsere erwachsene freie Gesellschaft«, trägt sie am 3. Januar in ihr Tagebuch ein, sechs Monate bevor sie mit dem Bachelor of Fine Arts ihr Studium abschließen wird. »Ich junge erwachsene Frau muss meinen Lebensunterhalt selbst verdienen … Bilder malen, Freunde mit ähnlichen Gedanken und Idealen finden.« Davor hat sie wieder mal Angst: »Essentially, I am afraid.« Sie will gleich alles: nach Europa reisen, eine gute Malerin werden, eine glückliche Liebesbeziehung haben, eine Familie, Kinder. Nicht alles wird sich erfüllen. Eines immerhin steht ohne Zweifel fest für sie, egal, was passiert: »Kein

Mittelmaß für mich«, und das wiederum gilt tatsächlich für ihr weiteres atemloses Leben.

Die starken Kopfschmerzen, unter denen sie immer öfter leidet, nimmt sie nicht weiter ernst. Haben psychische Ursachen, sagt ihr ein Arzt, den sie konsultiert. Das beruhigt sie, die kennt sie. Mit Seelenqualen lebt sie schließlich schon lange.

5. KAPITEL

1959–1963

»Ich will malen gegen alle Regeln, auch gegen meine eigenen«

Wer sich in New York behauptet, wer hier Erfolg hat, gehört zu den Besten und wird es überall schaffen. »If I can make it there, I'll make it anywhere«, sang einst Frank Sinatra, ein typischer New Yorker, der aus New Jersey stammte, in seiner Hymne auf die Millionenmetropole. Dass es in Manhattan, wo nur das Beste und die Besten zählten, schwer werden würde, sich mit ihrer Kunst und da auch noch als Frau gegen Männer durchzusetzen, wusste Eva Hesse.

Das schreckte sie nicht. Sie fühlt sich New York gewachsen. Ist doch ihre Stadt, deren Rhythmus ist ihr vertraut, deren Melodie singt sie seit ihrer Kindheit. Ihre Sprache ist New Yorkisch, ist die Sprache, die auf New Yorks Straßen gesprochen wird – sehr schnell, sehr hart, sehr präzise, sehr tough.

Mit Begriffen wie »schnell, hart, präzise, tough« antworten Freunde und Partner, Bekannte und Nachbarn, Frauen wie Männer, auf die Nachfrage, wie die junge Eva Hesse gesprochen, wie ihre Sprache geklungen habe. Und sie alle fügen hinzu, dunkel sei die Stimme außerdem gewesen, dunkel erotisch. Auch daran können sie sich erinnern. Der philosophisch gelassene Sol LeWitt. Die wortreich rückblickende Ethelyn Honig. Der kühl reflektierende Kasper König. Die lustvoll ehrliche Barbara Brown. Die hilflos traurige Rosalyn Goldman. Die wortkarg wesentliche Grace Bakst Wapner. Die rührend sentimentale Florette Lynn. Die lebhaft kritische Naomi Spector.

Und natürlich der ironisch abgeklärte Bildhauer Tom Doyle,

mit dem Eva Hesse verheiratet war. Er muss sie besser kennen als all die anderen, die sie kannten.

Ist das so, besser als alle anderen?

Tom Doyle setzt den Hut ab, den er auch in geschlossenen Räumen wie hier im Foyer des Waldorf Astoria Hotels trägt. Dann öffnet er die Knöpfe seiner Weste, als müsse er für die Antwort tief Luft holen, als brauche er für die Rückkehr in die sechziger Jahre des vorigen Jahrhunderts einen langen Atem. Eine tolle Zeit sei es gewesen, beginnt er schließlich, alle waren jung und wollten es für immer bleiben. Doch verklärt er weder die Vergangenheit noch Eva Hesse. Er glaubt, das wahre Problem seiner Frau erst nach ihrem Tod erkannt und damals schlicht nicht begriffen zu haben. Es kann sogar sein, dass ihm eine Psychoanalyse, der er sich auch selbst mal unterzogen hat, zu dieser Erkenntnis verholfen hat: »Eva war ambitioniert, sehr deutsch ehrgeizig. Sie war nie zufrieden. Sie war unfähig, glücklich zu sein, das Leben zu genießen. Ich liebte sie, aber sie machte es einem schwer, sie zu lieben.«

Tom Doyle, einst ein junger Wilder, heute ein altersmilder

Altersmilde Erinnerungen: Bildhauer Tom Doyle, den Eva Hesse 1961 heiratete.

Kerl von fast achtzig Jahren, ist längst versöhnt mit denen, die sich auf Evas Straßenseite schlugen, als er wegen Arthur Millers Tochter Jane seine Frau verließ und in sein Atelier gegenüber zog; als Eva zusammenbrach, weil ihre große Liebe zerbrochen war. Die Frauen fanden ihn immer schon aufregend, und die Männer wussten immer schon seine Freundschaft zu schätzen. Tom Doyle hat Eva Hesse nicht nur überlebt. Er ist ihr Witwer. Denn verheiratet mit ihr war er, getreu dem Versprechen, das sie sich einst gaben, bis dass der Tod sie schied. Sie lehnte es zeitlebens ab, sich scheiden zu lassen, sooft Tom sie auch darum bat. Sie ließ ihn im Leben nie los, gab ihn erst frei, als sie selbst loslassen musste vom Leben. Eva Hesse starb als Mrs. Eva Doyle.

Eine traurige Geschichte. Eine glückliche Geschichte. Insofern passend zum Leben der Eva Hesse, die von sich selbst ja oft gesagt hat, man könne sie leicht traurig und leicht glücklich machen.

Vor allem aber eine eigene Geschichte.

Deshalb gehört die noch nicht hierher. Noch haben sie sich nicht mal getroffen, Eva Hesse und Tom Doyle, noch weiß keiner etwas vom anderen. Noch werden anderthalb Jahre vergehen, bis Eva eines Nachts dem angetrunkenen Tom die Stirn kühlt und in dem Moment glaubt, in ihm gefunden zu haben, wonach sie so lange schon gesucht hat, den Mann fürs Leben.

New York also, Spätherbst 1959.

Außer in ein paar Träumen machte sich Eva Hesse keine Illusionen vom Ruhm, der plötzlich und über Nacht kommen würde. Große Erwartungen hatte sie nicht. Aber dass sie beim ersten Anlauf aufs ferne Ziel gleich fallen, über die erste Hürde schon stolpern würde, dass bereits ihr erster Versuch, auf sich aufmerksam zu machen, Yale-Diplom in der Tasche, neue Bilder im Kopf, alte Bilder unterm Arm, mit einem solchen Debakel enden sollte, warf sie um. Obwohl es eigentlich ja für alle Anfänger ganz normal ist. So hatte sie sich das Leben als

Erwachsene, zwar auf sich allein gestellt, aber dreiundzwanzig Jahre jung, diesseits der Schutzburg Universität nicht ausgemalt. Sollte ihr Vater etwa doch recht behalten, der ja immer überzeugt davon war, Malen sei brotlose Kunst, der seiner Tochter dringend empfohlen hatte, sich einen netten reichen Mann zu suchen – angesichts ihrer Schönheit ein leichtes Spiel – und ihre andere Sehnsucht, die Kunst, als Hobby in der Sicherheit einer Ehe auszuleben?

Die lobende Erwähnung eines höchst eindrucksvollen Talents namens Eva Hesse, erschienen vor nunmehr fünf Jahren im »Seventeen«-Magazin, war längst vergessen. Von denen, die sich für Kunst interessierten oder vom Interesse für Kunst lebten, Sammlern und Galeristen, hatte den Artikel eh niemand gelesen. Kein Galerist in New York würde auf eine unbekannte Absolventin von Yale warten, um deren Werke in einer Ausstellung zu zeigen.

Also nahm sie sich vor, nach Alternativen zu suchen und sich umzuschauen, egal, wo. Hungrigen Auges durchstreifte sie Museen und Galerien, kleine und große, saugte Kunst auf, die sie anregte. Bewunderte Altmeister wie Marc Chagall oder Bilder ihres Idols Willem de Kooning, dessen subjektiver Umgang mit Farben sie nachhaltiger beeinflusst hatte als die objektive Farbenlehre von Josef Albers oder die nicht so strenge von Rico Lebrun. Wo auch immer sie bei ihren Streifzügen hinkam, fragte sie nach, ob es eventuell mal Möglichkeiten gäbe für junge unbekannte Maler wie sie, ausgestellt zu werden. Gern mit anderen zusammen, gern innerhalb einer Gruppe.

Die Chance gab es tatsächlich. Vom Museum of Modern Art, New Yorkisch kurz MoMA genannt, war eine Ausstellung amerikanischer Künstler angekündigt worden, darunter auch junge, deren Arbeiten unter dem Titel »Sixteen Americans« gezeigt werden sollten. Ausstellungen dieser Art im anspruchsvollsten Museum der Stadt hatten Tradition. Bereits kurz nach der Eröffnung des MoMA gab es 1929 »Paintings of Nineteen Living Americans«, bei »Fourteen Americans« 1946 waren Gorky und Motherwell, bei »Fifteen Americans« 1952 Jackson Pollock und Mark Rothko gezeigt worden. Außer in New York existierte jetzt, Ende der fünfziger Jahre, keine Kunstszene in den USA, die den Namen verdiente, mehr noch: Außer in Uptown Manhattan auch in New York noch keine, zumindest keine lebendige. In den schicken Galerien um die Madison Avenue herum wurden den Reichen, die sich mit Kunst schmücken, aber nicht von der verstören lassen wollten, Maler und Bildhauer angeboten, die ihren Wünschen entsprachen. Die klassische Moderne endete spätestens bei Renoir. Newcomer waren nicht gefragt, nicht verkäuflich.

Eine Szene wie in Paris oder einst in Berlin, in der Kunst und Leben eine selbstverständliche Einheit bildeten, in der das eine ohne das andere nicht vorstellbar war, eine Szene, die nicht nur aus Ateliers und Galerien bestand, sondern ebenso aus Cafés und Bars, in denen über Kunst geredet wurde und neue Ideen begossen wurden, die gab es nicht. Weder oben in der Westside noch unten an der Eastside.

Die Kuratoren des Museum of Modern Art verließen sich deshalb bei ihrer Suche nach aufregend Neuem weniger auf Empfehlungen von Kritikern oder gar Galeristen. Da sie ja vor allem Talente aus der Generation Hesse aufspüren wollten, mussten sie sich was anderes einfallen lassen. Sie lobten einen Wettbewerb aus. Wer glaubte, gut genug zu sein, um ihren Ansprüchen zu genügen, und jung natürlich, sollte sich melden. Eva Hesse war jung, sie war ehrgeizig, hielt sich für begabt und fühlte sich zudem im MoMA bestens aufgehoben, gerade am richtigen Platz. Nicht mit ihrer Kunst, so eingebildet war sie wahrlich nicht, sondern weil sie dort häufiger gewesen ist als in jedem anderen Museum der Stadt.

Denn Aufsicht im Museum of Modern Art war bei Studenten oder aufstrebenden Künstlern, die nicht von dem leben konnten, was sie verkauften – wo auch? an wen auch? –, ein begehrter Job. Sie befanden sich täglich mit den Werken vieler Meister auf Augenhöhe und wurden für den erhebenden Anblick sogar bezahlt. Manche von denen, die noch keiner kannte, die sich aber alle kannten, haben im MoMA als Aufseher gearbeitet – Dan Flavin, Robert Ryman, Lucy Lippard, Sol LeWitt. Auch Eva Hesse wollte da hin. »Hopeful of getting a job at Mus. of Mod. Art«, heißt es mal in ihrem Tagebuch.

Sie glaubte an ihr Talent. Sie wusste, dass sie die nötige Technik beherrschte, mit Farben wie mit Formen spielend umzugehen, dass sie malen gelernt hatte trotz aller Konflikte mit Albers und Lebrun. Eva Hesse meldete sich an, um ihre Arbeiten vorzustellen. Alle Bewerber bekamen einen festen Termin, und alle wurden gleich behandelt, keiner einem anderen vorgezogen, auch die nicht, die das MoMA von innen gut kannten.

Zwar hatte sie kaum genügend Geld zum Leben – für Miete, Essen, Farben, Leinwand, Pinsel –, doch beladen mit Zeichnungen und Gemälden wollte sie nicht in eine verdreckte volle U-Bahn steigen, leistete sich deshalb ein Taxi. Eine solche Investition in die Zukunft schien ihr gerechtfertigt. Die Juroren schauten, prüften, diskutierten, entschieden: Ihre Arbeiten seien noch nicht ausreichend, es gebe Bessere als sie und von denen Besseres. Vielleicht ein anderes Mal, ihr Talent sei ja erkennbar. Man sei jedoch bereit, ihr die Kosten fürs Taxi zu erstatten. Hin und zurück betrugen die zwei Dollar. Eva Hesse lehnte ab. Unter den sechzehn Amerikanern, deren Arbeiten dann gezeigt wurden, waren Louise Nevelson, waren Jasper Johns und Frank Stella und Robert Rauschenberg.

Eine solche Niederlage hätte auch Stärkere als Eva Hesse umgeworfen. Für sie jedoch war es mehr als nur eine verlorene Schlacht. Für sie brach eine Welt zusammen. Wieder mal stellte sie in ihrer unbedingten Art, schwarz oder weiß, »up or down«, ihre Begabungen und Erfolge in dieser Welt in Frage – ihr Talent, ihr Handwerk, ihre bisherigen Arbeiten. Die mit Bleistift auf blaues Papier gezeichneten Akte und Köpfe und Figuren, die in den abendlichen *Art Students*-Kursen und an der Cooper Union entstanden waren. Die abstrakt expressionistischen Ölgemälde, die sie während des gerade mit Auszeichnung abgeschlossenen Yale-Studiums gemacht hatte. Die Aquarelle und Tuschen, die in »Seventeen« abgedruckt worden waren.

Zunächst tobte sie und schrie, was sie immer tat, wenn sie sich ungerecht behandelt fühlte. »She had her moments«, umschreibt auf seine feine Art Sol LeWitt die Eigenart Eva Hesses, ab und zu die Contenance so total zu verlieren, dass sie ausflippte und regelrechte Schreianfälle bekam. Danach verfiel sie stets in Depressionen, was ebenso typisch war. »Mir schien, sie war dann immer noch ein Kind, dem die Mutter fehlte, die so geliebte Mutter«, glaubt ihre Freundin Grace Bakst Wapner.

Die tief getroffene Malerin Eva Hesse suchte Hilfe bei Dr. Helene Papanek, von der sie sich eigentlich schon verabschiedet hatte, um bei Samuel Dunkell ihre Behandlung fortzusetzen. Der war ihr in dieser Krise noch nicht nahe genug. Dem vertraute sie noch nicht. Papanek gab ihrer ehemaligen Patientin den Rat, die Ablehnung durch die MoMA-Jury nicht persönlich zu nehmen; sie wusste aus langjähriger Erfahrung, wie leicht das Selbstbewusstsein Eva Hesses zu erschüttern war. Sie empfahl ihr stattdessen als Therapie eine »Ihr-könnt-mich-mal-alle«-Haltung. Eva sollte das Urteil als Fehlurteil betrachten, viele heute anerkannte große Künstler – denk doch nur mal an van Gogh! – hätten Ähnliches erlebt. Aber Eva bezweifelte nicht das eigentliche Urteil der Juroren, sie zweifelte lieber an ihrer eigenen Begabung und damit an sich und an ihrer Zukunft.

Rosalyn Goldman versuchte – wie immer rührend um ihre jüngere Freundin Eva besorgt – sie abzulenken, indem sie von ihren eigenen Depressionen erzählte, die lebensbedrohlich auf ihrem Gemüt lasteten. Die waren viel schlimmer als Evas momentane Probleme, doch auch davon wollte die nichts hören. Darüber hatten sie ja schon in Gruppensitzungen gesprochen, in denen sie nebeneinander saßen. Eva Hesses gerade aktueller Partner Mark versuchte es mit Körpersprache, bot ihr liebevolle Nähe und Trost. Auch er erreichte sie nicht. Nur Blabla habe er von sich gegeben, »only chat-chat«, vertraute sie Rosie an.

Immerhin sei er sensibler mit ihr umgegangen als Louis, der seinen Frust darüber, dass sie ihn nur als Kumpel und nicht als Liebhaber haben wollte – »Ich fühle mich von dir körperlich nicht angezogen!« –, richtig rausließ. Er warf ihr vor,

Vertraut: Eva Hesse und Rosalyn Goldman Anfang der sechziger Jahre bei einer *opening party* im East Village.

grundsätzlich immer nur herumzunörgeln, ganz egal, ob es um ihre Kunst ging oder um ein nicht heizbares Atelier, um unzureichende Lichtverhältnisse oder um den nervenden Lärm von nebenan. Und das mache sie andauernd, obwohl sie doch genau wisse, dass ihre Klagen und Beschwerden nichts an den Ursachen änderten.

Eva Hesse trug empört in ihr Tagebuch ein, dass Louis sie aus ganz anderen Gründen so attackiert habe. Weil er als Kerl beleidigt war. Aber sie sieht nicht ein, dass es nicht möglich sein sollte, einen Mann ganz gern zu haben, wie Louis zum Beispiel, aber nicht die geringste Lust, mit dem auch ins Bett zu gehen. Auch Walter habe diesbezüglich ein Problem mit ihr, hat ihr sogar mit unschuldiger Miene einen Raum in seinem Atelier angeboten, um ihr nächtens auf den Leib rücken zu können, das Problem durch zwangsläufig entstehende Nähe zu lösen, aber das sei schließlich nicht ihr Problem, sondern seins, und überhaupt bei Männern weit verbreitet.

Nach Washington Heights zu flüchten war keine Alternative, weil sie sich sehr gut vorstellen konnte, was sie im ehemaligen Zuhause von Stiefmutter und Vater hören würde. Nur sie selbst konnte sich helfen. Sie hatte doch geahnt, dass es nach Abschluss ihres Studiums mühsam werden könnte, Fuß zu fassen. Sie hatte doch nie vorgehabt, sich aufgrund ihres akademischen Diploms als Bachelor of Arts einen sicheren Job als Zeichenlehrerin zu suchen. Sie hatte doch gewusst, was alles auf sie zukommen könnte. »Essentially, I am afraid.« Und hatte sie nicht in ihr Tagebuch eingetragen, dass es entscheidend für sie sein werde, neue Freunde zu finden?

Also los, Hesse, *come on*.

Sie besann sich auf ihre Stärke, die zeitlebens von beiden Therapeuten unterschätzt wurde, weil sie so zierlich und klein wirkte – »Ich möchte gestreckt werden!«, gestand sie oft lachend Rosalyn Goldman –, und besorgte sich zuerst mal einen Job als Verkäuferin in einem Schmuckgeschäft. Den brauchte sie schon deshalb, um endlich aus dem Studentenheim Judson Hall ausziehen zu können, in dem sie vor dem Studium und jetzt wieder wohnte. Brauchte wenigstens eine Handvoll Dollar, um sich ein winziges Appartement leisten zu können, das ihre ehemalige Kommilitonin Camille Reubin an sie weitergegeben hatte, als sie heiratete. »Es geht mir auf den Wecker, kein Geld zu haben. Zwei Mieten – zwei Mal – plus Farben plus Doktor plus Rechnungen, allein damit bin ich schon im Minus. Und habe noch nichts fürs tägliche Leben eingekauft, ganz zu schweigen davon, dass ich mir den Zahnarzt nicht leisten kann, der längst fällig wäre.« Erst ein Jahr später ließ sie sich den Zahn ziehen, zu spät, wie sie bitter bemerkte.

Der Job lenkte sie aber auch von dunklen Gedanken ab, weil sie pünktlich und ausgeschlafen an ihrem Arbeitsplatz erscheinen musste. Da blieb ihr keine Zeit für selbstquälerische nächtliche Zweifel über ihre Kunst. Im Wortsinne bekam sie, dem Zwang der Umstände gehorchend, langsam wieder Boden unter die Füße, ihr unter Depressionen begrabener starker Wille besiegte ihre Schwermut. Sie richtete sich trotzig mal wieder mit einem guten Vorsatz auf: »Ich will malen gegen alle Regeln, auch gegen meine eigenen.« Zunächst arbeitete sie um die Ecke in einer leer stehenden Garage, dann in einem leicht übertrieben als Atelier bezeichneten großen Raum unten in der Third Avenue, den sie sich mit ihrer Studienkollegin Phyllis Yampolski teilte, in dem es immerhin ausreichend Tageslicht gab.

Das Atelier lag im East Village, einer Gegend am schmutzigen Ende von Manhattan, begrenzt von der 14. Straße, der First Avenue, dem Broadway und der East Houston Street. SoHo heißt das Viertel südlich der Houston Street, daher der Name: South of Houston, SoHo. Berüchtigt ist vor allem eine Querstraße zum Broadway, der das Viertel durchschneidet, die Bowery, wo Betrunkene schon morgens wie vergessene Müllsäcke in der Gosse lagen. Höhere Töchter von Uptown Manhattan hatten im verruchten Village nichts verloren, allenfalls ihre Unschuld. Deshalb fühlten sich manche so angezogen von dem verlockend anderen Leben. Eva Hesse, geboren und aufgewachsen und erzogen als höhere Tochter, passt dagegen jetzt schon hierher. Sie ist längst keine höhere Tochter mehr, sie will höher hinaus.

Das ganze Viertel mit seinen Secondhandläden in der Canal Street und den heruntergekommenen Gebäuden zwischen der 10. und der 12. Straße galt als Sanierungsfall, aber genau deswegen war es für Künstler attraktiv. Es war so unfertig wie sie selbst. Wer Geld hatte, der kam eh nicht hierher, und da sie bei allen hitzig diskutierten Meinungsverschiedenheiten – Wo beginnt Abstrakter Expressionismus und wo endet er? Wie darf oder muss Malerei heute aussehen? Wer gehört zum Schrottplatzkonstruktivismus? – eines gemeinsam hatten, nämlich kein Geld zu haben, nahmen sie das Village in Besitz. Es gab Platz, weil viele ehemalige Fabriketagen leer standen. Dort zu wohnen und zu arbeiten war günstig, in den Lokalen von Chinatown konnten sie billig essen, in den verräucherten Kneipen jeden Kummer preiswert ertränken, im »Cedar Tavern« bekannte Künstler wie De Kooning treffen.

Dass es illegal war, in die verlassenen Stockwerke einzuziehen, zu denen Lastaufzüge hochrumpelten in Hallen, die aus einem einzigen großen Raum bestanden, in denen es weder Bad noch Toilette gab, nicht mal fließendes Wasser, weil die nie für Menschen, sondern stets nur für Material gedacht waren, wussten alle. Es störte niemanden, dass keine Bauvorschrift eingehalten wurde, insbesondere keine des Brandschutzes. Wäre heute undenkbar, dass in der Mitte eines Lofts ein einsamer Ofen steht, der mit Holzscheiten gefüttert wird. Aber es scherte sich damals keiner darum, auch die Behörden nicht. Selbst dann, als in kleinen Handwerksbetrieben, von ihren Besitzern resigniert aufgegeben, die ersten Galerien eröffnet wurden, die sich gruppierten um die 10. Straße herum, weil dort die meisten Ateliers eingerichtet worden waren, brauchte es dafür keine Genehmigungen. Es reichte ein Schild an der Tür, auf dem »Gallery« stand und die Öffnungszeiten vermerkt waren und wer gerade ausgestellt wurde.

Die anderen Galerien, an deren Angebot sich Kunstkritiker orientierten, lagen in einer anderen Welt, vor allem in der 57. Straße. Dort war das Geld zu Hause. Deren Betreiber waren jedoch kaum interessiert an abstrakt Verrückten und ihren Experimenten, denn das ließ sich nicht verkaufen. Worauf wiederum die jungen Wilden stolz waren, weil sie sich in der Tradition vieler sahen, inzwischen alle berühmt, denen es zu Beginn ihrer Karriere ähnlich ergangen war wie ihnen jetzt: Sie wurden schlicht nicht wahrgenommen.

Sol LeWitt, acht Jahre älter als Eva Hesse, einer der jungen Männer, die damals in SoHo experimentierten und ihren eigenen Weg suchten, ist längst mit seinen Skulpturen und Zeichnungen berühmt, einzigartig in der Art, Kunst aufs Wesentliche zu reduzieren. Inspiriert vom Bauhaus und der klassischen Moderne, spielte er damals viele Variationen durch, bis er ab 1963 seinen unverwechselbaren eigenen Stil finden sollte – geometrische Reliefs, kastenartige Blöcke, Zeichnungen, Kuben aus Stahl und weiß lackiertem Holz, abgeschlossene Formen, immer wieder Schriftzeichen, sinnlos anmutend, aber sinnvoll geordnet. Ein perspektivischer Wandmaler, der sich in seiner Haltung treu blieb, stets mehr zu sein als zu scheinen.

Deshalb vor allem gilt er noch heute den inzwischen ebenso alt gewordenen Zeitgenossen aus SoHo als »unser aller Spinoza« (Carl André), fast als Philosoph. Er neigt also nicht zu Übertreibungen und warnt vor Verklärung: »Es gab um 1960 herum noch keine Kunstszene, es brodelte was unter dem Pflaster, aber noch war nichts aufgebrochen. Wir waren alle erst auf der Suche, auf dem Sprung.« Musiker und Poeten hatten schon ihre, eine neue Melodie gefunden, Hippies und Blumenkinder waren bereits eine politisch-gesellschaftliche Kraft, zumindest empfanden sie sich so, aber die bildenden Künstler waren noch nicht so weit. Ihre Zeit würde erst kommen.

Was die Männer von Frauen dabei erwarteten, begriff Eva Hesse schnell. Da sie sich nicht aussuchen ließ, sondern da sie es meist war, die aussuchte, konnte sie darüber leicht hinwegsehen. Sie ärgerte sich vielmehr, dass minder begabte Kerle unter dem Motto »One man show as good as two women show«, die Ausstellung eines einzigen Mannes sei so gut wie die von zwei Frauen, weitaus begabteren Künstlerinnen vorgezogen wurden. Zu denen gehörte sie ihrer Überzeugung nach. Der legendäre Ausstellungsmacher, heute als Direktor des Museums Ludwig in Köln zu den einflussreichsten Kunstmanagern der Welt zählende Kasper König bestätigt ihre Selbsteinschätzung. Er trieb sich damals in New York herum und hielt nach Künstlern Ausschau, die man eventuell in Europa ausstellen könnte, arbeitete eine Zeit lang auch als Assistent von Claes Oldenburg, den wiederum Eva Hesse gut kannte. »Es stimmt«, sagt er und schaut dem Rauch seiner Zigarette nach, der sich durchs offene Fenster Richtung Kölner Dom davonmacht, »sie war nicht nur begabt, sie war sehr ehrgeizig und immer auf ein einziges Ziel gerichtet – nach oben zu gelangen. Sie hat den Eindruck vermittelt, sicher zu sein, dass ihre Kunst wesentlicher war als die Kunst vieler anderer.«

Mehr hatte ihn damals an ihr nicht beeindruckt, was schlicht daran lag, dass er jünger als Eva Hesse und unsterblich in eine andere verliebt war. Aber König kann sich selbstverständlich an sie erinnern: »Sie war sehr attraktiv, hatte eine große erotische Ausstrahlung. Sie war klein, hatte eher krumme Beine, langes Haar, dunkle Stimme, großer Busen. Eine sehr elegante Erscheinung. Nicht Boheme, eher bürgerlich fein. Sie hatte so was von der damals berühmten Schauspielerin Pier Angeli.«

Die Kunstwelt wurde von Männern beherrscht. Die Galerien gehörten fast ausschließlich Männern, die Kritiker waren meist Männer, in den Museen gab es kaum Frauen in entscheidender Funktion, und überhaupt waren auch aufgeklärte Liberale der Meinung, dass von einer Frau keine neuen Ideen in der Kunst zu erwarten seien, verwiesen dabei auf die Kunstgeschichte. Alles Wesentliche sei von Männern ausgegangen. Frauen in der Kunst waren damals etwa so häufig wie schwarze Minister in der amerikanischen Regierung. Eva Hesse durfte, als nicht nur sie, sondern auch ihre Kunst einfach nicht mehr zu übersehen war, die Rolle der Minderheit übernehmen, in dieser Funktion wurde sie akzeptiert.

Naomi Spector sitzt mit ihrem Mann Stephen Antonakos in ihrem kühl weißen Loft am West Broadway. Das Haus ist dezent restauriert wie alle Häuser in der Gegend. Dezent bedeutet, man hat ihnen die Außenhaut gelassen, die Fassaden, weil auch dieser Touch von vergangenen Zeiten Volk aus aller Welt ins Village lockt, aber für die eigentlichen Bewohner die Inhalte neu gestaltet. Aus den sechziger Jahren ist deshalb innen nur noch der Lastenaufzug geblieben. Naomi Spector gehört zu denen, die schon damals hierher zogen, eben weil es billig und sie arm war. Sie organisierte Ausstellungen, wurde dann eine wichtige Kritikerin und Autorin, ihr Urteil galt.

Umgeben von Werken der einst bezahlbar unbekannten, jetzt unbezahlbar bekannten Künstler, darunter auch das ihr von Eva Hesse geschenkte *Untitled*, schildert sie Evas starken Willen, »diese glühende Energie, die sie ausstrahlte. Sie wusste ganz genau, was sie wollte. Sie wollte in die Arena, in der die Kerle auftraten.«

Die fanden es irgendwie auch ganz aufregend, dass unter ihnen plötzlich eine Frau auftauchte, und schmückten sich mit der bei passender Gelegenheit. Aber von ihrer Kunst etwas an-

»Glühende Energie«: Naomi Spector und ihr Mann Stephen Antonakos in ihrem Loft in SoHo.

nehmen, sich von Ideen beeinflussen lassen, sie gar als Bessere akzeptieren?

Doch Eva Hesse, ergänzt Sol LeWitt, war schon damals »outstanding, etwas ganz Besonderes«. Er lässt die Erinnerung an diese besondere Künstlerin lächelnd unter die Decke steigen. Dort bleibt die erst einmal wartend hängen. Wird sie noch gebraucht? Sol LeWitt schaut durch seine dicken Brillengläser nach oben und holt sie erneut zu sich herunter. Seine Stimme ist leise, nicht nur wegen der schweren Krankheit, der er sich hilflos in souveräner Gelassenheit stellt. Er war immer ein leiser Mensch, lieber ein stiller Beobachter in der Ecke als lautstark im Mittelpunkt, sprach durch das, was er schuf. Eva Hesse hat er im East Village zum ersten Mal im Sommer 1960 getroffen, so genau aber wisse er das nicht mehr.

Wahrscheinlich weiß er es genau, doch wenn er das Datum preisgäbe, würde er andere aus dieser Zeit bestätigen, die zu wissen glauben, dass er sich schon beim ersten Blick in Eva verliebt hatte. Mehr noch: Sol habe sie von dem Augenblick an geradezu angebetet, und dabei sei es geblieben, solange sie lebte. Tom Doyle sagt es auf seine direkte Art kürzer: Er sei verrückt nach ihr gewesen, »he had a crush over her«.

Doch es gilt nur Sols vage Umschreibung: »Sie kam wohl gerade aus Yale. Ich arbeitete damals in New York. Sie war sehr lebendig, und sie war sehr hübsch, sie war eine starke Raucherin, das aber war nichts Bemerkenswertes, damals rauchten alle. Linkshändig. Sympathisch. Schwarzes Haar, das ihr bis zur Hüfte hing, das sie aber meist aufsteckte. Klein. Großer Busen. Sprach sehr new yorkisch ohne Akzent. Ich hatte gerade eigentlich …«

Er verliert sich, sein Satz endet im Ungefähren, er schaut wieder zur Decke. Dann lächelt er auf diese sanfte, diese selbstironische Art, die ihn liebenswert macht: »Also, eigentlich habe ich gar nichts gemacht.«

Selbstverständlich hat er was gemacht. Viel sogar. Musste ja von irgendwas leben. Aber er hatte noch nicht begonnen mit Kunst, sondern mit Aufträgen als Grafiker und Illustrator Geld verdient, schließlich beherrschte er als Absolvent der New Yorker Cartoonists and Illustrators School das Handwerk. Unter anderen arbeitete er fürs MoMA, das Kataloge und Plakate von ihm entwerfen ließ. Viel bezahlt wurde nicht, es waren Gelegenheitsjobs, aber fürs tägliche Leben hat es gereicht. Das erging allerdings allen so, die sich im Village niederließen und sich irgendeine Arbeit suchten, bis sie als Künstler entdeckt wurden und dann von ihrer anderen Arbeit leben konnten. Die zogen nicht nach SoHo, weil es dort so schön, sondern weil es dort so preiswert war.

Sol LeWitt bewohnte wie andere auch irgendwann eine Etage über einem der *lightning stores*. Das waren die Geschäfte, die in Handarbeit Lampen herstellten. Über den Läden, in denen sie die verkauften, hatten die Eigentümer Lagerräume, und als die leer standen, mieteten sich Maler und Bildhauer und Dichter ein. Nach und nach mussten mehr und mehr Stores aufgeben. Gegen die industrielle Lampenproduktion hatten sie mit ihren individuellen Produkten keine Chance. Ausgerechnet arme Künstler retteten das einst auf seine wirtschaftliche Kraft, auf die proletarische Stärke seiner *working class people* stolze East Village.

Die Träumer und die Intellektuellen erkannten den morbiden Charme des Viertels, besetzten es mit ihrer Hoffnung, bewahrten die verlassenen Fabrikbauten vor planierwütigen Gleichmachern. Eigentlich müsste den Künstlern von SoHo, und zwar allen, den guten und auch den nicht so guten, den längst vergessenen und den unsterblichen, an der Station Spring Street, wo heute die U-Bahn-Züge Horden mit Kreditkarten bewaffneter Touristen ausspucken, ein Denkmal gesetzt werden.

Ein abstraktes natürlich.

Da lacht Sol LeWitt, der sich vor vielen Jahren von New

York aufs Land zurückgezogen hat und in einem der dort typischen New-England-Landhäuser lebt. Eine eigene Skulptur auf dem Rasen, ein helles Atelier im Garten, zehn Autominuten entfernt von der einstigen Lagerhalle eines landwirtschaftlichen Betriebs, in der, geschützt von einer höchst effizienten Alarmanlage, Tausende seiner Kunstwerke untergebracht sind: große und kleine, Skulpturen und Zeichnungen, Skizzen und Modelle. Er beschreibt ein Bild, das er in seinem Gedächtnis gespeichert hat: »Lucy Lippard und Robert Ryman wohnten quer über die Straße, ich wohnte um die Ecke, an der nächsten Eva oder Tom oder beide schon zusammen. Im Sommer saßen wir draußen auf der Straße, im Winter mal hier, mal dort, diskutierten auch über Politik, den Vietnamkrieg, aber vor allem über Kunst und das, was einer von uns gerade in einer der Uptown-Galerien oder in einem Museum gesehen hatte.«

Lucy Lippard hat vor mehr als dreißig Jahren eine Würdigung der Künstlerin, gewidmet »Eva Hesse und den Freunden, die sie unterstützten«, geschrieben und ihre Eindrücke von der jungen Eva entsprechen nur teilweise den Erinnerungen der anderen. Sie sei sehr schön gewesen, schon richtig, aber sie hatte auch was von einem verwöhnten kleinen Mädchen an sich. Hübsche Zeichnungen, aber nicht besonders auffällig, und ihre Gemälde waren »für meinen Geschmack zu düster«.

Die später mal gute Nachbarin Lucy beurteilte Eva Hesse anfangs nach Art der Männer – ganz nett, aber eigentlich unwesentlich. Aber weil sie eine kluge Frau ist, revidierte sie ihr Fehlurteil schneller als die und überzeugender. 1966 wird sie unter dem Titel »Eccentric Abstraction« eine denkwürdige Ausstellung mit Eva Hesses Werken in der Fischbach-Galerie betreuen. Und dass Lucy Lippard sechs Jahre nach Hesses Tod das bisher einzige Buch über die Arbeiten der Künstlerin veröffentlicht hat, kann man getrost auch als nachgetragene große Bitte um Verzeihung deuten, dass sie Eva in der Zeit, als nach Tom Doyles Worten alle »forever young« waren, falsch eingeschätzt hat.

Die ehemalige »Village Voice«-Kolumnistin, die von vielen Frauen als eine der wichtigsten amerikanischen Feministinnen

Eva Hesses Lebensfreund: Sol LeWitt in seinem Atelier auf dem Land.

verehrt wird, lebt seit nunmehr dreizehn Jahren in Galisteo, New Mexico, und schreibt dort den örtlichen »Newsletter« voll. Die Zahl der Leser ist überschaubar, in Galisteo leben 265 Menschen. »Vier Seiten pro Monate etwa, kein Klatsch, den erzählen wir uns selbst, aber eine Kolumne über die Welt der Vögel.« Die Einwohner nennen das Blatt »Lucy's Paper«, und was Lucy früher mal gemacht hat und welche Bedeutung einst die Bowery im fernen Manhattan hatte – und dort Lucy Lippard –, davon wissen die meisten nichts.

Die Eigentümer der Lofts waren damals froh, dass ihnen jemand die leeren Räume abnahm, verlangten deshalb kaum Miete. Nebenkosten entfielen, weil es keine Heizungen gab, kein Bad, kein Klo, nur Strom. Wer da einzog, musste sich selbst helfen, alles Nötige einbauen. Klempner und Installateure hätten sich die Mieter nicht leisten können, was jedoch kein Problem war für manche der zukünftigen Bildhauer wie Sol LeWitt oder Tom Doyle, weil die mal als Handwerker gearbeitet hatten. Sie befreiten die Decken vom Dreck vieler Jahre, dichteten die Fenster ab, bauten selbst ein, was nötig war, Bad und Waschbecken und Ofen und mit Holz verkleidete Wände gegen die winterliche Kälte.

So ließ es sich leben. Von der Stadt New York gab es zeitweise Zuschüsse, finanziert aus dem Programm »Artists in Residence«, was als Abkürzung A.I.R. mit Kreide unten neben den Eingang der Häuser geschrieben wurde, damit keiner auf die Idee kam, sie zu besetzen oder gar abzufackeln, was durchaus üblich war. Die hier wohnten, waren jung und konnten sich bei Bedarf gegenseitig wärmen. In den fürs Viertel typischen kleinen Läden, Zulieferern für die Lampenhersteller, fanden sie auch das nötige Material für ihr neues Handwerk Kunst: Kordeln und Schrauben und Kästen und Maschinenteile und Bretter.

Es wäre übertrieben, bereits zu der Zeit von einer kleinen, aber feinen Künstlerkolonie in SoHo zu sprechen, die abenteuerlichen Lebensumstände in nicht heizbaren verlassenen Fabriketagen, jetzt hochtrabend »Lofts« genannt, zu stilisieren als den nun mal zu bezahlenden Preis für die Erfüllung ihrer Sehnsucht namens Kunst. Es lebten dort zwar Bohemiens, aber die Bowery war nicht La Bohème. Die Künstler fühlten sich nicht als Gruppe irgendeiner Richtung zugehörig, auch nicht als Einheit, die ein gemeinsames Ziel vor Augen hatte, sie waren nicht bereit zum Sturm auf die Etablierten, sie waren zunächst ganz einfach Nachbarn. Die eine malte, die andere schrieb, der eine arbeitete mit Holz, der andere bei der Post. Allen gemeinsam war, dass sie nicht viel besaßen.

»Unsere Welt war klein«, bestätigt Naomi Spector, »schon allein deshalb waren wir alle irgendwie miteinander befreundet.« Und dass man sich mal in diesen verliebte und diese mal in jenen und dass man zusammenzog und wieder auseinander ging, auch das war normal in dieser Welt. An der anderen waren sie nicht sehr interessiert. »Wir wussten, dass Eva eine Schwester in New Jersey hatte, well dressed, wie es hieß, aber mehr wussten wir von ihrer Familie nicht. Getroffen haben wir sie bei uns nie.« »Well dressed« ist die Umschreibung für bürgerlich, für die Welt, in der Eva Hesse aufgewachsen war, der sie entwachsen ist.

Sol LeWitt war über dreißig, als sie ihn kennenlernte. Das kam ihr ziemlich alt vor, im Vergleich zu Chet und zu Victor und zu Mark und zu Stan und zu Wilbert, ihrem ersten Liebhaber, den sie Willi nannte, so wie einst Wilhelm Hesse in Hamburg von seinen Freunden Willi gerufen worden war. Sie spürte natürlich, dass Sol in sie verliebt war und sie begehrte, aber sie kam nie auf die Idee, mit ihm zu schlafen, »weil er mich an meinen Vater erinnerte«. Und auch, weil sie sich selbst kannte und wusste, für eine Nacht würde es unter gewissen Umständen reichen, zu mehr aber nicht. Sie wollte vermeiden, den lebensklugen Sol zu verletzen, ihn als Freund zu verlieren, wenn sie sich wieder in neue Abenteuer stürzte, was sie für das normale Verhalten einer jungen Frau hielt, und für das einer Künstlerin erst recht.

Wie andere Männer damit fertig wurden, wenn sie ihnen den Laufpass gab, war ihr egal, doch um Sols Seele sorgte sie sich so, wie er sich um ihr Seelenheil sorgte. Denn auf andere Art liebte auch sie ihn wie kaum einen anderen – als ihren besten Freund, nicht als ihren besten Mann. »Ich war zeitlebens in Eva verliebt«, gibt Sol LeWitt zu und strahlt seine Frau Carol an, die er liebt, »ich habe sie immer bewundert.« Wie beim Atem holenden Tom Doyle kann auch die Geschichte von Eva und Sol erst dann ausführlich erzählt werden, wenn die Zeit dafür gekommen ist.

New York, Januar 1960.

Eva Hesse, die Schmuckverkäuferin aus Margret Moores Juwelierladen, sucht sich einen anderen Job, der wenigstens in

Ansätzen mit dem zu tun hat, was sie studiert hat. Eva Hesse beginnt als Textildesignerin in der Boris Kroll Company. Ihre Referenzen sind überzeugend. Was sie auf dem Pratt Institute widerstrebend gelernt hatte, scheint nicht ganz vergebens gewesen zu sein. Kroll stellte Polster für Möbel her, bunte Wandteppiche, farbig bedruckte Wolldecken. Die Neue wurde aufgrund ihrer Ausbildung in der Kreativabteilung der Firma angestellt, sollte sich da andere Muster einfallen lassen, modernes Design finden. Ihre Entwürfe zeichnete sie mit schwarzer Kreide oder Bleistift auf Papier, und wenn sie Anklang fanden, setzte sie die in farbige Vorlagen um. Auf Polsterkissen wurden die ausgewählten Farben in Tupfern aufgetragen, danach mit einer Glasur überzogen, um sie vor schweißtreibendem Sitzfleisch zu schützen.

Andere Fähigkeiten sind nicht erforderlich, zum Beispiel das, was Eva Hesse hervorragend beherrscht – Vordergrund und Hintergrund farblich so aufeinander abzustimmen, Licht und Schatten so auszuspielen, dass eine Einheit entstand. Solches Können war bei Kroll nicht gefragt. Es ging nur um verkäufliches Kunsthandwerk und nicht um Kunst, und falls es die Kunden möglichst bunt wollten, nebbich, dann sollten sie es halt bunt haben. So schlicht lief das Geschäft. In Evas Worten lief es nicht mal nur simpel, sondern schlichtweg nur krank ab. Als »krankes Rattenrennen« bezeichnete sie den Wettlauf der Textilunternehmer um möglichst viele Kunden mit möglichst wenig Geschmack.

Sie würde zwar einigermaßen ordentlich bezahlt, wie sie notierte, aber es sei doch grauenvoll langweilig und außerdem der Chef widerlich, ein kapitalistischer Ausbeuter, der sie und die anderen Frauen unbezahlte Überstunden machen ließ, selbst aber in die Ferien fuhr. Ein Individuum wie sie, eine Künstlerin, könne einen so eintönigen Job nicht lange aushalten, weil in dem nur eines verlangt werde: ohne größeres Nachdenken zu funktionieren. Als ob man Teil einer Maschine wäre. Weniger kompliziert zwar, als sich mit einer eigenen Kunst zu behaupten und sein Geld auf einem freien Markt zu verdienen, viel sicherer, als nur auf eigenen Füßen zu stehen, »less complex and more secure than being on your own«, aber eben langweilig. Wenn man in diesem Sinne funktioniere, alles okay, wenn nicht, werde man gefeuert.

Doch selbst diese öde Arbeit hatte Auswirkungen auf ihre Kunst. Im täglichen Umgang mit dem Werkstoff Fiberglas erfuhr sie, lernte sie, was sie damit alles machen konnte, und wie damals bei der Planung einer Schaufensterdekoration am Pratt Institute merkte sie sich die faszinierenden Möglichkeiten auch dieses Materials, setzte sie dann im passenden Moment um in ihre eigenen Arbeiten.

Da Eva Hesse den Job brauchte, von ihrem Talent aber nicht leben konnte und zu stolz war, wieder mal ihren Vater um einen Zuschuss zu bitten, musste sie durchhalten. Die Angst, nicht gut genug zu funktionieren und deshalb entlassen zu werden, war eine andere Angst als die in ihren Alpträumen auftauchende, aber sie war real. Dass sie ihren Arbeitgeber nicht nur als Ausbeuter verabscheute, sondern auch als widerlichen Macho, hatte allerdings bestimmte Gründe. Mr. Kroll habe sie beleidigt, der Kerl habe es gewagt, ihr zu sagen, dass sie angesichts ihrer Jugend schon jetzt zu fett sei. »Er hat nicht recht, das weiß ich, aber das macht keinen Unterschied«, trug sie empört in ihr Tagebuch ein, nahm sich die Unverschämtheit aber doch zu Herzen, denn es folgt ein P.S.: »Werde bald mal abnehmen.«

Im Frühling kann sie Mr. Widerlich dann im übertragenen Sinne stolz den Mittelfinger zeigen, denn sie verkauft endlich mal wieder ein Bild: »Felt good about work (my own). Stronger than ever before. Sold another painting«, kurz danach werden die angekündigten 1300 Dollar »Wiedergutmachung« für die Ermordung ihrer Großeltern Erna und Moritz Marcus ausbezahlt. Sie braucht jetzt den Job bei Kroll nicht mehr. Über Nacht sind ihre Depressionen verflogen, die Zukunft scheint wieder himmelblau. Eine neue Wohnung werde sie sich suchen, ein größeres Atelier, nur noch malen, so wie sie es immer vorgehabt hat, das ihr angebotene Stipendium auf der Universität in Indiana, ausgestattet mit 1200 Dollar, ist kein Thema mehr. Da sie sich erst einmal um ihr Auskommen nicht mehr sorgen muss, will sie so lange zeichnen und malen, bis es für eine eigene Ausstellung reicht: »Spätestens im kommenden Jahr muss ich so weit sein.«

Bewundernd erwähnt sie, dass Frank Roth bereits vierzehn Gemälde verkauft hat, dass Mel Leipzig, den sie von der Cooper Union und von Yale kannte, gerade zurück von einem Fulbright-Stipendium, den Louis Comfort Tiffany Award gewonnen hatte, immerhin mit ein paar tausend Dollar dotiert. Beiläufig tauchen jetzt in ihren Eintragungen öfter Namen von jungen Künstlern auf, die ein Biotop bilden, aus dem dann tatsächlich eine Kunstszene im East Village wächst: Peter Forakis, Al Held, David Weinrib, Robert Mangold, Frank Viner usw.

Fuck it, let's paint: Sie fühlt sich stark wie nie, lässt Appartement und Garage hinter sich, teilt sich ein großes Atelier mit einer anderen jungen Frau, will malen, egal, ob es ihr gerade gut geht oder schlecht. Beides scheint sie gleichermaßen zu inspirieren, Glück wie Unglück. Zwar seien die vergangenen Jahre traumatisch gewesen, was private Beziehungen betreffe, Höhenflüge und Abstürze, große Veränderungen hätten sich ergeben, tief spürbare, aber ihre künstlerische Entwicklung habe geradezu explosionsartige Fortschritte gemacht und auch mit ihrem inneren Zustand, den psychologischen Problemen, die sie in den Therapien ausbreitet, komme sie besser klar. »Ich bin eine richtige Malerin geworden, arbeite zwar in totaler Isolation, bin aber äußerst produktiv.«

Sie vollendet im Jahr 1960 siebenundvierzig Ölgemälde – »I just completed 2 in 2 days … my paintings look good to me … they are developed images … I am overflowing with an energy« – bis zum Sommer, als feststeht, dass die Leidenschaft namens Victor trotz mancher Rückfälle in die alte Lust für immer verloren ist. Sie malt jene Bilder, die Verzweiflung, Grauen ausstrahlen: Frauenfiguren und Porträts, dann werden ihre Arbeiten farbiger, bunter, abstrakter, als habe sie gerade die heiteren Seiten des Lebens entdeckt. Die Tuschen bleiben schwarz und braun, lassen ahnen, was dann in ihren Skulpturen spürbar wird und von der Kunsthistorikern Renate Petzinger vom Museum Wiesbaden mal so umschrieben wird: »Mit den Augen fühlen, das ist Eva Hesse.«

Naomi Spector sieht vier verschiedene Perioden, die Eva Hesses Arbeiten zwischen 1959 und 1965 kennzeichnen, bevor sie mit Reliefs und Skulpturen zu experimentieren beginnt: Selbstporträts in Öl, Grundton grau. Bilder mit zwei oder drei Figuren, ebenfalls dunkle Farben, mitunter mal aufgehellt durch grellrote Lippen oder einen sonnenblumengelben Strohhut. Viele farbige Gemälde im Stil des Abstrakten Expressionismus, schließlich die Serie von vierzig, fünfzig Tuschzeichnungen auf Papier. Petzinger ergänzt: »Zwischen 1959 und 1964 entstand außerdem die wichtige Serie der Boxes, entstanden viele Zeichnungen, die Eva selbst als ›wild space‹ bezeichnete«, überhaupt habe sie in dieser Zeit besser gezeichnet als gemalt.

Dass sich in allen Werken auch ihre Gefühle ausdrücken, dass sich alle Werke durch ihre Biografie erklären lassen, dass durch ihre Kunst ihr Leben spürbar und sichtbar und dadurch auch sie nach ihrem Tod noch berührbar bleibt, bestreitet niemand. In ihrer Kunst ist alles zu spüren, was Eva ausgemacht hat, davon ist auch Tom Doyle überzeugt: »Angst und Ehrgeiz und Verbissenheit und Sehnsucht.« Sol LeWitt dagegen sieht in ihren späteren Reliefs und Skulpturen sexuelle Anspielungen, sieht Brüste und Penisse »and so on«, glaubt sogar, dass sie Angst vor Sexualität hatte, was angesichts ihrer vielen

Affären absurd anmutet, und dass sie auch diese Angst in ihrer Kunst verarbeitete.

Dass laut Eintrag mit diesem oder jenem »sex completely fulfilled« sei, höchst befriedigend, spricht nicht dagegen. Denn schon ein paar Tage später diskutiert sie mit Kurt, einem liebenswerten, warmherzigen Menschen, wie sie vermerkt – was bedeutet, mehr bedeutet er ihr nicht –, »important, real problems of sex«. Wie unbeständig sie ist, wie wankelmütig in ihren Beziehungen – »why must I be so fickle!« –, beschäftigt auch ihren Psychiater. Der will mehr wissen, aber sie hat einfach keine Lust mehr, schon wieder von ihrem Kindheitstrauma zu reden, dass ihre Mutter krank war und ihr Vater die Mutter verlassen hat, sie hat keine Lust mehr, darüber zu grübeln, warum sie Männer ausprobiert, nur um zu testen, wie lange es dauert, bis die das Weite suchen. »Session was emotional on my part, silent on his!« Ganz egal, in wen sie sich gerade verliebt habe, wichtig sei nur eines, sie müsse endlich aufhören, Männer als Vaterfiguren zu sehen. Diesen Rat zumindest nimmt sie Dunkell ab, danach will sie sich richten, ihre Gefühle ausrichten, das trägt sie wieder mal als einen Vorsatz in ihr Tagebuch ein.

Aber manchmal verraten ihre Träume, die sie ehrlich in jedem Detail notiert, an das sie sich erinnert, mehr über ihre wahren Gefühle. In einem taucht der verflossene Victor auf und verspricht ihr, seine Ehe annullieren zu lassen, weil es ein Fehler gewesen sei, sie zu verlassen. »Sick nonsense«, kommentiert die wache Eva lakonisch. Ihre Beziehungen in der Wirklichkeit seien auch ohne Traumerlebnisse schon kompliziert genug: »Ich fürchte, dass jeder Mann, mit dem ich eine gute Beziehung habe, mich irgendwann wegen einer anderen Frau verlassen wird«, wegen einer weniger komplizierten Frau. In einem anderen Alptraum erlebt sie, dass sich Schwager Murray von ihrer Schwester Helen trennt und mit ihr, Eva, zusammenzieht, was sie tief erschreckt.

Dass es ihr auch in kreativen Phasen plötzlich schlecht ging, weil sie nächtliche Alpträume, in denen es außer um den Verlust von Liebe grundsätzlich um ihre Verlustangst überhaupt ging, nicht in Zeichnungen, Bildern, einem Eintrag ins Tagebuch verarbeiten konnte, war manchmal sogar äußerlich sichtbar – beispielsweise in einer Schuppenflechte. Wegen dieser verdammten allergischen Hauterkrankung habe sie nicht so malen können, wie sie wollte: »I am sick again. Sulphur pills and penicillin shot.« Ihre inneren allergischen Reaktionen – »Jahre der Therapie habe ich hinter mir, und was hat es gebracht? Ich mag mich besser leiden, aber ich traue mir überhaupt nicht!« – blieben unsichtbar für andere, obwohl sie sich ihrer Symptome sicher war und darüber klagte, dass man sie für eine Hypochonderin hielt.

Nächtliche Visionen und tägliche Erlebnisse vermischen sich manchmal zu einer unauflösbaren Einheit, so dass Samuel Dunkell, der Eva Hesse in zwei Sitzungen pro Woche behandelt, verunsichert nachfragen muss. Er schlägt ihr vor, möglichst alles, jeweils gekennzeichnet als Traum oder als Wirklichkeit, aufzuschreiben und die Aufzeichnungen bei der nächsten Sitzung mitzubringen, damit sie dann konkret darüber reden könnten. Allein schon das Aufschreiben ist therapeutisch wertvoll, wie er ihr versichert, sozusagen Hilfe zur Selbsthilfe. Das weiß sie.

Eva Hesse hilft sich selbst: »Es hat sich so viel in mir aufgestaut … Ich habe Angst, dass aus mir nicht das wird, was ich mir wünsche … Ich kämpfe darum, gesund zu werden … Ich habe das Gefühl, verlassen zu sein … Ich habe Angst vor meinen eigenen Möglichkeiten … Dr. erwartet starke Depression … Fortschritt mit Dr. ist gut … Ich bin erwachsen, nicht mehr hilflos, nicht mehr kindlich … Am Abend ziemlich verzweifelt, Haare gewaschen, Schuhe geputzt … Ich bin in einem schlechten Zustand … Die Probleme aus meiner Vergangenheit, die Narben von früher, machen jede Beziehung, auch die mir wichtigen, einfach unmöglich … Ich bin sehr selten glücklich, aber vielleicht ist es auch egal, ob ich das bin oder nicht.«

Dazwischen unvermittelt, aus einer in die nächste Stimmung fallend, stehen wieder Sätze, die von sarkastischer Schärfe sind und in denen sie beweist, wie klar sie mit sicherem Gespür fürs Wesentliche ihre Umgebung beobachten kann: »Ich hasse es, wenn Männer sich bei Tisch die Fingernägel schneiden … es ist deprimierend, alte Frauen zu sehen, die fett sind wie Schweine … oder ein junges Mädchen, so alt wie ich, das aussieht wie ein Cherub mit einem traurigen Blick … Ich mag es nicht, wenn jemand armseliges Englisch spricht, und ich mag keine … poor poor poor conversation«, nichtssagende, armselige Gespräche. Das alles sei Bestandteil des Lebens, nichtsdestotrotz aber von abgrundtiefer Hässlichkeit.

Später mal wird sie diese Art Hässlichkeit anregend finden, wird sie »yuck« nennen, ein Wort benutzen, das in keinem Wörterbuch steht, und mit »yuck« begründen, warum sie alles Nette, Schöne, Hübsche, Einfache in der Kunst ablehnt.

Auch das Schöne, Wahre, Gute sucht sie in der Wirklichkeit. Sucht es in Ausstellungen, sucht es regelmäßig im Theater, denn »auf der Bühne kann man die Realität aus einer gewissen Distanz beobachten«, sucht es im Kino, sucht es in Büchern. »Ich bin eine richtige Leserin geworden«, lobt sie sich und zählt auf, was sie alles gelesen hat: den Erstling »Goodbye, Columbus« eines gewissen Philip Roth, *short stories* von Paul Goodman und von John Updike, den sie auch nennt. Natürlich Simone de Beauvoirs »Das andere Geschlecht«, das kämpferische theoretische Gegenstück zur Welt der Männer, passend auch auf die von Machos bestimmte Szene in SoHo, die Künstlerinnen nicht als Konkurrenz ernst nahmen, sondern nur ihren praktischen Wert sahen, »to cook and to be fucked«.

Sie gehörte zwei verschiedenen Kulturen an, der deutsch-jüdischen und der amerikanischen, und sie liest George Orwell und Lawrence Durrell und Albert Camus und die »Tin Drum« von Günter Grass, John Le Carrés »Spion, der aus der Kälte kam« und fast alles von Mark Twain. In seiner Autobiografie findet sie viele Stellen, die typisch sind für seinen absurden Humor, und dafür hat sie ein besonderes Gespür, den mag sie. Sie zitiert ausführlich die Stelle, in der Mark Twain sich darüber Gedanken macht, was Gott sich dabei gedacht haben könnte, als er Tiere und Menschen schuf, und welches Tier mit welcher Eigenschaft dem Menschen am nächsten komme – das fruchtbare Kaninchen, die unabhängige Katze, die ordinäre Hausfliege.

Eva Hesse hatte nicht nur diese intellektuelle Seite, diese ernsthafte, diese manchmal ziemlich deutsch auf Ordnung bedachte, wie eine Mitbewohnerin noch weiß, die sich an einen Ausbruch erinnert, der etwa so gelautet habe: »Verdammt noch mal, wieso machst du nie das Waschbecken sauber, nachdem du deine Pinsel ausgewaschen hast!« Sie ist gleichermaßen emotional, verspielt, chaotisch. Deshalb liest sie auch viele Romane von Charlotte Bingham, in denen am Ende meist die Liebe stärker ist als das Leben – so soll es sein!! –, und sie ist wegen der Parallelen zu ihrer eigenen Geschichte tief berührt von Leon Uris' »Exodus«, dem Roman über das mit jüdischen Flüchtlingen beladene Schiff, mit verzweifelten Menschen, die kein Land der Welt aufnehmen will. Wundert sich darüber, dass sie sich mehr mit den männlichen Protagonisten des Romans identifizieren kann als mit den weiblichen, worüber sie wohl mit ihrem Psychiater reden müsse. Sie gibt Françoise Sagans »Bonjour Tristesse« wo es um Menschen geht, die aus Langeweile Affären beginnen und glauben, so der Sinnlosigkeit des Lebens zu entfliehen, eine Vier minus, dagegen dem »Verzauberten Leben« von Mary McCarthy eine Drei plus.

Nachdem sie »Zärtlich ist die Nacht« gelesen hat, bleibt sie Fitzgerald treu. Liest alles, was der geschrieben hat, und schwärmt von seinem Meisterwerk »Der große Gatsby«. Sie ist allerdings dann doch mehr beeindruckt von Zelda Fitzgerald, seiner Frau, und deren »Save Me the Waltz«. Eine Passage daraus bezieht sie auf sich und schreibt sie wörtlich ab: »Die ganze Nacht saß sie an ihrem Fenster, zu müde, um sich zu rühren, beherrscht von der Sehnsucht, als Tänzerin berühmt zu werden. Es schien, als würde sie erst dann die Dämonen vertreiben können, die sie jagten – dass sie erst dann den inneren Frieden finden könnte, der aus Selbstbewusstsein, aus Selbstsicherheit entsteht, dass sie erst dann fähig sein würde, durch den Tanz ihre Gefühle in den Griff zu bekommen, Liebe zu gewinnen, Glück.«

Eva Hesse fügt hinzu, man müsse einfach nur das Wort »dance« ersetzen durch »painting«, und schon passe alles auch auf sie. »Ich gehe zwar ziemlich gelassen mit meinen Beziehungen zu Männern um, meine Sehnsucht, mich an einen anzulehnen, hält sich inzwischen in Grenzen. Ich bin wirklich unabhängiger geworden«, aber das heißt in Wirklichkeit gar nichts. Es reicht schon die zufällige Begegnung mit einem neuen Nachbarn, der dem jungen Victor Moscoso ähnlich sieht, dass sie alle guten Vorsätze wieder vergisst.

Im »Martin Beck Theater« am Broadway, das sie zu Fuß erreichen kann, erlebt sie eine der ersten Aufführungen von »Sweet Bird of Youth«. Der »Süße Vogel Jugend« von Tennessee Williams, der dann ein Jahr lang jeden Abend fliegen wird, in den Hauptrollen mit den damaligen Jungstars Geraldine Page und Paul Newman besetzt, berührt sie so, dass sie sich vornimmt, das von Elia Kazan inszenierte Stück noch einmal anzuschauen. Vor allem der erste Akt hat es ihr angetan. Nur den Schluss will sie nicht noch mal sehen. Das Ende ist ihr zu traurig.

Sie hört beim Malen Händels Oratorium »Judas Maccabäus« oder Beethovens »Fidelio« und identifiziert sich mit Leonore, aber nicht, weil sie ihre Lebenssituation mit der Leonores gleichsetzt, sondern weil sie sich wünscht, »auch so eine Heldin zu sein«. Sie ist begeistert von Strindbergs »Fräulein Julie« und beschließt, alles von ihm und alles über ihn zu lesen, ebenso über Ibsen. Berichtet von einem Streit darüber mit ihrer Stiefmutter Eva Hesse, Big Eva, die behauptet habe, dass beide Dichter längst nichts mehr zu sagen hätten, weil auf die Fragen, die sie gestellt hätten, was die Rolle der Frauen in einer männerdominierten Welt betreffe, die amerikanische Gesellschaft längst die richtigen Antworten gegeben habe. Gleichberechtigung nämlich. Darüber kann Eva nicht mal lachen, so abstrus findet sie den Einwand. Was für ein Schwachsinn! »Wahrscheinlich ist sie nur frustriert darüber, dass sie ihren Berufswunsch Anwältin nie erfüllen konnte.«

Dann taucht unvermittelt in ein paar Bemerkungen wieder Chet auf, der bereits abgelegte Liebhaber, dem sie aber nach wie vor nicht verzeiht, dass er eine andere geheiratet hat. Dabei war sie es gewesen, die sich von ihm getrennt hatte, weil sie nicht zurechtgekommen war mit seiner Idealvorstellung von einem gemeinsamen Leben in geordneten Bahnen des ehelichen Alltags. Das genau wollte sie eben nicht, nicht nur weil sie sich zu jung fühlte, sondern weil sie stabilen Verhältnissen ein aufregendes Verhältnis doch vorzog.

Einer der Nachfolger von Chet ist ihr dagegen wieder viel zu kompliziert, sie ist zwar verliebt in ihn, aber sie will ihn trotzdem nicht für sich allein haben, damit nicht er an sie denselben Anspruch stellen kann. »I allow myself to be desired«, begehrt zu sein findet sie toll, aber sie hat keine Lust auf Lust, falls daraus immer gleich eine feste Beziehung werden muss.

Was sie sucht, hat sie noch nicht gefunden. Ihrem Psychiater gesteht sie sogar zu, sie ein asexuelles Kind zu nennen, das nicht erwachsen sei, aber sie ist nicht blöd. Sie glaubt zu spüren, dass er es sein möchte, der das Kind zur Frau macht. Es würde ihr genügen, meinte einmal ihre Freundin Rosie, und sie meinte es liebevoll, nicht etwa hämisch, wenn ihr täglich jemand sagen würde, dass sie die schönste aller Frauen sei. Sie liebte es, sich schick anzuziehen und hübsch zu machen, das war wie eine andere Kunst, und sie wusste sehr genau, welchen Eindruck sie auf Männer machte. Sie war zum einen »äußerst attraktiv«, erinnert sich Kasper König, »zum anderen sehr von sich überzeugt, so nach dem Motto: Ich bin wer. Ich hab was zu sagen. Ich mach das nicht so, wie die Jungs das machen. Ich mach das als Frau, auf meine Art.«

Immer dann, wenn sie dringend Geld braucht, weil irgendwann auch das »Erbe« der Großeltern aufgebraucht sein wird, geht sie zu Margret Moore und arbeitet als Teilzeitkraft. Die Besitzerin, erzogen von christlichen Missionaren in China, ist mehr als nur eine Arbeitgeberin. Sie betrachtet Eva als eine Art Schützling, um den sie sich zu kümmern hat. »M.M. hat mich geweckt, ich kam eine Stunde zu spät zur Arbeit. Habe es dadurch ausgeglichen, dass ich länger blieb. Margret lud mich zum Frühstück ein, und sie bestand darauf, dass ich ein richtig gutes zu mir nahm. Ich habe erst gezögert, dann habe ich es angenommen. Ich mag sie wirklich sehr.«

Margret Moores Laden liegt dicht am Washington Square, sie verkauft den Schmuck, der ihr selbst gefällt, und den findet sie bei jungen Designern in deren Werkstätten um die Ecke. Mit Juwelierläden alten Stils, in denen reiche Ärzte oder Anwälte ihren treuen Gefährtinnen Teures aussuchen, um sie ruhigzustellen, hat dieser Laden nichts gemein. Ihre Teilzeitkraft übrigens trägt meist ein, zwei Ringe ihrer Mutter, selten etwas Modisches.

Ach, diese Ehefrauen von der Park Avenue. Für Eva Hesse nach wie vor Synonym für ein Leben, das sie nie wollte. Wenn Park-Avenue-Gattinnen mal in Moores Laden kommen, weil sich in Uptown New York herumgesprochen hat, dass es nur ein paar Subwaystationen entfernt verblüffend anderes gibt, geht es ihr richtig gut. Die Damen sehen so gelangweilt aus, so genervt, so unzufrieden. Dann lieber mitunter unglücklich verliebt als dreißig Jahre Schnarchgeräusche im Doppelbett.

Ethelyn Honig ist eine dieser Frauen. Noch jung, aber schon lange verheiratet. Als sie einundzwanzig war, drängte sie ihr Vater in die Ehe mit einer so genannten guten Partie: »Ich kannte meinen künftigen Gatten kaum.« Das Haus, in das sie mit ihm einzog, in dem ihre Kinder zur Welt kamen, bewohnt sie noch immer. Es steht in einer besseren Gegend von New York, der Central Park liegt um die Ecke, an dieser Stelle ist er auch des Nachts begehbar. Ihr Mann ist längst tot. Sie lebt vom Vermögen und für ihre Leidenschaft, das Malen. Ob ihre Werke, die teilweise an den Wänden hängen, ausgestellt werden oder nicht, wäre ihr nicht egal, wohl aber, ob sie sich verkaufen lassen oder nicht.

Als junges Mädchen hat Ethelyn Blinder am Bennington College in Vermont unter anderem auch Kunst studiert. Bennington war und ist eine der besten Adressen für höhere Töchter der amerikanischen Ostküste. Ihr Zimmer teilte sie mit der gleichaltrigen Grace Bakst, die ursprünglich Psychologie hatte studieren wollen, aber damals ihre anderen Talente entdeckte: Tanz und Bildhauerei. Beide Frauen waren inzwischen verheiratet, Ethelyn Honig und Grace Bakst Wapner sahen sich hin und wieder. Eines Tages überredet Grace ihre einstige Kommilitonin, sie zu einer Vernissage ins Village zu begleiten.

Ethelyn Honig hat das Bild von Eva Hesse, die sie zufällig bei dieser Vernissage traf, noch so deutlich vor Augen, als sei es gestern gewesen und nicht vor bald fünfzig Jahren. »Sie trug ein kurzes schwarzes Fellkleid, ein Fell wie von einem Stinktier. Zarte Haut. Langes schwarzes Haar, mit bunten Klammern hochgesteckt. Klein, exquisit, sehr hübsch, mit einem vollen Busen. Sah toll aus, hatte schräge Augen. Ihre tiefe Stimme war aufregend, und sie hatte einen unglaublichen New Yorker Akzent. Wenn sie ihren Mund öffnete, hörte sie sich tatsächlich an wie ein Kind von der Straße.«

Und was da los war! Wie sich alle amüsierten und worüber

die sprachen. Wer gerade wo ausgestellt hatte und wer noch immer nicht wusste, ob er lieber malen oder lieber Bildhauer werden sollte. Nicht über so langweilige Ereignisse wie den letzten Bridgeabend oder ob die Kinder auch an der richtigen Schule und da gut aufgehoben waren. Ob es im Sommer lieber nach Long Island gehen sollte oder doch wieder nach Martha's Vineyard. Frau Honig war fasziniert: »Ich langweilte mich eh schon lange, nur Haushalt und Kinder, das hielt ich nicht länger aus. Ich wollte nie nur die Frau eines Doktors sein.«

Die höhere Tochter, Gattin, Mutter wusste auf einmal, was ihr fehlte, was sie wollte. Nein, nicht das wohlgeordnete behütete gute Leben an der Seite von Dr. Lester Honig aufgeben, dessen Praxis so viel abwarf, dass sie sich alles leisten konnte, was sie langweilte, woran sie aber gewöhnt war. Nur ein wenig von dieser anderen Welt in die eigene einbauen. Eine Zeit lang eintauchen in eine Szene, die das Gegenteil verkörperte, ja: verkörperte – siehe Evas Kleid und ihre Aufmachung und ihre flirtende Präsenz – von ihrer bürgerlichen Umgebung, die in der Mitte von Manhattan endete. »Über die 51. Straße hinaus ging man nicht, Frauen gar nicht, höchstens mal in männlicher Begleitung zum Essen nach Chinatown.« SoHo und East Village waren für die New Yorker von der Westside No-go-Areas, für Frauen allemal. Zeichnen konnte sie schon, das hatte sie auf dem College geübt, aber würde es zu mehr reichen als zu einem Hobby?

Sie will es wissen, wird irgendwann ihren Mann überreden, ihr ein Studio zu mieten, in dem sie tagsüber malen kann. Mit 25 Dollar müsste sie hinkommen, erklärte sie dann Lester, von dem sie liebevoll spricht, wohl auch deshalb, weil er ihr nie Grenzen setzte, stets ihre Wünsche erfüllte, sogar jene, die ihm absurd vorkamen und nicht in sein Weltbild passten. Er gab später auch nach, als sie ihn bat, vielen der Künstler, die sie dann in SoHo kennenlernte, nicht wie seinen bürgerlichen Patienten eine Rechnung zu schreiben, sondern als Honorar eines ihrer Bilder anzunehmen. Dass es nicht nur um Kunst ging, sondern auch um Atelierfeste, in denen es nicht immer nur um Kunst ging, hat sie ihm allerdings verschwiegen.

Jeden Dienstag ab siebzehn Uhr gab es im Village so genannte *opening parties*, jeden Dienstag trafen sich Künstler und Musen, Nachbarn und Gäste, mal in dem Loft, mal in jenem, mal im verrauchten Hinterzimmer einer Galerie, mal ein Stockwerk drüber. Alle waren interessiert, was in den verschiedenen Ateliers entstanden war, man besuchte sich gegenseitig, um sich das Neue anzuschauen. Eva Hesse fiel auch dabei auf. Nicht wie sonst wegen ihrer Schönheit, sondern weil sie immer klar und deutlich sagte, was ihr gefiel und was nicht. Von freundlichen Umschreibungen hielt sie nichts. Ihre Kritik wurde akzeptiert von den anderen, selbst dann, wenn sie es nicht gern hörten, eben weil es von ihr kam.

»Sie konnte sehr bestimmt, sehr deutlich, sehr scharf sein, aber ebenso zart, freundlich, soft«, weiß Grace Bakst Wapner, die im Übrigen nie vergessen wird, dass es Eva war, die bei der renommierten Fischbach-Galerie vorstellig wurde und dem Besitzer dringend ans Herz legte, die Arbeiten ihrer begabten Freundin Grace auszustellen. »Das hat der abgelehnt, aber dass Eva sich so für mich eingesetzt tat, habe ich nie vergessen. Welcher Künstler würde so etwas tun – sich für einen anderen einsetzen, statt die eigenen Arbeiten anzupreisen?«

Eva lebte so sehr für Kunst ganz allgemein und nicht nur egozentrisch in der ihren, dass sie glaubwürdig war. Sie war nie neidisch, wenn anderen etwas Tolles gelang, sondern begeistert. Sie schmeichelte keinem, dessen Kunst sie nicht gut fand, denn sie war nicht bestechlich. Eva Hesse hat, wie sich alle erinnern, die Kunst auch dann als Kunst erkannt und entsprechend gelobt, wenn dies auf den ersten Blick keiner außer ihr erkannt hatte.

Kunst hat sie sich wo auch immer jeden Tag angeschaut, in Galerien, in Museen. Bei ihr im Village gab es aber das

Neueste in der Kunst an jedem Dienstag. Nach dem dritten, vierten Atelierbesuch war außer Sol LeWitt kaum noch einer der Männer nüchtern. Die Frauen machten sich für diese Dienstage schick und putzten sich raus und zeigten ihre besten Seiten. Auch eine Kunst, die sich bewundern ließ. »Es wurde geflirtet, und wie«, sagt Ethelyn Honig, und dies ist ihr noch so lebhaft in Erinnerung. Sie sieht im Rückblick Eva »eingehüllt in ein weißes Badetuch, darunter nackt, Haare offen, sich bereit machend zum Ausgehen«. Alle Frauen seien eifersüchtig gewesen, weil Eva so schön war und alle Männer sie anhimmelten.

Sie kichert dabei wie das Mädchen, das sie einst war und das aus ihren Gesichtszügen auftaucht. Es ist zwar eine optische Täuschung, aber aus ihren Augen leuchtet ihre vergangene Jugend auf. Die Konkurrenz sei zwar groß gewesen, weil sich viele schöne Frauen auf diesen Festen nicht nur gern umschauten, sondern liebend gern anschauen ließen, aber sie gibt zu verstehen, dass sie sich vor anderen Schönen nicht habe verstecken müssen. Ethelyn Honig gehörte zur Szene, ohne dass sie je wirklich dazugehörte. Als Künstlerin nahm man sie kaum wahr, was nicht nur daran lag, dass sie eine Gattin aus der Oberstadt war. Sie besprühte Röhren mit silberner Farbe und ordnete sie zu Objekten.

An diesen Dienstagen wurden Lieben geboren, die bis zum nächsten Morgen reichten, und manche, die länger hielten, bis zu einem anderen Dienstag, und manche, die halten sollten bis zum Tod. So wie die von Eva Hesse und Tom Doyle. Denn natürlich wird es mal ein Dienstag sein, an dem die beiden sich treffen in jener Küche, von der Tom Doyle schon erzählt hat.

Nein, es ist noch immer nicht so weit.

New York, November 1960.

Eva Hesse, von der es kaum Äußerungen gibt über ihre politischen Ansichten, bejubelt den knappen Sieg des Demokraten John F. Kennedy über den Republikaner Richard Nixon. Der eine ist der Helle, der andere der Dunkle. Man könnte eine Parallele malen zu manchen Bildern von Eva Hesse, in denen das Dunkle und das Helle kontrastierend auftauchen wie bei den beiden Politikern, aber das ist wahrscheinlich absurd. Hätte deshalb Eva Hesse bestimmt gefallen, denn sie mochte das Absurde.

Nach Meinung ihres Psychiaters Samuel Dunkell sind es die unausgelebten und unbewältigten Konflikte ihrer Kindheit: Das Helle interpretiert er als Evas Mutter Ruth, das Dunkle als ihren Vater William. Weiß ist danach das Mütterliche, das Emotionale, schwarz das Väterliche, das Strenge. So einfach kann man es sich machen, aber so einfach ist es wohl kaum gewesen. Eva Hesse am 9. November: »Kennedy won! Blieb auf bis morgens halb sechs. Habe dann verschlafen.«

Am Abend ist sie wieder wach. Ganz wach. Begeistert trägt sie in ihr Tagebuch ein, dass sie großartige Ausstellungen gesehen hat mit Arbeiten von Jean Dubuffet – »Er ist wirklich gut. Ich mag vor allem den Humor, der sich in seinen Zeichnungen ausdrückt« –, vor allem aber von Lee Bontecou, die bei Castelli zu sehen waren.

Lee Bontecou ist fünf Jahre älter als Eva Hesse und mit außergewöhnlichen, verstörenden Arbeiten aufgefallen. Ihre Reliefs, aufgeschweißter Stahl auf Leinwand, hängen als Objekte an der Wand wie Bilder, heben den Gegensatz zwischen Skulpturen und Gemälden auf. Eva Hesse lässt sich nicht vom Material inspirieren, aber von der dunklen Farbigkeit und den Formen in einem Aquarell, das sie kurz danach vollendete. Gleichzeitig beginnt sie mit einer Reihe von kleinen Ölgemälden, zehn werden es sein, Variationen in den Farben Braun und Gelb, untermalt mit dunkelgrünen und dunkelblauen Tupfern. Es folgen viele kleinformatige Tuschzeichnungen, Grundton Grau, Schwarz, Braun, bei denen sie eine neue Technik ausprobiert, neu zumindest für sie, denn sie benutzt die stumpfe Seite des Pinsels, die falsche also.

Auch Claes Oldenburg gefällt ihr. Sie glaube an seine Kunst, aber vor allem sei er ein humorvoller Mensch: »Ich respektiere, was er schreibt, ich finde gut, was er macht, seine Energie, ihn selbst, einfach alles.« Doch fügt sie gleich im nächsten Satz hinzu, damit gar nicht erst falsche Vorstellungen aufkommen, dass dies alles zwar interessante Abzweigungen seien, ganz interessante Künstler, dass sie denen aber nicht etwa folgen werde, sondern fest entschlossen sei, den eigenen Weg zu finden – und den zu gehen, egal, wie mühsam, bis zum ersehnten Ziel, einzigartig zu sein unter Männern.

Oldenburg traf sie auf einer Party der Bildhauerin Ruth Vollmer, auch eine Emigrantin, wie Helene Papanek aus einer anderen Generation, 1903 geboren, und damit automatisch eine weitere Mutterfigur. Ruth Vollmer hatte zunächst als Designerin für Tiffany und das MoMA gearbeitet, dann mit Skulpturen begonnen, Bronze und Holz und Aluminium, die in New York gezeigt wurden. Dass junge Künstler zu ihr kommen, liegt aber nicht an ihrer Kunst, sondern an dem Salon für Künstler, in den sie regelmäßig einlädt.

Sie wird eine wichtige Vertrauensperson für Eva Hesse. Ab 1960 gibt es Eintragungen in ihren Tagebüchern, in denen sie von Ruth erzählt oder über Gespräche mit Ruth berichtet. Auf einer ihrer letzten Reisen fahren sie gemeinsam nach Mexiko. Ruth Vollmer ist dann die Frau, die der Jüngeren nach der ersten Operation eine Perücke besorgen wird, unter der sie ihre Kahlköpfigkeit verstecken kann.

Ende November muss Eva Hesse für einen gynäkologischen Eingriff ins Krankenhaus. Sie schreibt detailliert auch darüber, dass sie in der Abteilung für werdende Mütter liege oder mit solchen, die gerade ein Kind geboren haben. Mitten unter denen auch sie, die nie Kinder haben wird und nur selten davon träumt, mal welche zu haben. Die Patientin Hesse liest Eugene O'Neills »Eismann«, schaut mit den anderen gemeinsam irgendwelche Filme im Fernsehen an, lacht über Dummheiten genauso laut wie die, ist aber dann doch froh, als sie entlassen wird und wieder malen kann.

Alles sei gut verlaufen, wenn nur nicht diese verdammten Kopfschmerzen wären. Auch den Jahreswechsel verbringt sie im Krankenhaus, diesmal ist es ein anderes, sie kann mit einer so schweren Grippe wie der, die sie überfallen hat, nicht im kalten Atelier bleiben. »Ich fühle mich allein und krank. Ich bin jetzt genau fünfundzwanzig Jahre minus einen Monat alt. Ich bin immer vor Männern weggelaufen, die stärker waren als ich, und habe die zerstört, die schwächer waren.« Falls sie wieder mal krank wird, könnte Eila Kokkinen sie versorgen, denn die beiden Frauen beziehen gemeinsam ein Loft an der Park Avenue, aber an der Ecke 19. Straße, also weit weg von der Park Avenue, in der die besseren Kreise wohnen. Ob es da kalt ist oder warm, ob sich einer in sie verliebt oder nicht, ist ihr egal. Sie hat nur einen einzigen Termin im Kopf: den 11. April. Da wird in der John Heller Gallery eine Ausstellung unter dem Titel »3 Young Americans« eröffnet, und Eva Hesse ist eine dieser drei Jungen. Allein unter Männern, wieder einmal. Außer ihren Arbeiten werden die von Donald Berry und Harold Jacobs gezeigt. Dass zuvor auch im Brooklyn Museum bei der »21st International Watercolor Biennial« von ihr ein paar Zeichnungen hängen, ist ihr keinen weiteren Eintrag wert. Da hängen viele Künstler.

Hier aber sind es nur drei. Die anderen beiden kennt sie, die waren mit ihr an der Cooper Union. Sie ist zwar aufgeregt, klagt aber gleichzeitig über eine Frühjahrsmüdigkeit, kann nicht arbeiten, geht spazieren, freut sich des Lebens – »enjoy weather and life and everything. New home, new studio, first show« –, beschreibt eine Freundin aus der Nachbarschaft Washington Heights, die sie zufällig bei einem Spaziergang trifft und die ihr stolz ihr einjähriges Kind zeigt: »Ich beneide sie, sie beneidet mich.« Eva konnte übrigens keine Kinder kriegen, weiß Tom Doyle, selbst wenn sie es gewollt hätte, ohne näher zu erklären, woran es lag. Ist auch nicht so wichtig, war eben so. Er wollte keine, insofern waren sie in dieser Beziehung ein ideales Paar.

Eva Hesse erwähnt das Kind der Freundin mit nur einem Satz, weist stattdessen darauf hin, dass sie nicht nur die Einzige aus der damaligen Klasse ist, die Talent hatte, sondern auch die Einzige, die es geschafft hat, »the one who made it«. Dass sie die Einzige ist, die Talent hat, stellt auch Donald Judd fest, damals über Ausstellungen berichtend, statt selbst auszustellen, damals jung wie Eva, später berühmt wie sie, auf seine Art. Er betont, dass sie von den drei Künstlern die kompetenteste ist, die am besten der Zeit entspricht, ihre Tuschen hätten nicht nur einen eigenen Federstrich, sondern seien in Rechtecken eindrucksvoll und sinnvoll geometrisch angeordnet. Brian O'Doherty von der »New York Times« lobt sie zwar auch, schreibt aber ihren Namen falsch, lässt den Buchstaben e am Ende von »Hesse« weg.

Selbst das ist ihr egal. Sie ist endlich wahrgenommen worden, und wie. »Ist das jetzt der Beginn, bin ich jetzt aufgenommen mitten in der Kunstwelt? Nicht nur ich in meiner Welt, sondern mit meiner Arbeit anerkannt?« Jetzt erst, nach anderthalb Jahren, hat sie die Niederlage im MoMA wirklich verarbeitet.

Verkauft wird übrigens nichts, »show gallery Heller disappointing«, dennoch ist Eva Hesse so glücklich wie noch nie. Noch nie?

Noch nie.

Sie hat, wie sie glaubt, drei Tage vor ihrer Vernissage auf einer der *opening parties* im Village einen Mann gefunden, wie sie ihn immer schon gesucht hatte: »Ich bin wirklich glücklich … ich habe das noch nie so empfunden … keine andere Beziehung ging so tief … alles ist schön … lebendig, frisch, blühend … werden wir den Sommer zusammen verbringen? Bin schon drei Tage mit Tom zusammen … Es wird nicht leicht werden mit Tom, mag sein, es ist einfach zu gut, zu schön, um wahr zu sein, Mag sein, dass Liebe – oder die Liebe zwischen zwei so komplizierten Menschen niemals leicht sein kann. Bin ich denn fähig, es wenigstens zu versuchen? … Alles wunderbar, was a beautiful week … Tom ist ein wunderbarer Mensch, ich mag alles an ihm. Es ist eine richtige, eine lebendige, eine wunderbare Romanze … Nichts Dreckiges, nichts Niedriges … Ich liebe ihn von Tag zu Tag mehr … Ich schreibe jetzt nichts mehr ins Tagebuch … Bisher war ich jemand, der Liebe suchte und darüber schrieb … ein junges Mädchen auf der Suche nach sich selbst … in der Suche nach Leben … auf der Suche … Jetzt habe ich so viel von allem, wie ich es mir nie erträumt hatte … jetzt ist alles Wirklichkeit – mit Tom.«

Es ist nun an der Zeit, dass Tom seine Geschichte erzählt.

Also los, Doyle, *come on*.

Er stammt aus kleinen Verhältnissen, ist geboren 1928 in Jerry City in Ohio. »Meine Mutter war fünfzehn oder sechzehn, als ich auf die Welt kam. Ich erinnere mich noch sehr genau an meine Taufe, da war ich zwei oder drei, und im Friseursalon meines Großvaters erzählte ich allen Kunden, die sich totlachen wollten, this son of a bitch, wer auch immer es gewesen war, hat Wasser über mich gegossen.«

Kunst und Literatur sind Tom in seiner Jugend selten begegnet, die kamen nie bis Jerry City. Bei Meinungsverschiedenheiten waren nicht begründete, sondern schlagende Argumente entscheidend. Da Tom ein stämmiger Kerl war, ging er keiner dieser Auseinandersetzungen aus dem Weg. Falls einer einen kritischen Satz zum Beispiel über seine Mutter sagte, zog er den über den Tisch und gab ihm die passenden Antworten. Beim Football war er wegen dieser Schlagfertigkeit bei den Seinen beliebt und bei den Gegnern gefürchtet. Der Trainer auf der Highschool muss vielseitig gewesen sein, denn bei dem »hatte ich auch so etwas Ähnliches wie Handwerksunterricht. Alle bastelten irgendwas, ich konnte das nicht, bearbeitete

Holz, machte meine eigenen Sachen. Kraft genügend, um aus groben Klötzen was rauszuhauen, die hatte ich.« Womit für den Lehrer, der vom Football kam, schnell klar war, was aus seinem Quarterback werden würde. »Eines Tages sagte der zu mir, wonderful, Tom, du wirst mal Bildhauer.«

Das sagte Tom nicht viel, von dem Beruf hatte er noch nicht so viel gehört, es gab keinen Bildhauer in Jerry City. Er wusste nur eines: Er musste hier raus, in dieser Kleinstadt konnte nichts aus ihm werden. Die Alternative hieß Army. Da der Krieg bereits vorbei war, als er sich freiwillig meldete, durfte er nicht mehr kämpfen, sondern wurde als Lehrer eingesetzt für die amerikanischen Besatzungssoldaten in Europa, um die vorzubereiten auf das, was sie im fremden besiegten Land erwarten würde. Warum er? Was befähigte ihn dazu? »Keine Ahnung, weiß ich auch nicht, aber so war es nun mal. Ich wurde zwischen 1947 und 1949 ausgerechnet in Marburg stationiert, wo ja, wie ich später erfuhr, Evas Vater Wilhelm studiert hatte.«

Er lernte schnell Deutsch, konnte »ziemlich viel verstehen, weniger sprechen. Als ich zurückkam in die USA, ging ich aufs College, spielte aber hauptsächlich Football, machte auch sonst alles mit, was Kerle so trieben.« Damit umschreibt er seine Trinkfestigkeit, für die er bei Freunden in Deutschland noch heute gerühmt wird, obwohl die ihn seit der Zeit, als er dann mit Eva in Kettwig ein Atelier teilte, nicht mehr gesehen haben. Doyle gebrauchte seine Fäuste öfters prügelnd denn formend: »Wir schlugen uns oft, ich habe jede Menge Narben aus der Zeit.« Aber den Befehl seines ehemaligen Trainers hat er doch nicht vergessen, zumindest belegte er auf der Miami University, die aber nicht in Florida lag, sondern in Ohio, nur so hieß wie die verruchte Stadt im Süden, *Art*-Kurse und hatte Glück. Einer seiner Lehrer, damals unbekannt, dann mal weltbekannt, hieß Roy Lichtenstein.

Jetzt wollte auch er so ein Künstler werden. Leicht gesagt, aber wo? Da er, wie üblich in Ohio, früh geheiratet hatte, eine

Familie ernähren musste, konnte er von einer vagen Vorstellung, Kunst sei das wahre Leben, nicht leben. Er arbeitete als Zimmermann. Womit sich dann wieder der Kreis schließt, denn weil er dieses Handwerk gelernt hatte, fiel es ihm später leicht, das Loft, das er mit Eva Hesse in SoHo bezog, wohnlicher zu gestalten. Als seine erste Ehe am Ende war, begann sein Leben. 1957 zog er nach New York.

»Es gab keine andere Stadt damals für Kunst. Mit dreißig ging mein Leben erst richtig los, ich hörte auf, als Zimmermann zu arbeiten, und lebte in der Bowery von Gelegenheitsjobs. Fand schnell ein Atelier in einer der leeren Fabriketagen, begann als Bildhauer ausschließlich mit Holz, denn damit umzugehen hatte ich schließlich lange genug in meinem alten Beruf geübt. Als Erstes machte ich eine große Skulptur aus einem Stück. Nichts Umwerfendes, aber ich merkte, es funktioniert. Ich kann es. Spannend ist es in der Kunst, wenn man eines Tages einen Schritt nach vorne macht, dann wieder zwei Stücke zurückgeht, aber weiß, grundsätzlich ist es so, dass man es kann.«

Er holt wieder Atem und weit aus. Oft habe er sich auch in SoHo geschlagen, warum, das weiß er nicht mehr so genau, aber es sei anzunehmen, dass es nicht um unterschiedliche Auffassungen ging, was Kunst betrifft, eher um Frauen. Viele Künstler waren schlagkräftige Kerle, keine »ätherischen Intellektuellen wie die, die heute da rumlaufen«. Bei den Prügeleien ging es um schöne Mädchen, die sich hier unten im wahren Leben umschauten, bevor sie von ihren Vätern uptown verheiratet und Gattinnen wurden. Manchmal ging es auch um Gattinnen wie Ethelyn Honig, aber keiner der Wilden wollte die ihren Ehemännern etwa für immer wegnehmen. Näher kennenlernen bis zum nächsten Dienstag, das vielleicht schon. Nur Sol, der hat sich nie geprügelt, der hat sich bei den Machospielen stets rausgehalten.

Tom Doyles erste Ausstellung fand in der Galerie von Allan

Stone statt, eröffnet wurde sie am 12. April 1961, also einen Tag nach der Vernissage von Eva Hesse und den anderen beiden jungen Amerikanern bei John Heller. Eigentlich war sie müde, weil sie in der Nacht zuvor lange gefeiert hatten. Einer ihrer Nachbarn überredete sie dann aber doch, ihn zu begleiten, ein Freund von ihm würde ausstellen, ganz interessante Sachen, alles aus Holz. Sie ging mit. Es war schließlich eine Vernissage, und danach würde es ein Fest geben, und viele andere Künstler würden kommen, das war immer so, und sie hatte auch vor, von der eigenen Vernissage zu erzählen. Nach der Doyle-Show in der Allan Stone Gallery fand ein Stockwerk darüber in einem der Lofts ein Fest statt. Es gab keine Einladungslisten so wie heute, keine Security und Gesichtskontrollen, man ging halt stets dahin, wo etwas los war.

»War eine big party«, sagt der alte Tom jung lächelnd und legt den Hut sorgfältig auf den Tisch neben sich, »es war der Teufel los. Es gab jede Menge Guinness und Whiskey.« Worum es bei einem Streit genau ging? Keine Ahnung. Jedenfalls bot ihm einer Schläge an, kann sein, dass es sogar Allan selbst war, und solche Angebote nahm er stets an, aber sie wollten es draußen vor der Tür austragen, nicht beim Fest stören. »Wir fuhren zusammen runter, standen uns kaum getrennt voneinander gegenüber, aber der Fahrstuhl war zu eng, war keiner dieser alten Lastenaufzüge, so dass wir uns nicht hauen konnten.« Auf dem Weg nach unten verloren sie die Lust, wussten nicht mehr, um wen und warum sie sich eigentlich prügeln wollten, und Tom Doyle schlug vor, okay, fahren wir wieder rauf und reden miteinander und trinken dann was zusammen.

Zunächst ging er in die Küche, um sich die Hände zu waschen. »Und da war Eva. Sie kühlte mein Gesicht, und das war wundervoll. Angenehm. Zart. Wir haben uns auf der Stelle ineinander verliebt, sie in mich, ich in sie.« Die zierliche dunkelhaarige Schöne und dieser schnauzbärtige Kerl verbrachten den Rest der Nacht miteinander.

Fast scheint es, als sei ihm die Szene derart geschildert ein wenig peinlich, weil es kitschig klingen könnte. Doch das scheint nur so, Tom Doyle erzählt immer direkt und ohne Schnörkel, wie er es erlebt und empfunden hat, und ganz egal, ob er in seinen eigenen Erzählungen gut wegkommt oder nicht so gut. Warum sollte er jetzt im Alter, fünfundvierzig Jahre später, eine andere Geschichte erfinden?

Die über Nacht in die Liebe gefallene Eva Hesse vertraut sich ihrer engen Freundin Rosie an, die sie vergeblich davor warnt, nicht gar so euphorisch zu sein. Eva bricht daraufhin für ein ganzes Jahr den Kontakt ab und spricht erst dann wieder mit ihr, als es in der Beziehung zu Tom kriselt. Eine andere Frau bestärkt sie jetzt darin, das Leben einfach zu genießen, gleichgültig, was morgen sein wird. Diese Frau heißt Barbara Brown, ist mit David verheiratet, der wiederum Eva Hesse und Rosalyn Goldman aus einer Therapiegruppe kennt.

Eines Morgens hatte sie sich im Laden von Margret Moore den angebotenen Schmuck angeschaut und lange mit Eva unterhalten. Dabei ging es nicht nur um Schmuck. Barbara ist drei Jahre jünger als die fünfundzwanzigjährige Eva, aber mindestens so erfahren, was Männer und Liebe und sich daraus ergebende Schwierigkeiten einer Frau betrifft. »Es war vom ersten Moment an so, als hätten sich zwei Schwestern getroffen«, erinnert sich die heute Siebenundsechzigjährige, die in Kalifornien lebt. »Eva war einfach schön, hatte schon physisch eine ungeheure weibliche Ausstrahlung, doch gleichermaßen eine fast kindlich anmutende Körpersprache.« Sie malt zum besseren Verständnis ein gewagtes Bild. Eva habe zum Schmuck gepasst, den Margret Moore anbot, preziös, altmodisch und gleichzeitig ungeschliffen, ambitioniert.

Dass Barbara Brown in Bildern spricht, liegt an ihrem Beruf. Sie war eine professionelle Fotografin. Damals mehr Gattin als Profi, später mehr Profi als Gattin. Ihre ehrliche Rückschau ist frei von irgendwelchen Nettigkeiten. Damit hält sie sich nicht auf. Ihr Mann David und ihre Freundin Eva litten beide unter Depressionen, deshalb brauchten die beiden eine Therapie. Sie dagegen und Evas Mann Tom waren frei von irgendwelchen dunklen Stimmungen, hatten auch keine Angstattacken: »In unserer Art glichen wir die Probleme unserer jeweiligen Partner also aus.« Was später mal dazu führte, dass beide ihre jeweiligen Partner deren regelmäßig aufkommenden trüben Stimmungen überließen und sich lieber intensiv miteinander beschäftigten.

Später aber erst.

Jetzt, im Mai 1961, liebt Tom nur Eva und Eva nur Tom. Den Sommer verbringen sie in Woodstock, zwei Stunden entfernt von New York, in einer Künstlerkolonie. Tom Doyle will arbeiten, Eva auch. Sie malt, er bearbeitet Steine. Sie wohnen in einem der kleinen Cottages, wo viele Künstler aus New York den stickig heißen Sommermonaten von Manhattan entfliehen. Es gibt kein fließendes Wasser, es gibt keinen Strom, aber das stört sie nicht, das ist ihnen aus SoHo vertraut. Grace Bakst, verheiratete Wapner, die mit ihrer Familie ebenfalls den Sommer in Woodstock verbringt, so wenig Geld hat wie Eva und Tom, noch weniger Zeit für ihre Kunst, glaubt heute, Eva nie wieder so gelöst erlebt zu haben wie in diesem Sommer

Im Herbst ist dann wieder mal nicht die Liebe so wichtig, sondern die Kunst. Alle aus der Szene in SoHo haben die Ausstellung »The Art of Assemblage« im Museum of Modern Art gesehen, Eva und Tom natürlich auch: Zeichnungen, Collagen, Skulpturen von Georges Braque und André Breton, von Max Ernst und Meret Oppenheim, von Kurt Schwitters und Jean Tinguely, der Avantgarde des französischen Surrealismus, der Zürcher Gruppe bis hin zu Marcel Duchamp. Für Eva Hesse war es ein »turning point«, ein Wendepunkt. Sie hat die Ausstellung nicht nur »hungrigen Auges« gesehen, sie hat danach ihre Arbeitsweise verändert. Keine Gouachen mehr, überwiegend Zeichnungen, eigene Assemblagen, Collagen, auf Papier zumeist. Das werden dann genau die Zeichnungen sein, die sie dann in ihrer ersten eigenen Show zeigen wird.

Im wahren Leben hat es zwar erste Auseinandersetzungen gegeben, weil Eva irgendwann Tom, von dem sie glaubte, er sei in Ohio, um seine Familie zu besuchen, mit einer anderen Frau gesehen hatte. Die Szene im Village ist überschaubar, da kann sich keiner verstecken. Aber es war nur, wie er ihr versicherte, eine Schülerin, die er früher mal unterrichtet hatte. Eva glaubt ihm. Sie will ihm glauben. Die Angst, ihn zu verlieren, ihn, an den sie alle Hoffnungen klammert, dass er der Richtige ist, der Mann, der sie befreit von den grundsätzlichen Problemen, die sie mit Vaterfiguren hat, ist größer als ihr Misstrauen. Tom ist für Eva der endgültige Schritt, »to take me from my father«, und auch deshalb ist Eva so erleichtert und so glücklich.

Tom Doyle nahm sie in der Tat ihrem Vater weg. Der spürte, dass es seine Jüngste diesmal ernst meinte, aber er sollte dafür etwas Entscheidendes verlangen. Eva stellte ihm Tom Doyle vor – natürlich war auch ihre Stiefmutter dabei – und verkündete, dies sei der Mann, bei dem sie für immer zu bleiben gedenke, den sie heiraten wolle. Sie brauchten zwar keinen Trauschein, um zusammenzuleben. Das interessierte in ihren Kreisen niemand, und da Tom Doyle für sein Loft gerade den Räumungsbeschluss zugestellt bekam, hätten sie sich eh eine neue Wohnung suchen müssen. Eva lebte ja nicht allein, sie teilte noch immer ihr Atelier und das Loft mit Eila Kokkinen. Warum also heiraten?

Mag sein, dass Eva überzeugt war, nur durch eine Ehe ihr Glück festhalten zu können, eine Art schriftliche und abgesegnete Garantie zu bekommen, dass die Beziehung hielte, bis dass der Tod sie schiede. Sicher hatte sie eine romantische Vorstellung davon, wie wunderbar es sein würde, als Ehepaar nicht nur das Bett zu teilen, sondern sich gegenseitig auch künstlerisch zu befruchten. Eva Hesse ließ sich in der Tat befruchten von Tom Doyles Arbeiten und ebenso durch die Arbeiten seiner Freunde, die alle Bildhauer waren. Es entstanden erste dreidimensionale Zeichnungen, sie malte abstrakte Landschaften und Großstadtstraßen und von Jasper Johns beeinflusste Ölbilder.

William Hesse gab dem jungen Paar seinen Segen, aber seiner allein genügte ihm nicht. Er wollte einen höheren. Der in seiner Gemeinde angesehene Kleinbürger, der nach wie vor fest im Glauben war, bestand darauf, dass die beiden nicht nur vor dem Gesetz Mann und Frau wurden, sondern auch vor Gott, sich vor dem Rabbi seiner Gemeinde ewige Treue schworen. Dafür musste der trinkfeste katholische Ire aus Ohio zum Judentum konvertieren, was Tom Doyle auch tat: »Ich habe ihretwegen konvertiert, aber bedeutet hat es mir nicht viel.«

Sie heiraten standesamtlich am 21. November 1961. Keiner ihrer Freunde kann sich daran erinnern, eingeladen worden zu sein. Das Fest mit ihnen holen Eva und Tom Doyle nach, als sie in ein Loft in die Fifth Avenue, Ecke 19. Straße ziehen. Erst vier Monate nach der zivilen Trauung ist auch William Hesse zufrieden. Da findet die jüdische Hochzeitszeremonie in der Stephen Wise Free Synagogue statt. »Mein Vater konnte sich einfach nicht vorstellen, dass meine Schwester einen Mann heiratet, der nicht unseren Glauben hatte«, sagt Helen Charash.

Weil das Loft des Ehepaares Doyle zu teuer ist, selbst unter damaligen Bedingungen ist die Miete zu hoch – sie haben ja außer Teilzeitjobs keinen Verdienst –, brauchen sie Mitbewohner. Zunächst zieht Grace Bakst Wapner ein, mit der sie sich in Woodstock angefreundet hatten, und übernimmt einen Teil des Ateliers. Dann kommt die junge Arztgattin Ethelyn Honig, die endlich ihren Mann überredet hatte und sich ebenfalls mit 25 Dollar an den Mietkosten beteiligt. Beide Frauen benutzen die Räume nur tagsüber ein paar Stunden, bevor sie sich wieder um ihre Familie kümmern müssen. Es war »nicht gerade angenehm, dass täglich jemand in Evas und Toms Privatsphäre einbrach, aber sie brauchten außer Grace noch jemanden, der ihnen half, die Miete aufzubringen. Das war ich. Das Atelier lag in der Fifth Avenue, zwischen der 15. und der 16. Straße, im zweiten Stock. Frachtenfahrstuhl. Riesiges Studio. Im Center richteten Grace und ich uns ein, wir hatten kein Tageslicht. Es war ziemlich dunkel. Rechts davon war Toms Studio, dahinter die Räume, in denen die beiden lebten. Links war Evas Arbeitsplatz, sie benötigte, weil sie malte, das Licht von den Fenstern. Große Leinwände von ihr hingen an den Wänden. Wir drei anderen experimentierten mit Objekten, ich mit Röhren, Tom mit Holz, Grace mit Ton. Das Finden, das Erfinden von Formen war wichtig. Alle sprachen damals nur vom Abstrakten Expressionismus, sowohl in Bildern als auch in Skulpturen.«

Barbara und David wohnten um die Ecke, Sol war natürlich auch noch in der Nähe. Zu den Nachbarn gehörten Florette und Ron Lynn. Sie verstanden nichts von Kunst, lebten in einer anderen Welt. Ron war Kaufmann, Lorette arbeitete sechs Tage die Woche mit, um die Finanzen aufzubessern. Sie kannten aber ihre Nachbarn und wussten, was die machten, und sie wussten, dass dies Kunst war. Die Lynns wurden ebenfalls zu den *opening parties* jeden Dienstag eingeladen, und sie kamen auch, falls sie rechtzeitig mit ihrer Arbeit fertig wurden und nicht zu müde waren. Wenn ihnen etwas gefiel, dann sagten sie es, wenn sie nichts damit anfangen konnten, sagten sie nichts und blieben mit dem jeweiligen Künstler befreundet. »Eva war eine sehr glückliche Person damals, sie strahlte es förmlich aus, dieses Glück«, erzählt Florette Lynn. Sie lebt mit ihrem Mann Ron in einem grünen Vorort von New Jersey. An der Wand des Wohnzimmers hängen zwei Zeichnungen von Eva Hesse.

Dass sie dieses große Haus bewohnen, haben sie irgendwie auch ihr zu verdanken. Man könnte auch sagen: Sie haben es verdient. Denn als sie noch fast nichts verdienten, Mitte der sechziger Jahre, haben sich die Lynns in Eva Hesses Skulptur *Ishtar* verliebt. Die wollten sie unbedingt besitzen. Eva war glücklich, ohne zu zögern einverstanden, dass Ron ihr Werk, bestehend aus je zehn parallel hängenden Acryl- und Papiermaché-Halbkugeln, festgemacht auf einer Holzplatte, hängende Schnüre fast bis zum Boden, in Raten abbezahlte. Den Gesamtpreis von 425 Dollar konnte er nicht auf einmal aufbringen, jeden Monat stellte er deshalb einen Scheck über 25 Dollar aus. »Eva war tief berührt, dass wir es waren, die das kauften, weil wir vor ihr ja überhaupt keine Beziehung hatten zu Kunst. Sie erklärte uns alles, und nicht wie ein Oberlehrer, sondern so, dass wir es verstehen konnten. Das war für uns etwas ganz Neues. Kunst ist für die Menschen da, sagte sie, Kunst ist nichts für die Ewigkeit.«

Zwanzig Jahre nach Evas Tod, 1990, verkauften sie ihre erste Liebe für 115 000 Dollar und steckten das Geld in ihr Haus in New Jersey. Dass *Ishtar* heute mehr als zwei Millionen Dollar wert ist, bereitet ihnen keine schlaflosen Nächte. Sie sind zufrieden mit dem, was sie haben. Eva Hesse lebt bei ihnen nicht als Künstlerin, deren Ausstellungen sie alle gesehen haben, sondern als unvergessene Freundin. Florette Lynn weint, wenn sie von ihr spricht, und ja, es stimmt, am Schluss habe sie ihr aus ihrem Garten weiße Magnolien mitgebracht ins Krankenhaus.

Auch den nächsten Sommer, den von 1962, verbringen Eva und Tom in Woodstock. Jetzt gehören sie auch dort zur Szene, dürfen bei einem Happening mitmachen, genannt »Ergo Suits Travelling Carnival«, das Walter de Maria organisiert, einer von den Jungen, die noch keiner kennt. Ein einziger großer Spaß, nicht nur für die teilnehmenden Künstler, sondern auch für alle Einwohner. Höhepunkt war ein Abend, an dem Skulpturen tanzten. In denen steckten die jeweiligen Schöpfer. Eva Hesse hat sich ein »witziges Ding ausgedacht, eine Röhre aus Stoff, verbunden mit Draht, wie man ihn für Hühnerkäfige benutzt« (Tom Doyle), doch nicht sie steckte darunter, sondern zwei andere junge Bildhauer. Sie fühlte sich unwohl in einem so engen Behältnis, worüber sich alle lustig machten, aber heute weiß ihr Witwer natürlich, woran es lag. Sie hatte einfach panische Angst, eingesperrt zu sein.

Eine andere Angst kehrte zurück. Die Angst, verlassen zu werden. Mehr als ein Jahr lang hatte sie fast nichts in ihrem Tagebuch eingetragen, monatelang auch ihren Psychiater nicht gesehen, weil es ihr gut ging. Jetzt begann sie wieder, ihre Ängste zu notieren. Fast alle handelten von Tom, ihrem Mann. Der hatte wieder sein bisheriges Leben aufgenommen, ging auch ohne sie aus und fand auch nichts dabei, morgens mal kurz um die Ecke zu gehen und um Mitternacht nicht mehr nüchtern wieder nach Hause zu kommen. »Wo ist Tom? Wie verlassen ich mir vorkomme, so allein … Ich werde wahnsinnig, mein Mann vernachlässigt mich … ich war schrecklich zu ihm, aber er war auch schrecklich mir gegenüber … wann arbeitet der eigentlich? … Die Situation ist beschissen, aber er denkt, alles sei okay … Er sagt, er liebe nur mich, aber als er es sagte, war er betrunken …«

Um dann ziemlich deutlich zu werden, weil ihr erzählt wird, dass er mit einer anderen Frau unterwegs war: »Fuck him, fuck her – yes fuck her I hope not.«

Weil sie sich verlassen fühlt, vertraut sie sich derart wieder ihrem Freund, dem Tagebuch, an. In einer Kneipe hört sie einem Streit unter Männern zu, ihr Mann ist auch wortgewaltig dabei. Es geht um Kunst und um Künstler. Keiner der Männer kommt auf die Idee, auch sie nach ihrer Meinung zu fragen. Sie ist ja nur eine Frau, eine Begleiterin. »Wann werde ich endlich respektiert?«, fragt sie ihr Tagebuch. Ihre Eifersucht ist fast schon krankhaft. Selbst bei lächerlichen Verspätungen ihres Mannes vermutet sie dahinter eine heimliche Affäre. Er wirkt auf Frauen so wie sie auf Männer. Auf die Idee, dass ihre erfahrene Freundin Barbara sich um Tom intensiver kümmert, als sie es erlauben würde, kommt sie nicht.

Typisch für sie, dass sie zunächst mal wieder die Schuld bei sich sucht. Kann es sein, dass sich Tom von ihr zu eingeengt fühlt? Aber sie will doch nur seine Nähe. In Ruhe arbeiten. Das kann sie nicht, wenn schwarze Gedanken sie bedrängen, statt dass heitere Gefühle in ihr aufsteigen. Am Todestag von Ruth Hesse, dem 8. Januar, ist es besonders schlimm. Sie vergleicht ihre Situation mit der damaligen ihrer Mutter, die sich verlassen vorgekommen sein muss und sich umbrachte. Sie schreibt via Tagebuch an Tom: »Unsere Ehe ist eine Farce. Es gibt sie gar nicht mehr. Ich hasse dich. Du bist weggelaufen«, aber ein paar Seiten weiter ist er wieder der beste aller Männer. Weil er krank ist, umsorgt sie ihn. »Warum hasse ich ihn so? Er ist genauso unglücklich wie ich. Kein Mensch gibt ihm eine Ausstellung. Ich habe mit ihm zusammen an einer Skulptur gearbeitet. Ich habe sie farbig angemalt. Es war ein guter Tag. Ich liebe Tom.«

Dass ausgerechnet sie, die Frau, eine Einzelausstellung bekommt und er, der Mann, nur mit anderen Bildhauern gemeinsam ausstellen kann, macht ihn nicht glücklich. Sie dagegen schon. Die Vernissage für »Eva Hesse, Recent Drawings« findet am 12. Mai 1963 bei Allan Stone statt. Sie glaubt an ein gutes Omen, am Tag danach hätte ihre Mutter Geburtstag gehabt. Eine Kritikerin lobt in »Art News« die farbigen Collagen und Tuschen und Kreidezeichnungen. Tom Doyle haut sich mit dem Galeristen Allan Stone. Der schlägt ihm ein blaues Auge. Das Foto, das Barbara Brown ein paar Tage darauf vom Ehepaar Doyle auf der Straße aufnimmt, zeigt ein lädiertes Paar. Glück sieht anders aus.

Trotz der monatlichen Zuschüsse der beiden unterschiedlich Begabten Grace Bakst Wapner und Ethelyn Honig war für das Ehepaar Hesse-Doyle sein Atelier nicht mehr zu finanzieren. Sie zogen am Ende des Jahres 1963 um. Für die bisherige Miete bekamen sie weiter unten im Village gleich zwei Lofts, was die Spannung zwischen Eva Hesse und Tom Doyle schon deswegen verringerte, weil sie sich tagsüber nicht auf die Nerven gingen. Sowohl künstlerisch als auch privat. Jeder hatte ein Atelier für sich. Eva malte, Tom experimentierte mit kleinen und größeren Steinplatten, womit er in Woodstock begonnen hatte. Sie konnten einander jedoch beobachten, denn die Stu-

Gespannte Zeiten: Eva Hesse und Tom Doyle 1963 in der Bowery.

dios lagen sich in der Bowery zwischen Broome und Grand Street auf Augenhöhe direkt gegenüber, nur durch die Straße getrennt. Die Nähe wiederum führt ein paar Jahre später, als Eva und Tom einander fern sind, zu furchtbaren Situationen, weil Eva mit einem Blick mitbekommt, wer bei ihrem Mann ein-, aber nicht vor dem nächsten Morgen wieder ausgeht. Vorhänge oder Jalousien gibt es weder bei ihm noch bei ihr.

Solange sie noch zusammenlebten, bewohnten sie über Evas Atelier zwei, drei Räume. Tom Doyle, der Handwerker aus Ohio, baute selbst ein Badezimmer ein, bei der Renovierung von Wänden und der Abdichtung von Fenstern half Eva mit. Die künstlerische Arbeit ruhte. Ihre Ehe war fast am Ende, als sie sich Ende 1963 in der Bowery 134/135 scheinbar auf Dauer einrichteten. Weder Evas Vater noch ihre Schwester ahnten etwas von den Problemen. Sie schaffte es einfach nicht, alles auf einmal und gleichzeitig zu sein – Frau, schön, Künstlerin, Geliebte, Haushälterin, Köchin –, klagte Eva Hesse einer Freundin und gestand resigniert ihrem Tagebuch: »Ich kann ja nicht mal ich selbst sein.«

Dass es ausgerechnet ein Deutscher sein wird, der ihre Ehe vorerst rettet, dass es ausgerechnet ein Deutscher sein wird, der Eva Hesse hilft, sich als Künstlerin in New York durchzusetzen, klingt absurd.

Doch genau so ist es.

6. KAPITEL

1963–1964

»Ich muss mich unbewusst mit meinem anderen Ich messen«

Beschützende Türklingeln gab es in der Bowery nicht. Die großen Tore, durch die einst das Material für die *lightning stores* angeliefert wurde, waren Tag und Nacht unverschlossen. Auch die alten Fahrstühle in den Fabrikgebäuden, konstruiert für schwere Lasten, ließen sich ohne Schlüssel öffnen. Sie funktionierten noch wie früher und waren jetzt den neuen Hausbewohnern, den Kunst-Handwerkern, zum Beispiel Bildhauern, bei deren Tätigkeiten förderlich. Tom Doyle transportierte per Lift Schieferplatten und Steinklötze, die er aus Woodstock kommen ließ, direkt in sein Atelier, wo der Aufzug hielt. Er war zwar ein starker Kerl, aber für solche schweren Brocken nicht stark genug.

Einer seiner Freunde, Al Held, Künstler wie er und gleichaltrig, Nachbar und vertrauter Zechkumpan, hatte ihm beim Whiskey von kunstbegeisterten deutschen Sammlern und Schweizer Kuratoren berichtet, die er bei Studienreisen nach Paris und bei seiner Ausstellung in Zürich getroffen hatte. Die Europäer interessierten sich für alles Neue und speziell für die Avantgarde, die im East Village während der letzten Jahre in vormaligen Fabriken entstanden war. Toms Skulpturen gehörten eindeutig dazu, und von denen hat er ihnen erzählt. Wer der Bildhauer war, das wussten zumindest die Schweizer Kenner, aber dass der Amerikaner jetzt mit Steinen arbeitete und nicht mehr mit leichter formbarem Holz, das war selbst ihnen neu. Das wollten sie selbst sehen.

Al Held zählt nicht zu den Abstrakten Expressionisten im Village, die – mal besser, mal schlechter, je nach Talent – noch ihre Formen, ihren Ausdruck suchen. Er malt hart auf Kante, was kein albernes Wortspiel ist, sondern eine passable Übersetzung für die Stilrichtung Hard Edge, zu der er sich bekennt. Da Kunst bekanntlich schwer zu beschreiben ist, hier in dürren Worten nur ein paar Begriffe und Eigenschaften, durch die sich die Anhänger von Hard Edge theoretisch – und die Guten unter ihnen praktisch – unterschieden von anderen Künstlern ihrer Zeit: geometrische Formen, kalte Farbtöne, weg von den wüsten, wilden Ausbrüchen der Expressionisten, zwar auch abstrakt malend wie die, doch nicht mehr als zwei, drei verschiedene Farben verwendend. Die Hartkantler lehnen alles Figürliche ab, wollen ihre Werke rational gestalten im Gegensatz zu den emotionalen Bildern der Abstrakten Expressionisten. Denen ist wesentlicher, eigene Erfahrungen und eigene Gefühle in Gemälden und Objekten umzusetzen und dabei so viele Farben und Formen wie nur irgend möglich zu benutzen.

Die Kunstliebhaber, von denen Al gesprochen hatte, planten nach New York zu kommen und sich alles ihnen Unbekannte

---

Die auf der nächsten Seite und auf den folgenden 15 Seiten abgebildeten Werke von Eva Hesse können nur einen kleinen Eindruck von der ungebrochenen Faszination vermitteln, die ihre Kunst weltweit auf ein großes Publikum, aber auch auf viele Künstlerinnen und Künstler nachfolgender Generationen ausübt. In zwei prachtvollen Bänden, ermöglicht von Helen Hesse Charash, Volker Rattemeyer und Iwan Wirth und herausgegeben von Renate Petzinger und Barry Rosen mit Annette Spohn und Jörg Daur, werden in einem Catalogue Raisonné (einem Werkverzeichnis mit genauen wissenschaftlichen Angaben) alle bis heute bekannten Gemälde und Skulpturen der Künstlerin in Wort und Bild vorgestellt. Zwei weitere Bände mit Eva Hesses Papierarbeiten sind in Vorbereitung. Eva Hesse, Catalogue Raisonné, Volume I: Paintings, Volume II: Sculpture, Museum Wiesbaden und Yale University Press, New Haven und London, 325 und 388 Seiten, durchgehend Farbe, 250 $.

Ringaround Arosie, Relief aus Graphit, ummanteltem Draht
und Papiercaché auf einer Hartfaserplatte,
fertiggestellt im März 1965 in Kettwig.

Hang Up, Objekt aus Acryl, Stoff, Holz, Schnur und Stahlrohr,
vollendet im Januar 1966 in New York.

Ohne Titel (Seven Poles), Fiberglas, Polyesterharz, Aluminiumdraht, vollendet mit Hilfe von Eva Hesses Assistenten 1970 in New York.

Metronomic Irregularity II, mit Baumwolle ummantelter Draht, Acryl, Graphit, Papiercaché auf Hartfaserplatte, New York 1966.

Accession III, Accretion und Repetition Nineteen III, Installation in der Ausstellung »Chain Polymers« in der New Yorker Fischbach Gallery, 1968. Material der Box: Fiberglas, Polyesterharz, Kunststoff.

Material der fünfzig Röhren: Fiberglas und Polyesterharz.
Material der neunzehn Zylinder: Fiberglas und Polyesterharz.

Zeichnungen, Latex-Arbeiten und Glasvitrine
mit Teststücken in der Ausstellung »Chain Polymers«
in der Fischbach Gallery, New York 1968.

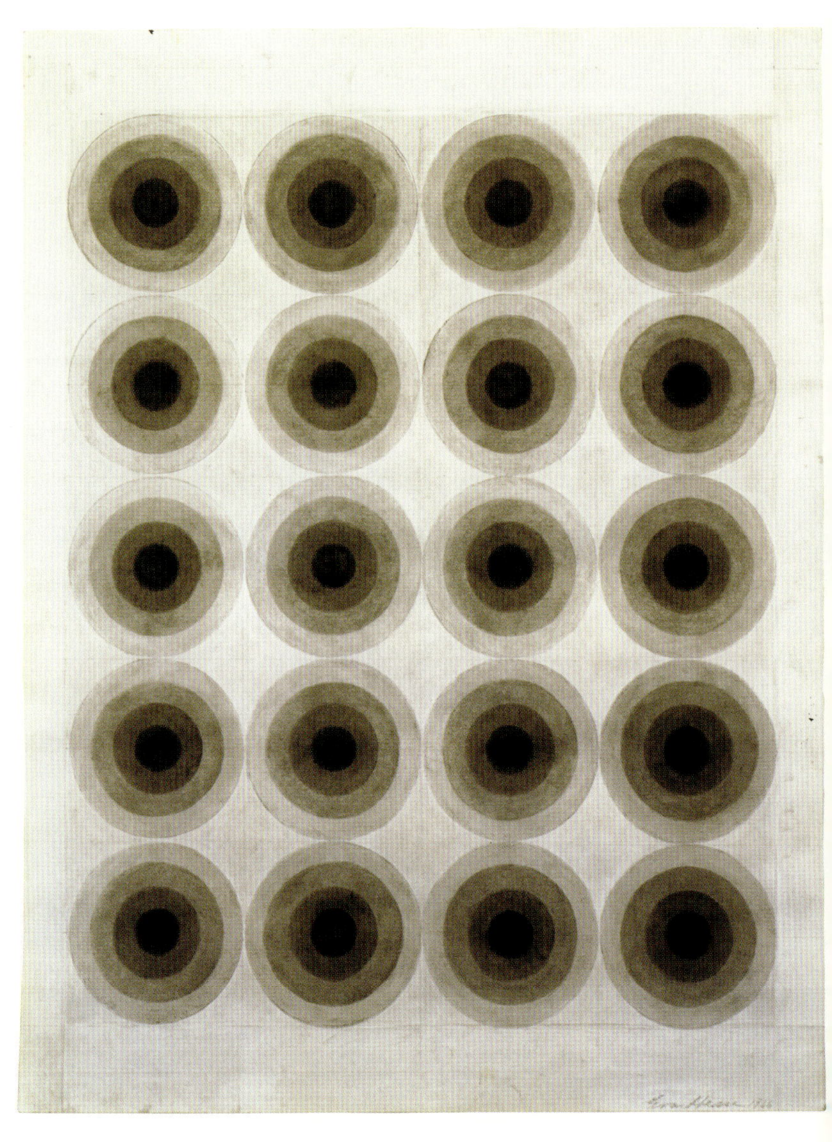

Ohne Titel, aus der Reihe der so genannten *Circle Drawings* aus den Jahren 1966/1967, Gouache, Tusche und Graphit auf Papier.

Ohne Titel, aus der Reihe der so genannten *Window Drawings*,
Gouache, Tusche, Silberfarbe und Graphit auf Papier, 1969.

Expanded Expansion, Fiberglas, Latex, textiles Gewebe zwischen Röhren gespannt, ausgestellt im Whitney Museum of American Art 1969, wo Eva Hesse vor ihrem Kunstwerk fotografiert wurde.

Right After, Fiberglas, Polyesterharz, Draht, 1969 in New York vollendet, Installation Yale University Art Gallery aus dem Jahre 1992.

Contingent, Fiberglas, Polyesterharz, Latex, Baumwollgewebe, 1969 in New York vollendet, Installationsansicht Finch College Museum of Art, New York 1969/1970.

anzuschauen. Es war egal, wie das hieß, ob es noch Abstrakter Expressionismus genannt wurde, Hard Edge oder schon Pop-Art. Tom Doyle hoffte, dass er ihnen einige seiner Arbeiten verkaufen könnte, dann käme endlich mal wieder Geld ins Haus. Momentan müssen Eva und er jeden noch so langweiligen Teilzeitjob annehmen, um die Miete bezahlen, um sich Leinwand, Farbe, Steine leisten zu können, ganz abgesehen von Grundnahrungsmitteln des Lebens, zu denen für Tom auch Whiskey gehört. Dass ihm eine Skulptur oder Eva ein Bild abgekauft worden ist, ist ein halbes Jahr her. Die 1300 Dollar aus Deutschland sind fast schon verbraucht.

Den genauen Termin, an dem die potentiellen Käufer kommen wollten, hat Tom Doyle längst vergessen. Irgendwann im November. Oder war es Dezember? Was ihn allerdings nicht weiter störte. Kunsthandel in der Bowery funktionierte nach dem Prinzip des *open house*. Entweder waren die Künstler bei der Arbeit, also greifbar, wenn Interessenten kamen, und falls nicht, mussten die eben warten, konnten sich in der Zwischenzeit unter den Objekten in den Ateliers schon mal umsehen. Falls Doyle nicht da sein sollte, wäre er höchstwahrscheinlich nicht weit. Vielleicht gerade gegenüber im Atelier seiner Frau, vielleicht in einem der Eckläden, um sich frischen Tabak für seine Pfeife zu besorgen. Ohne qualmende Pfeife im Mundwinkel ging er ungern ans Werk, manchmal auch mit einem Südwester ähnlichen Hut auf dem Kopf.

Von Evas Arbeitsräumen konnte man direkt in Toms Studio blicken, deshalb würde er auch von da aus die Besucher sehen, sobald sie ankamen. Die Nähe zwischen Eva und Tom war von beiden gewollt. Erst als sie sich entfremdeten, wurde die Nähe für die Verlassene zum Problem, das sie quälte.

Eines Tages sind die Kunsttouristen da. Der Fahrstuhl hält direkt im Atelier von Tom Doyle. Da es bei ihm weder Türen noch Vorraum gibt, sehen sich die Besucher schon nach dem Verlassen des Aufzugs mit Doyles Kunst konfrontiert: der deutsche Textilfabrikant Friedrich Arnhard Scheidt und seine Frau Isabel, die Museumsdirektoren Arnold Rüdlinger aus Basel und Harald Szeemann aus Bern, die Galeristen Renée und Maurice Ziegler aus Zürich, Mitglieder des Düsseldorfer Kunstvereins und Mitglieder von »Peau de l'Ours«. Scheidt gehörte zu beiden Vereinen. Was »Peau de l'Ours« bedeutet, musste sich Tom Doyle erklären lassen, davon hatte er noch nie gehört.

Aber was er dann erfuhr, fand er gut: Der merkwürdige Verein »Peau de l'Ours« ist vor rund zehn Jahren von Rüdlinger gegründet worden. Der Name bedeutet übersetzt so viel wie »Fell des Bären«, was zwar unsinnig anmutet – Bären? Fell? Kunst? –, aber einen tieferen Sinn hat. Die Förderer von »Peau de l'Ours« zahlten Beiträge in die Vereinskasse ein. Mit dem Geld wurden junge Künstler gefördert, zu denen auch Al Held zählt, womit der Bogen zum jetzigen Besuch in Tom Doyles Atelier geschlossen wäre. Im Gegenzug durften sie sich dann einmal im Jahr ein Werk der von ihnen Geförderten aussuchen und zu einem günstigen Preis erwerben – bei solchen Vereinstreffen wurde sozusagen das Fell des Bären verteilt.

Offensichtlich also sind das die Leute, von denen Freund Al gesprochen hatte. Sie sind noch frisch. Sie sind noch nicht erschöpft vom glitzernden Moloch New York, dessen Lichter nicht bis in die Bowery reichten, dessen Geräusche aber als fernes Grollen immer hörbar waren. Sie sind noch neugierig. Sie sind noch aufnahmebereit. Doyles Atelier ist erst die dritte oder vierte Station auf ihrer *Art*-Tour durchs Village, und der Künstler selbst, der zu aller Überraschung Deutsch spricht, ist anwesend.

Willkommen.

Arnold Rüdlinger hatte seine Truppe vor dem Abflug darauf vorbereitet, dass es bei ihrer Expedition verstörend Fremdes zu sehen geben würde, sie sollten auf alles Mögliche und alles Unmögliche gefasst sein. Also nicht erschrecken, nur staunen. Avantgarde wie die von SoHo hat nichts gemein mit der ihnen vertrauten Moderne von Paris. In New York ist nach seiner Überzeugung schon jetzt die Zukunft der Kunst zu betrachten. Unter anderen hat er einen gewissen Andy Warhol, der in einer ehemaligen Fabrik in der 47. Straße Ikonen und Symbole aus dem amerikanischen Alltag verfremdet, auf seiner Liste.

Auf der war Eva Hesse nicht verzeichnet.

Begleitet werden die Gäste von Al Held. Er war für Arnold Rüdlinger, den er durch das Ehepaar Ziegler als Präsidenten des Bären-Vereins kannte, in den Monaten zuvor Späher und Pfadfinder gewesen, hatte ihn bei Malern und Bildhauern angepriesen als einflussreichen Kunstmanager, schließlich dem Schweizer eine Auswahl von Galerien in SoHo samt einigen Adressen von Künstlern aufgeschrieben, die sie ohne Anmeldung besuchen konnten. Seinen Nachbarn Tom empfahl er sozusagen unbesehen für eine Ausstellung in Basel, wo Rüdlinger die Staatlichen Kunstsammlungen leitete, doch Rüdlinger wollte erst mal selbst einen Blick auf die so angepriesene Kunst werfen.

Doyle hatte im gerade vergangenen Sommer in Woodstock begonnen, Skulpturen aus Graphit und Steinen zu formen, hatte mit großen und mit kleinen Steinen gearbeitet, mit weichen und mit harten Brocken, mal aus einem Stück eine einzige Plastik gehauen, mal eine andere aus kleinen aneinander geklebten Schieferstücken gebaut. Die fertigen Objekte stehen in seinem Atelier, die unfertigen liegen noch herum. Es sieht zwar chaotisch aus bei ihm, doch das macht den Reiz aus, denn nach dem ersten Schritt aus dem Fahrstuhl befinden sich Doyles Besucher mitten im Leben und gleichzeitig mitten in der Kunst. Einer von ihnen, dem der Bildhauer seine Arbeiten näher erklärt, ist hellauf begeistert von den kraftvollen Plastiken: der deutsche Kunstsammler, Mäzen und Unternehmer Arnhard Scheidt.

Ein Mann schneller Entschlüsse, wie Doyle bald feststellen wird. Scheidt bedrängt ihren Reiseführer Arnold Rüdlinger, einige der Skulpturen nach Europa zu verfrachten und dort auszustellen. Am besten in Düsseldorf, wo es eine avantgardistische Szene gab, und dort bei Alfred Schmela, wo sonst. Schmela ist mit seiner Galerie ein Herbergsvater für alle, die mit ihrer Kunst der Zeit voraus waren und deshalb ein schützendes Dach brauchten, um nicht von Vorurteilen erschlagen zu werden. Auch aus Bequemlichkeit hatte Scheidt wohl zunächst für die Galerie Schmela plädiert, denn von seinem Wohnort, einer Kleinstadt namens Kettwig, heute nach Essen eingemeindet, brauchte er nach Düsseldorf kaum mehr als eine Stunde.

Der von allen Noldi genannte Rüdlinger vermochte nach seinem ersten Eindruck Scheidts spontane Begeisterung über die Plastiken von Tom Doyle nicht zu teilen, wollte den reichen Sammler aber nicht verärgern und rechnete ihm stattdessen vor, was der Transport der schweren Steine von New York nach Europa kosten würde, ganz abgesehen von der Gefahr, dass unterwegs bei starkem Seegang etwas unwiederbringlich zerstört werden könnte. Womit er das Thema am Abend nach ihrer Besichtigung für erledigt hielt, denn bei aller Liebe für Kunst war Arnhard Scheidt doch in erster Linie Unternehmer mit einem ungestört guten Verhältnis zum Geld.

Doch seine Rechnung ging nicht auf. Scheidt reagierte gleichermaßen als Mäzen wie als Unternehmer. Falls es zu teuer sei, die Steinskulpturen zu transportieren, hatte er eine einfache Lösung des Problems parat, und die lautete, den Bildhauer nach Deutschland zu holen und seine Werke vor Ort entstehen zu lassen. In Kettwig, wo Scheidts Tuchfabrik und Kammgarnspinnereien standen und wo er mit seiner Frau und seinen Kindern lebte, könnte er große Räume anbieten, und in der Umgebung, im Tal der Ruhr, ließen sich bestimmt auch ähnliche Materialien finden wie diese hier verwendeten.

Schiefer jedenfalls hätten sie, mit Schieferplatten deckte man im Bergischen Land seit Jahrhunderten auch die Hausdächer. Tom Doyle hat später in Deutschland keine einzige Skulptur aus Steinen gemacht: »Ich benutzte alles, was da nur herumlag, und Scheidt hat auch nie nachgefragt.«

Und es lag dann viel herum, in greifbarer Nähe, denn eine der Fabriken wurde gerade abgewickelt, die nicht mehr benötigten Maschinen und Webstühle zerlegt, als Eva Hesse und Tom Doyle nach Kettwig zogen. Industrieabfall wie Spindeln oder Stahldraht, Gitter oder Eisenteile, für die deutschen Arbeiter nichts weiter als Rost und Reste, zum Entsorgen auf Müllhalden bestimmt, war für die beiden Amerikaner ein interessanter neuer Werkstoff. Doyle baute daraus Plastiken, die Eva bemalte. Auch dann, wenn sie die einzelnen Teile nicht unmittelbar verwerten konnten oder wollten, blieben ihnen die im Gedächtnis. Sowohl in seinen Skulpturen als auch in ihren Materialbildern und in ihren Reliefs tauchten sie alle wieder auf.

Von Eva Hesses Bildern nahm an jenem Herbsttag in New York niemand Notiz. Doyle stellte den Besuchern seine Frau zwar vor, aber als die beiläufig erwähnte, dass sie im Atelier gegenüber auf der anderen Straßenseite malte, nickten die nur höflich desinteressiert. Arnhard Scheidt erinnerte sich viele Jahre später daran, dass er dennoch kurz auch ihre Gemälde angesehen hatte, die ihm aber »nicht sonderlich gut gefallen hatten«, weil sie seiner Meinung nach zu bunt waren – »die Farben waren grell« –, und das, was Eva Hesse in ihren Bildern ausdrücken wollte, dünkte ihm »sehr verwischt«, womit er eine etwas verwaschene Definition des Abstrakten Expressionismus mitlieferte.

Was sie sonst noch so machte, interessierte erst recht keinen. Sie selbst weiß auch noch nicht so recht, was daraus werden wird. Es sind »Boxes«, die als neues Motiv in ihren Zeichnungen auftauchen. Manche sehen aus wie ein Stadtplan

New Yorks von oben betrachtet, manch eine könnte entstanden sein, als sie Tom gegenüber in seiner »Box« arbeiten sah. Vielleicht sind diese ersten Versuche in der dritten Dimension auch angeregt worden durch die Kunst, die um sie herum in der Bowery entstand, wohin sie gerade gezogen waren. Do-

Nachdenklich in die Zukunft: Eva Hesse in ihrem Atelier in SoHo.

nald Judd macht seine ersten Boxes, und Boxes hat sie schon bei Marcel Duchamp gesehen. Es gibt leere Boxes, und es gibt volle, und die vollen sind bei ihr mit merkwürdig anmutenden Comicstrips gefüllt. Mag sein, dass sie Marcel Duchamp sogar persönlich getroffen hat, der zu dieser Zeit oft Schach spielend in der Gegend in Cafés saß und nicht weit entfernt in der 11. Straße wohnte.

Eva Hesse war zwar enttäuscht, dass sie, wie so oft, als Frau und nicht als Künstlerin wahrgenommen wurde, doch warum sollten sich Männer aus Europa anders verhalten als die Männer, die sie aus New York kannte? Sie wusste ja aus Erfahrung, dass die Kunstwelt eine Männerwelt war und man als Frau mindestens doppelt so gut sein musste wie ein Kerl, um überhaupt wahrgenommen zu werden. Erst als Scheidt ihrem Mann vorschlug, anstelle seiner Objekte selbst nach Deutschland zu kommen und dort ein Jahr lang als Bildhauer zu arbeiten, mischte sie sich wieder ein.

Zunächst aus ganz egoistischen privaten Gründen. Beim Zustand ihrer Ehe, die zwei Jahre nach der Hochzeit eigentlich bereits gescheitert war, was sie ihren Freundinnen Rosalyn und Ethelyn und Barbara oft erzählt hatte, würde eine längere Trennung mit Sicherheit das Ende bedeuten. Vielleicht bekämen sie und Tom aber unverhofft eine zweite Chance, falls sie gemeinsam New York verließen und weit entfernt von den Komplikationen des hiesigen Alltags, aufeinander angewiesen in der Fremde, einen Neustart versuchten?

Was Scheidt anbot, schien ihr deshalb nicht nur eine »Schirmherrschaft wie zu Zeiten der Renaissance« zu sein, wie sie mit der ihr eigenen Ironie bemerkte, als sich die Fürsten Künstler leisteten und die bei Hofe hielten, sondern auch aus persönlichen Gründen verlockend. Vor Deutschland hatte sie einerseits Angst aufgrund ihrer Geschichte, andererseits war sie neugierig auf die nachgeborene Generation von Deutschen und auf deren Leben. Die Vorstellung, in das Land zu reisen, aus dem sie als kleines Kind vertrieben wurde, war also zwar erschreckend, aber ebenso reizvoll. Auf sich allein gestellt ohne schützende Begleitung würde sie es nie wagen, Spurensuche in ihrer deutschen Vergangenheit zu betreiben. Dafür brauchte sie einen starken Halt, und der war Tom, denn er kannte ihre Biografie. Drittens war Deutsch ihre Muttersprache, in der sie sich mit ihrem Vater unterhielt, weshalb allein sie in der Lage war, nicht nur Arnhard Scheidt ohne Dolmetscher direkt anzusprechen, sondern auch den Alltag dort zu meistern. Ihr Mann verstand zwar Deutsch, ber Doyle hatte schon vieles vergessen seit seiner Zeit als GI in Marburg vor bald zwanzig Jahren.

Doch zuerst einmal sagt sie gar nichts und sieht nur gut aus. Ein Foto, aufgenommen in dem Moment, als sie sich prüfend im Spiegel betrachtet, zeigt das. Kein zufälliger Schnappschuss, eher eine inszenierte Szene. Die junge Frau, einst zum schönsten Mädchen ihrer Klasse gewählt, hat sich geschmückt zum Ausgehen – oder wie Ethelyn Honig es auszudrücken pflegte: Sie hat sich aufgedonnert. Lang baumelnde Ohrringe, die Haare zu einem so genannten *beehive* hochgebunden, wozu man altmodisch auf Deutsch auch Dutt sagen könnte, die Augenbrauen nachgedunkelt, die vollen Lippen geschminkt. Sie trägt ein eng anliegendes schwarzes Wollkleid, das ihre Formen betont, hochhackige Schuhe, die sie um fünf, sechs Zentimeter größer machen als 1,58 Meter.

Auch ohne die *high heels* wäre ihre Schönheit aufgefallen.

Am nächsten Tag, als die Gruppe Rüdlinger zur Vernissage in einer Galerie eingeladen war, stand derart aufgeputzt die Malerin von der anderen Straßenseite unter den Gästen. Scheidt erinnerte sich, bei dieser Vernissage habe sich eine Frau an ihn herangeschlängelt, wie er sich in einem Gespräch mit Renate Petzinger ausdrückte. Diese junge Frau, damals siebenundzwanzig Jahre alt, war Eva Doyle. »Sie wollte mitkommen nach Deutschland.« Was für den Geschäftsmann Scheidt bedeutete, dass er für den Preis von einem – Tom Doyle – als Dreingabe noch einen weiteren Künstler bekäme, nämlich Eva Hesse. Ein guter Deal mit geringem Risiko. Er bot deshalb nicht nur dem Bildhauer an, für ein Jahr nach Kettwig zu kommen – freies Wohnen, Atelier in einer ehemaligen Fabrik, 600 Mark pro Monat für alle sonstigen Ausgaben –, er durfte gern auch seine Frau mitbringen, die Malerin.

Als Dank für sein Mäzenatentum wollte der Fabrikant am Ende des Aufenthalts drei bis vier Steinskulpturen oder zwei Holzplastiken behalten dürfen, die in der Zeit entstanden. Von etwaigen Gemälden Eva Hesses, die sie in Kettwig produzieren würde und die auch ein Teil des Geschäfts hätten sein können, war nicht die Rede. Alles drehte sich um Tom. Er war der Star. Dass sich seine schöne Frau auch mit Kunst beschäftigte, war schön und auch gut so. Dann war sie nach Meinung von Scheidt wenigstens beschäftigt und würde ihren Mann nicht weiter bei der Arbeit stören.

Einverstanden, Mister Doyle?Einverstanden, Mister Scheidt.

Und wie hat Tom das seiner Frau erklärt?

Wieder mal holt der kurz Atem und behält dabei seinen Hut im Auge, damit den keiner aus Versehen mitnimmt: »Ich sagte zu Eva, das machen wir. Wann denn sonst? Wir sind jung, wir sind frei, es ist die beste Zeit unseres Lebens, wir müssen uns da um nichts kümmern, weder um Geld noch ums Wohnen, weder um ein Atelier noch um Material, wir können uns ganz auf unsere Arbeit konzentrieren. Und auf uns.«

Spiegelbild einer erotischen Frau: Eva Hesse, zum Ausgehen bereit.

Dies vor allem. Es sei damals ja tatsächlich schwierig gewesen in ihrer Ehe, jeden Tag habe es Streit und gegenseitige Vorwürfe gegeben, aber dank Scheidts Offerte ließe sich eventuell noch was retten von der mal großen Liebe. Zwar sah er ihre grundsätzlichen Probleme ebenso klar wie Eva Hesse – die Probleme, die zwei Künstler nicht nur mit ihrer eigenen Kunst erlebten, sondern auch permanent mit der ihres Partners. Seine Frau hat oft über die Konkurrenzsituation in ihrer Beziehung geschrieben: »Wenn ich mich mit Tom messe, dann muss ich mich unbewusst auch immer mit meinem anderen Ich messen.« An den Tagen, an denen Tom Doyle etwas Gutes gelungen war mit seinen Plastiken, hielt sie ihre eigenen Arbeiten für misslungen. Viel zu selten war es umgekehrt. Die Erklärungen, die sie für sich selbst suchte, die allerdings fand sie nicht etwa ursächlich im künstlerischen Unterschied, der ja sichtbar war schon allein in den verschiedenen Arten, wie beide mit Kunst umgingen. Sondern verursacht durch ihre Doppelrolle als Frau und Malerin.

Während der Herr des Hauses, von ihr »king of the roost« genannt, Hahn im Korb, ein Nickerchen machte oder bequem in einem Sessel saß und ein Buch las, musste sie entweder kochen oder abwaschen oder sich um das kümmern, was ihn auch nicht interessierte: Briefe beantworten, Rechnungen prüfen. »Er isst und schläft und trinkt und arbeitet«, aber besteht darauf, dass die ihm lieben Rituale eingehalten werden. Also zum Beispiel ein herzhaftes amerikanisches Frühstück auf dem Tisch, Eier und Speck, viel Kaffee, weil das seine Laune fördert. Morgens sei er meist »süß, liebevoll, zärtlich und einfach nur gespannt auf den neuen Tag«, notierte seine Frau.

Morgens.

Nachts dagegen kann es schon mal passieren, dass der geliebte Tom angeschickert, »in the shittiest temper«, in beschissener Laune, bei einem Streit mit Eva, die nie um ein scharfes Widerwort verlegen ist, das Radio an die Wand schmeißt und das Holzgestell ihres Bettes zertrümmert – »T. smashed and broke the wood of the bed« –, dann aber, gelernter Zimmermann, der er ist, wenigstens das Bett umgehend wieder repariert. Es sei kein Verlass auf ihn, er kümmere sich um nichts, sei nur hundertprozentig bei der Sache, wenn er an seinen Objekten arbeite oder wenn er lese. Um diese totale Konzentration auf das für ihn Wesentliche beneidet sie ihn.

So etwas wie Neid auf andere Künstler, die besser schienen als er, war Tom Doyle fremd. Auch Eva attestiert er das heute. Neid war es nicht, meint er, wenn sie andere heftig anging und deren Arbeiten kritisierte oder ihn fragte, warum sich die verkaufen ließen und die ihren nicht. Es war vielmehr die Unbedingtheit, mit der sie überhaupt Kunst beurteilte, stets an den strengen Maßstäben ausgerichtet, die sie auch an ihre eigenen Werke anlegte, weshalb sie Zeichnungen oder eine bemalte Leinwand zerriss, wenn sie ihr nicht gelungen schienen. In dieser ihrer Absolutheit, meint Tom Doyle, sei sie doch sehr deutsch gewesen. Er wusste auch, dass sie alles aufschrieb, was um sie herum und vor allem ihr mit ihm passierte. Doch gelesen hat er es nie. Falls sie etwas nicht gut fand, dann sagte sie das auch. Ganz egal, ob es die Arbeit eines schon Berühmten war, die eines entfernten Bekannten, die ehemaliger Mitbewohnerinnen oder die ihres Nächsten. Also die von Tom. Dass der sich bei aller noch vorhandenen Liebe darüber dann nicht gerade freute, ist verständlich. Eva verstand es nicht. Sie hatte es doch nur gut gemeint und auf keinen Fall persönlich.

Natürlich war sie einverstanden, als ihr Tom die Einzelheiten von Scheidts Angebot schilderte. Die Möglichkeit, sich in Europa in Museen und Galerien umschauen zu können, mit eigenen Augen zu sehen, was drüben los war in der Kunst, Macher und Meister, Praktiker und Theoretiker, Berühmte und fast Unbekannte zu treffen, von denen sie gehört und gelesen hatten, der finanziellen Beschränktheit in der Bowery zu entkommen – diese Aussichten verscheuchten die trüben

Gedanken, ließen sie vergessen, dass sie das Leben mit Tom eigentlich bereits für beendet und ihre Ehe zur Farce erklärt hatte. Rosalyn Goldman, mit der sie fast ein Jahr nicht gesprochen hatte, weil die sie vor dem wilden Kerl glaubte warnen zu müssen, war längst wieder ihre engste Freundin und wusste alles von den alltäglichen Szenen einer Ehe. Doch jetzt vergaß Eva alle klugen und gut gemeinten Ratschläge, ihre Vorfreude besiegte ihre Zweifel.

Gleichzeitig aber bewahrte sie einen kühlen Kopf und kümmerte sich um das Kleingedruckte, um die nicht ganz so unwesentlichen Details. Sie war es nämlich, nicht etwa Tom Doyle, die den Vertrag mit Arnhard Scheidt aufsetzte – wobei ihr ein Jurist namens William Hesse half –, in dem penibel die mündlich ausgehandelten Bedingungen festgehalten wurden, wonach der deutsche Mäzen die Kosten für Reise, Wohnung und Atelier zu übernehmen und das Künstlerpaar mit 600 DM pro Monat auszustatten habe. Sechshundert Mark – umgerechnet in Dollar war das mehr, als Eva und Tom in normalen Monaten in New York fürs Leben zur Verfügung hatten.

Kaum war der Vertrag unterschrieben und kaum hatte Scheidt New York verlassen mit der Zusage des Ehepaares Doyle im Gepäck, spätestens im Juni 1964 in Kettwig einzutreffen, begann Frau Eva Doyle an ihrer Entscheidung zu zweifeln. Der Alltag mit Tom war ja nicht schon durch die Aussicht auf das kommende Jahr ein anderer geworden, der ging ja so weiter wie bisher. Würde die Ehe überhaupt bis zur geplanten Abreise halten? Noch zwei Wochen vor dem Termin, an dem sie dann abfliegen, trägt sie in ihr Tagebuch ein: »Hier sitze ich nun, in Panik, heulend. Dieser Druck, dass wir New York verlassen, lastet schwer auf mir. Ich kann überhaupt nicht mehr arbeiten, ich finde die nötige innere Ruhe nicht.«

Hatte Tom etwa schon damals ein Verhältnis mit ihrer Freundin Barbara? Ahnte sie es? War dies ein Grund, warum sie sich trotz aller Ängste vor dem Land, dem sie entflohen war, auf das Alleinsein mit Tom in einer kleinen deutschen Stadt freute, weil die andere zurückbleiben musste in New York? Rosalyn Goldman ist davon überzeugt, dass sie es nicht wusste: »Sonst hätte sie mit mir darüber gesprochen und nicht erst in den Briefen, die Eva von Kettwig nach New York an mich schickte, ihr Herzeleid geklagt.«

Mit ihrem Vater bespricht Eva andere Vorbereitungen für die Reise nach Deutschland. Die jüdische US-Künstlerin Eva Hesse ist gespannt auf ihre deutschen Wurzeln. Verwandte gibt es nicht mehr, die sind alle ermordet. Aber Bekannte und Kollegen müssten noch leben. William Hesse schreibt ein paar Namen und Adressen auf aus Hameln, wo ihre Mutter aufgewachsen war, erzählt von seiner Heimat Hamburg und von ehemaligen Klienten dort und ihrer Wohnung in der Isestraße. Wie weit sind diese Orte von der Stadt entfernt, in der sie und Tom leben werden?

Egal, wie weit das ist.

Eva Hesse will auf jeden Fall in den kommenden zwölf Monaten, die sie in Kettwig verbringen wird, Orte und Straßen und falls möglich sogar Häuser und Wohnungen aufsuchen, die in der Biografie der Familie Hesse eine Rolle gespielt haben, bevor sie vor den Nazis emigrieren musste.

Neugier allein ist es wohl nicht gewesen. Sie versprach sich mehr davon. Zu oft hatten die Schatten der Vergangenheit, die sie unbewusst als Kind erlebt hatte, die aber wieder und wieder aus dem Unterbewusstsein der dann Erwachsenen auferstanden waren in nächtlichen Alpträumen und Angstattacken, die sie regelmäßig überfallen, mit ihren beiden Psychiatern Helene Papanek und Samuel Dunkell besprochen. Geholfen hatte ihr diese Therapie des Erinnerns nicht. Vielleicht war es hilfreicher, sich der Vergangenheit von Angesicht zu Angesicht zu stellen, indem sie sich, fast zwanzig Jahre nach dem Ende der Naziherrschaft, in die deutsche Gegenwart begab.

Zum Abschied von New York gibt das Ehepaar Doyle für

Künstler und Nachbarn ein Fest. Evas Atelier und die gemeinsamen Wohnräume haben sie untervermietet, im Studio von Tom werden beider Arbeiten gelagert, bis sie wieder zurückkehren. Norman und Rosalyn Goldman bringen am nächsten Tag ihre Freunde zum Flughafen Newark. Kaum sind sie wieder zu Hause an der East Side, ruft Eva bei ihnen an: Der Flug sei ersatzlos gestrichen worden, aber es lohne sich für sie nicht, zurückzukommen in die Stadt. Tom und sie würden am Flughafen übernachten und es morgen früh erneut versuchen.

Eva Hesse und Tom Doyle landeten mit Icelandic Airways, damals die billigste Flugverbindung zwischen den Vereinigten Staaten und Europa, am 7. Juni 1964 in Luxemburg. Ihr Renaissance-Mäzen und seine Frau holten sie ab. Arnhard Scheidt sind von der Ankunft vor allem die Farben der Eva Hesse in Erinnerung geblieben: »Sie trug ein lila Kostüm mit einem roten Hut – ganz grauenhafte Farben, wie ihre Bilder.« Dann fuhren sie über die Grenze ins Ruhrgebiet, nach Kettwig, und weil es schon ziemlich spät war, als sie ankamen, verbrachten sie die Nacht im Gästezimmer der Scheidt-Villa. Die beherrschte das Ufer, und heute, viele Jahre danach, glaubt man bei nächtlichen Blicken auf das große Haus, das längst wie ausgeraubt am Fluss liegt, noch fröhliche Stimmen und Musik und Gelächter zu hören.

Scheidt ist vermögend und der größte Arbeitgeber der kleinen Stadt. Zwischen achthundert und tausend Menschen, je nach Auftragslage, arbeiten in seinen Fabriken. In einer von denen, einer vor zwei Jahren stillgelegten Tuchfabrik, direkt an der Ruhr, ist der erste Stock renoviert wurden, dort sollen Eva Hesse und Tom Doyle ungestört arbeiten und wohnen. Am nächsten Morgen fahren sie hin. Es sieht schon auf den ersten Blick ziemlich gut aus – ein Backsteingebäude, geräumige erste Etage ohne Zwischenwände mit großen Fenstern und hoher Decke, zusätzlich in der noch ein gläsernes Oberlicht. Scheidt ist zufrieden, dass es ihnen gefällt, erinnert sie daran, dass seine Fabriken zur Verfügung stehen, falls sie besondere Materialien brauchten, und falls sie die Hilfe seiner Arbeiter benötigten, sollten sie ihm einfach Bescheid sagen.

Eva Hesse richtet sich ihr Atelier in der Mitte der Fabriketage in einem Glaskasten ein, in dem einst die Abteilungsleiter gesessen hatten, um die Webstühle im Blick zu haben. Die Arbeiter, die an denen mal saßen, sahen von ihren Vorgesetzten nur die Köpfe, denn der Rest war ringsum verdeckt von einer Holzverkleidung in etwa einem Meter Höhe, erst darüber begann das Glas. Eva braucht mehr Licht, Tom braucht mehr Platz und besetzt deshalb die ganze übrige Fläche. Noch ist alles leer und sauber, die Wände sind weiß getüncht, die eisernen Querbalken, an denen einst Arbeitsmaterial hing, gestrichen, die Fenster geputzt. Bald liegen überall Maschinenteile und Metallstücke und Spindeln herum, sein ganzes Atelier sei voll *»junk«* gewesen, voller Abfall, erzählt er. In einigen ehemaligen Büroräumen beziehen sie eine Wohnung. Bad und Toilette und Küche hat Scheidt einbauen lassen.

Beide allerdings haben sich bei ihrer Arbeit im Blick. Wie früher ist von den Menschen im Kasten nur der Kopf zu sehen. Es ist jetzt nur ein Mensch und es ist nur ein Kopf – Evas Kopf. Selbst dann, wenn sie steht, ragt sie kaum über den Holzrahmen hinaus. Einmal hat Tom Doyle, der stets aufgelegt war zu *practical jokes*, wenn er genervt war, dass sie ihn andauernd verbesserte, weil er ein paar ihrer Reliefs an die Wand hängen wollte, als sie immer wieder einen Schritt zurücktrat, um ihn streng zu verbessern, da sie nie restlos zufrieden war – einmal hat er kurzerhand Eva hochgehoben, auf einen herumstehenden hölzernen Pfeiler gesetzt und ihr befohlen, sitzen zu bleiben, bis er fertig sei. Erst danach half er seiner Frau wieder auf festen Boden zurück.

Die Dimensionen ihrer Ateliers sind sichtbar in bewegten Bildern aus einem Film, den der Regisseur Werner Nekes Anfang der achtziger Jahre des vergangenen Jahrhunderts gedreht hat. Einige Szenen von »Uliisses« spielen in der verlassenen Fabrik. Man sieht eine riesige leere Halle, zerbrochene Fensterscheiben, knöcheltiefes Gras im Raum, durchs gleichfalls kaputte Oberlicht hängendes Efeu. In der Totale wirkt alles wie eine einzige große grüne Allee, in der nur Bäume fehlen und Menschen. Die beim Schwenk der Kamera auftauchenden Figuren sind naturgemäß nicht die ehemaligen Bewohner Eva Hesse oder Tom Doyle, doch ihre Schatten könnten es gewesen sein. Der von Nekes gefilmte tote Raum war schließlich mal ihr Lebensraum.

Ansonsten gibt es von beiden keine Spuren mehr in Kettwig.

Längst auch keine mehr von dem Gebäude. Es wurde abgerissen, als die Textilindustrie starb, von der mal die ganze Stadt lebte, bis auch Scheidt 1972 aufgeben musste. Der Bildhauer Wolfgang Liesen, der von seinem Freund Werner Nekes eine kleine Rolle in »Uliisses« bekam und später mit ihm bei vielen Projekten zusammenarbeitete, hat auf seinen Spaziergängen aber Bilder im Kopf von früher, wenn er vorbeikommt an der Stelle, wo einst die Fabrik stand. Auf diesen imaginären Bildern sieht er nicht nur Steine und Gras und Efeu und zerbrochene Fensterscheiben, wie sie jeder in dem Nekes-Film sehen kann. Liesen sieht Eva und Tom. Er kannte sie.

Liesen bewohnte im Sommer 1964 in der Innenstadt von Kettwig ein kleines Haus. Im Erdgeschoss befand sich sein Atelier. So nannte er den Raum. Darüber im ersten Stock lebte er mit seiner Frau Rosemarie. Wenn er unten mit flüssigem Blei arbeitete, zogen beißende Dämpfe nach oben, aber dass die giftig sein konnten, dass die krank machen konnten, wusste man noch nicht. Es hatte sich schnell herumgesprochen, dass amerikanische Künstler an die Ruhr gezogen waren, und deshalb war er, der einheimische Bildhauer, besonders neugierig. Also ging er hin und stellte sich dem Kollegen aus New York vor. Der hatte einen großen Namen. Von dem hatte er schon gelesen. Von dem konnte er was lernen.

Der freundliche Tom bot Wolfgang tatsächlich Hilfe an, das Ehepaar Liesen bot dem Ehepaar Doyle seine Freundschaft an. Beide Angebote wurden angenommen. Mit Tom verstand sich Liesen besser als mit Toms Frau, aber das lag an der Profession, an der sie verbindenden Materie. Eva malte und zeichnete, mit Plastiken hatte sie nichts zu tun außer dann, wenn Tom ihren Rat suchte wegen möglicher Farben für seine Skulpturen. Davon wusste sie mehr als er. Sie hatte ein sicheres Gefühl dafür, was passte und was nicht. Er vertraute ihrem Instinkt. »Sie konnte zeichnen wie, ja, wie ein Engel, wirklich phantastisch. Ihre Zeichnungen sahen schon aus wie die Zeichnungen eines Bildhauers, nicht wie die Zeichnungen eines Malers.« Dass sie ihre künftige Form schon vor ihrer Abreise nach Deutschland erprobt hatte, in Zeichnungen und Collagen unter die künftige Richtung weisenden Titeln wie *And He Sat in a Box* oder in allen Variationen von Objektkästen, schlicht nur *Boxes* genannt, war ihm anscheinend nicht weiter aufgefallen.

Doyle half Liesen beim Umgang mit seinem Werkstoff Blei. Sein Freund und Kollege Robert Morris, der mit Blei experimentierte, wohnte und arbeitete nicht weit entfernt von ihm in der Bowery. Eva suchte eher die Nähe von Liesens Frau Rosemarie. Vor allem dann, wenn sie mal wieder auf der Suche nach ihrem aushäusigen Ehemann durch Kettwig irrte, fand sie bei ihr Trost im ersten Stock des Hauses Liesen. Dann klingelte sie, egal, wie spät es war, wurde eingelassen und verbrachte die Nacht bei den Liesens.

Nicht nur die Skulpturen von Doyle, die so ganz anders waren als das, was ihm bisher von der Hand gegangen war, gefielen Liesen. Auch das große Atelier der Hinzugezogenen beeindruckte ihn. Auf die eigentlich nahe liegende Idee, in ehemaligen Industriebauten zu arbeiten, war er noch nicht gekommen. Als er es sich viele Jahre später dank einiger gut honorierter Aufträge leisten konnte, kaufte er ein ehemaliges Wasserwerk am Fluss. Dort wohnt er bis heute mit seiner Frau, im Nebengebäude seine Tochter mit ihrer Familie. Kunst und Leben sind auch bei ihm nicht voneinander getrennt, denn mit ein paar Schritten ist er von der Küche aus in seinem luftig bis zum Dachfirst reichenden Atelier. Die grünen Äpfel aus dem eigenen Garten liegen neben ebenfalls nicht ganz ausgereiften Plastiken.

Eva Hesse und Tom Doyle fühlen sich in ihrer Fabrik wie zu Hause. Es ist zwar nicht mehr die Bowery, auf die sie blicken, es ist die Ruhr. Aber ansonsten ist der Unterschied zu New York nicht so gewaltig. Auch dort haben sie in einer ehemaligen Fabrik gewohnt, auch dort in einem großen Raum gelebt und gearbeitet. Drüben nannte man es Loft, hier war es eine Sensation, dass Leute in eine Fabrik einzogen, um dort nicht nur zu arbeiten, sondern auch zu leben. Ihre deutschen Nachbarn sehen sich bestätigt in dem, was sie immer vermutet hatten – Amerikaner sind nicht nur anders als sie, sie sind wirklich verrückt.

Carl Eduard Scheidt, der damals zehnjährige Sohn des Fabrikanten, heute Psychiater an der Universität Freiburg, zimmert den Rahmen für das Szenario: »Um die Situation und die Zeit verstehen zu können, muss man wissen, wie es in Kettwig aussah. Es war eine ziemlich verschlafene deutsche Kleinstadt, und die beiden waren, verglichen mit den starren Lebensformen nicht nur bei uns, sondern in der ganzen Bonner Republik, einfach unkonventionell anders.«

Es waren tatsächlich zwei verschiedene Welten, in denen sich das Leben der Kettwiger und das der beiden New Yorker abspielte. In der einen Welt ging man frühmorgens zur Arbeit und kam nachmittags zurück, sparte auf eine Urlaubsreise nach Rimini oder einen Volkswagen, fieberte mit, wenn im nahen Essen Rotweiß gegen Schwarzweiß Fußball spielte, also die aus der Unterstadt gegen die aus der Oberstadt, traf sich im Anglerklub Kettwig vor der Brücke oder am Stammtisch und sonntags regelmäßig zur Messe.

In der anderen Welt stand keiner morgens früh auf. Man begann die Arbeit erst, wenn die Muse vorbeigeflogen kam, und falls die sich nicht sehen ließ, dann eben nicht. Diesen aus New York gewöhnten Rhythmus pflegte das Paar auch in Deutschland. Eva und Tom fuhren an solchen Tagen entweder nach Duisburg ins Lehmbruck-Museum oder nach Düsseldorf in die Kunsthalle oder nach Oberhausen, um im Fachgeschäft Tackenberg Farben zu kaufen. Dem Malermeister Wilhelm Tackenberg gefiel, was Eva Hesse aus seinen Farben machte, und er erwarb mal eines ihrer Bilder. Oberhausen kannten sie nicht wegen der Farben, die fanden sie eher zufällig. Oberhausen besuchten sie wegen der Westdeutschen Kurzfilmtage, weil sich beide New Yorker nicht nur für die gängigen Filme interessierten, sondern auch für die Avantgarde in dem sie faszinierenden Medium Film.

In Kettwig gab es hauptsächlich Kneipen, die Tom Doyle alle kennenlernte, und es gab die Hexenberglichtspiele, in denen zwar mitunter »fürchterliche Filme« (Eva Hesse) liefen wie »Die Verführerin« mit Brigitte Bardot, aber auch spannende Western wie »Der große Bluff« mit Marlene Dietrich. Der Knabe Carl Eduard hätte den allein noch nicht sehen dürfen, aber die kleine Eva und der große Tom begleiteten ihn, und der schnauzbärtige Amerikaner ließ Carl zuliebe den Film am Sonntagnachmittag schon vor dem Kino beginnen, was der nicht vergessen hat: »Er trug eine Lederjacke mit Fransen und Cowboystiefel.« Das machte Eindruck.

An der Kreuzung, wo es rechts abgeht Richtung Mülheim und links nach Essen, beide Städte kaum zwanzig Kilometer entfernt von Kettwig, befand sich die Diskothek »Sputnik«, in der Tom oft tanzen ging, aber nur selten mit seiner Frau. Er war ein guter Tänzer. Keiner von denen, die Eva kannten, kann sich erinnern, sie überhaupt jemals tanzen gesehen zu haben. Den Diskoschuppen gibt es natürlich auch schon lange nicht mehr.

In einer solchen Stadt fiel Arnhard Scheidt nicht nur aus dem Rahmen, weil er reich war, sondern auch weil er sich für moderne Kunst interessierte. Er gehörte zu beiden Welten. »Mein Vater hatte früh angefangen, Kunst zu sammeln, auch oft Künstler zu uns nach Hause geholt. Wir lebten ja in einem geräumigen Haus mit einem großen Park direkt an der Ruhr, hatten sogar ein eigenes Schwimmbad. Die Gärtnerei, die zum Gelände gehörte, war zwar nicht mehr in Betrieb, aber das Gewächshaus stand noch.«

Einer der Freunde des alten Scheidt war Günther Uecker, der Eva Hesse in Düsseldorf oder in Köln, das weiß er nicht mehr, kennengelernt hatte: »Sie war eigentlich bei jeder Vernissage anwesend und bald in der Szene zu Hause.« So hatte es Eva Hesse bereits in New York gehalten. Überall dort, wo es etwas Neues, etwas Spannendes zu sehen gab, war sie dabei, und selbst dann, wenn sie das Neue nicht weiter spannend fand, *nothing to write home about*, wusste sie anschließend, wovon sie sprach. In der Szene, die sich über die rheinischen Schwerpunkte Köln und Düsseldorf ausbreitete bis ins holländische Otterloo in das dortige Kröller-Müller-Museum und seinen Skulpturenpark, hinüber nach Essen zur Folkwangschule und nach Wuppertal, war Uecker, das dritte Mitglied der Gruppe Zero, gegründet von den Lichtkinetikern Heinz Mack und Otto Piene, schon anerkannt. Bekannt wurde er mit seinen Nagelwerken im Wechselspiel von Licht und Schatten, und heute ist er von den dreien der Bekannteste, ein auf der ganzen Welt berühmter Künstler und fast ein Philosoph.

Den passenden Namen, die Null, die beim Countdown zum Start einer Rakete den Beginn einer Reise in neue Welten bedeutet, fand Mack zufällig beim Blättern in einem Lexikon. Die beiden Gründer von »Zero« hatten sowohl Kunst als auch Philosophie studiert. Sie konnten ihre monochromen Bilder mit spiegelnden Metallstücken und Lichteffekten deshalb mit Theorie unterfüttern. Sie wollten eine Alternative gegen die herrschende Realität des Abstrakten schaffen, aber gleichzeitig versuchen, Kontinuität herzustellen, indem sie die von den Nazis als entartet verfemte Kunst auf ihre Art zurückholten nach Deutschland, den Kulturbruch überwindend unter dem Motto: Seht, so hätte heute die Kunst derer aussehen können, die damals vertrieben wurden.

Mack nannte es das Prinzip einer neuen Harmonie, Piene träumte von einer Bereicherung des Lebens durch konkrete Kunst, beide nannten als Vorbilder den Franzosen Yves Klein sowie die Italiener Piero Manzoni und Lucio Fontana. Und Günther Uecker, der als Letzter zu ihnen stieß, brachte aus der DDR, wo er aufgewachsen war, »meine Haltung mit in den Westen, gelernt auf Internaten, zu denen man heute Kaderschulen sagen würde: sich neu zu gründen, wiederzuentdecken die verschüttete Kultur, die Suche nach authentischem Handeln, alle sichtbaren und hörbaren Merkmale des Faschismus deutlich zu verneinen«. Von denen gab es damals, allerdings nicht nur im Westen Deutschlands, noch viele. Uecker: »Es war ja fast unmöglich, mit älteren Menschen zu sprechen, weil deren Sprache noch voller Sprachklischees der Nazis war.«

Über Eva Hesse wusste er anfangs nur so viel, als dass sie Jüdin war und aus New York kam. Von ihrer deutschen Biografie ahnte er noch nichts, das erfuhr er erst später: »Ich habe mit ihr keinen großen Dialog gepflegt über das hinaus, was man höfliches Geplauder nennt. Über Kunst sprach man nicht, die sah man und die erlebte man.« Es habe eher heitere Begegnungen gegeben, die durch »Tom alkoholisch bedingt waren in ihren Abläufen«. Was auch an Ueckers grundsätzlicher Scheu lag, mit denen, die durch Deutsche einst ins Unglück gestürzt waren, politische Gespräche zu führen. Heute ist er überzeugt davon, dass der »Holocaust ihre Kunst geprägt hat« und dass es Parallelen gab zu denen, die hier aufgewachsen waren, zu den von ihm so bezeichneten »Kindern der Unvernunft«. Sichtbar werde stets, was in einem vorhanden sei »und sich durch Kunst befreit. Auch bei ihr.«

Das gelassen in sich ruhende Gesamtkunstwerk Uecker sitzt, Buddha ähnlich, in seinem Atelier am Rheinhafen und ergänzt die Erinnerungen des jungen Scheidt. Auch die seinen fügen sich zu einem Szenario: »Ich war oft bei Arnhard eingeladen in diesem villenartigen Haus an der Ruhr. Er veranstaltete wundervolle Feste. Das waren barocke Inszenierungen. Ein ganzer Ochse zum Beispiel wurde am Spieß gedreht, und durch den Park zogen irgendwelche Menschen aus Holz geschnitzte Ochsen.«

An Holzochsen, die durch den Garten gezogen wurden, kann sich Scheidts Sohn Carl Eduard wiederum nicht erinnern, aber bei den so auch offiziell auf Einladungen genannten »Ochsen-Festen« gab es nicht nur Speis und Trank, sondern stets auch Kunst. Entweder stand die auf dem Rasen in Form von Skulpturen der Künstler, die Arnhard Scheidt nach Kettwig geholt hatte, manchmal konnte man die auch auf einem Klo im Erdgeschoss der Villa sehen. Das hatte Jorge B. Stever, der wie Tom Doyle und Eva Hesse mal für ein Jahr in Kettwig im Atelier lebte, als Trompe-l'œil so gestaltet, dass Außenansicht des Hauses und des Parks sowohl sitzend als auch im Stehen betrachtet werden konnten. Zur Einweihung hielt der Bürgermeister der Stadt, im Hauptberuf Fahrradhändler, »eine sehr muntere Ansprache« (Carl Eduard Scheidt).

Auf dieser Bühne agierten in »inspirierender Atmosphäre« (Uecker) gutbürgerliche Industrielle und unbürgerliche Bohemiens, Alte und Junge, Kunstkritiker wie Albert Schulze-Vellinghausen von der »Frankfurter Allgemeinen Zeitung« – den Eva Hesse für einen »fantastic old fellow« hält –, Kunstvermittler wie Arnold Rüdlinger aus der Schweiz und Kunstmacher wie Hans Haacke, einst Dozent der örtlichen Pädagogischen Akademie, der nach zweijährigem Aufenthalt in den Vereinigten Staaten in Köln lebte.

Haackes amerikanische Frau Linda wurde eine enge Vertraute von Eva Hesse, seine »Kondensationswürfel«, die Eva und Tom in seinem Atelier sahen, die sich in Bewegung setzten, wenn man sie anstieß, setzten auch bei ihr etwas in Bewegung, gaben auch ihr neue Anstöße. Vorläufig nur in ihren Gedanken. Sie war noch nicht bereit für die Transformation in das, was manche Experten postminimalistische Skulpturen nennen werden. Die Haackes und die Doyles waren sich bereits in New York begegnet. Das muss gewesen sein Ende 1963, auf jeden Fall nach dem Besuch der Rüdlinger-Truppe, denn Eva wusste bereits, dass sie und Tom nach Deutschland kommen würden, und deshalb tauschten sie ihre Adressen aus.

Linda und Hans Hacke wohnen seit vielen Jahren wieder in New York, jetzt im ehemaligen Verwaltungsgebäude einer Telefongesellschaft, nur durch die laute West Street getrennt vom Hudson River. Viele Künstler haben sich in dem Haus eingerichtet. Zum Village und zu den Galerien sind es nur wenige Schritte. Wer sich hier auskennt, kann den Touristen noch ausweichen. Haacke kennt sich aus. Er geht nicht nur Touristen aus dem Weg, er weicht allen aus, die ihn zum Mythos überhöhen wollen. Dabei ist er sich im Laufe der Jahrzehnte nur treu geblieben. Hans Haacke ist ein bedächtiger Mann, der jedes überflüssige Wort vermeidet, weil es ihm die Zeit für Wesentliches stehlen könnte.

Seine Frau Linda kann sich erinnern, dass sie mit Eva oft nächtelang geredet hat, wenn die nach Köln kam, um sie zu besuchen, und nicht nur über Kunst: »Wir sprachen über alles, wie zwei Schwestern. Sie war unglücklich, sie hatte Heimweh, sie fühlte sich gestrandet. Sie passte nicht in das, was man sonst zu sehen bekam. Sie versuchte was Neues.« Und natürlich seien Eva und Tom damals einzigartig gewesen, darin stimmen beide überein, denn in Deutschland war »in der Kunst noch alles schwarz-weiß, und farbige Amerikaner fielen auf« (Hans Haacke). Er besitzt einen feinen Sinn für Ironie und absurd klingende Vergleiche mit tieferem Sinn. Kein Wunder, dass die dafür gleichermaßen empfängliche Eva ihn und seine Frau in Deutschland gern besuchte und oft auch bei ihnen in Köln über Nacht blieb.

Für Scheidts deutsche Mitbürger und vor allem für die Frauen war es ein Kulturschock, als sie im Sommer 1964 zum ersten Mal auf der Straße Eva Hesse im bunten Minirock erblickten. Sie brachte im wahrsten Sinn des Wortes Farbe in die graue Stadt. Für ihre Männer war sie die Verheißung einer Weiblichkeit, wie sie ihnen allenfalls mal im Traum erschienen war. Als Eva sich bei einem Abendessen im Hause Scheidt beklagte, dass ihr die Kettwiger zurückhaltend und unfreundlich begegnen würden, riet ihr der Hausherr, gelegentlich ein »anständiges Kleid« anzuziehen statt des bunten Fummels oder der mit Farbe bekleckstén Jeans, dann würde man sie auch anständig behandeln. Barbara Brown, die lebenslustige Fotografin aus New York, hat bis heute nicht vergessen, welches Aufsehen sie und ihre Freundin erregten, als sie in die örtliche Eisdiele gingen. »Die Leute betrachteten mich und Eva mit tiefem Misstrauen, wahrscheinlich dachten sie, wir seien Zigeuner oder türkische Lohnarbeiterinnen.«

Ausgerechnet in dieser spießigen deutschen Kleinstadt beginnt die Künstlerin Eva Hesse ihre Reise zu den Sternen.

7. KAPITEL

1964–1965

»Mein Leben und meine Kunst sind unzertrennlich«

Peter Könitz, Berufsziel Bildhauer, trinkfest, zweiundzwanzig Jahre alt, kann nicht glauben, dass zwei Künstler aus New York ausgerechnet nach Kettwig gezogen sind. Er wohnt in Mülheim. Sein Atelier in einer aufgegebenen Lederfabrik liegt direkt am Fluss. Die Ausbildung an der Folkwangschule in Essen hat er gerade beendet. Was genau er mal aus seiner Begabung machen könnte, weiß er zwar noch nicht, aber Anregendes findet er vor allem in Düsseldorfer Galerien, ist ja nur ein paar Stationen mit der Bahn entfernt. Künstler aus anderen Ländern kennt er nur vom Hörensagen und aus gelegentlicher Lektüre von »Arts International«. In einem dieser Hefte ist der amerikanische Bildhauer Tom Doyle mit seinen verwegenen Skulpturen aus Stein und Holz vorgestellt worden. Ein berühmter Mann. Und der soll nun um die Ecke sein Atelier haben, ausgerechnet in Kettwig?

Könitz hatte davon nur zufällig erfahren: »Die Schwester meiner Freundin kam eines Tages bei mir vorbei und sagte, bei Scheidts, da arbeitet jetzt ein Bildhauer, ein Amerikaner. Das habe ich erst nicht geglaubt, denn so viele Bildhauer gab es ja nun nicht bei uns.« In Mülheim kannte er einen, allerdings nicht persönlich, nur vom Vorübergehen, denn der hatte ein Schild am Haus, das aussah wie das Schild eines Arztes, und da stand drauf: Ernst Rasche, Bildhauer. »Und als ich zum ersten Mal im Kunstverein war, dachte ich, es sei ein Versehrtenverein. Einer hinkte, einer ging mit Krücken. Eine Krankenschwester lief um die herum. Waren aber alles Künstler bei einer Performance …«

Er fuhr also an der Ruhr entlang die paar Kilometer nach Kettwig, um sich selbst zu überzeugen, fand die Fabrik, was nicht schwer war, denn alle wussten, wo diese verrückten Amerikaner lebten – und er klingelte. In Kettwig gab es im Unterschied zur Bowery Klingeln an den Türen. »Da machte mir ein Mann auf, und man sah direkt, das musste der Gesuchte sein.«

Zunächst beeindruckte ihn, dass der sein Handwerkszeug griffbereit in einem Gürtel trug: Hammer, Meißel, Stemmeisen. Er sah eher aus wie ein Zimmermann, der gerade bei der Arbeit war, aber es war tatsächlich der Bildhauer, über den er schon gelesen hatte, tatsächlich war es Tom Doyle. Überall lagen unbehauene oder kaum behauene Brocken herum, riesig sei der Raum gewesen, sicher so fünfhundert Quadratmeter, wenn nicht mehr. Dazwischen Maschinenteile und Kordeln und Spindeln von Webmaschinen. Und mitten in dem Raum dieser Glaskasten, der auch riesig war, in dem »stand eine kleine Person und malte«.

Die kleine Person war Eva Hesse. Sie stand in diesem Kasten an einem Holztisch. Sie zeichnete. Weil ihre langen Haare beim Arbeiten störten, hatte sie die hochgesteckt und mit einem Tuch zusammengebunden. Sie trug Jeans – waren es die mit Farbe befleckten, die Scheidt erwähnte, mit denen sie nicht in der Stadt herumlaufen sollte? –, ihre Füße steckten in Sneakers, was man in Deutschland nur als Turnschuhe kannte. Das weiße Hemd reichte fast bis zum Knie, es war ihr viel zu groß. Vielleicht eines von Tom? Der junge Mann aus Mülheim war dennoch ziemlich überrascht, was »für eine schöne Frau sie war«.

Könitz lebt heute in Ostfriesland. Dort hat er viel Platz für seine sich drehenden mechanischen Objekte. Während er bei Butterkuchen und Kaffee von seiner ersten Begegnung mit

Tom Doyle und Eva Hesse erzählt, hören ihm seine Frau Erika und seine Schwägerin zu, die von ihm erwähnte Schwester seiner damaligen Freundin. Als die Rede auf Tom kommt, den Charmeur – »er war eine große Nummer, als Typ imponierend, hatte ungeheueren Schlag bei Frauen, das hätte

»Was für eine kleine Person«: Eva Hesse bei der Arbeit in ihrem Atelier in Kettwig.

man selbst auch ganz gern gehabt« –, ist kaum zu übersehen, dass eine zarte Röte ihr Gesicht überzieht. Man könnte die so interpretieren, dass sie den amerikanischen Bildhauer, von dem sie damals ihrem künftigen Schwager berichtete, näher gekannt hat und dass der nicht nur ihre Eltern sprechen wollte, wenn er einen Hausbesuch machte.

Damit wäre sie nicht die Einzige gewesen. In einem der Kataloge, die Tom Doyle mal mitbrachte von einem Ausflug nach Essen, wo er sich im Museum umgeschaut hatte, waren in seiner Handschrift auf der inneren hinteren Umschlagseite vier, fünf weibliche Vornamen mit Telefonnummern notiert. Sind alles Kunststudentinnen, erwiderte er, als ihn seine Frau, die den Katalog interessiert durchblätterte, deswegen zur Rede stellte. Die wollten sich mal unsere Arbeiten anschauen. Als zwei von denen dann wirklich mal nach Kettwig kamen, war ihr Mann nicht da. Eva ließ sie nicht ins Atelier: »Die haben mir zwar erzählt, sie hätten Tom in der Folkwangschule in Essen getroffen, doch man sah ihnen an, dass sie logen. Die tun zwar ganz verschämt, aber die haben ihn in einem ganz anderen Haus getroffen«, trug sie in ihr Tagebuch ein.

Das ganz andere Haus, das sie meinte, hat Tom Doyle nie betreten. Er hatte genügend kostenlose Angebote, wenn er um die Häuser zog. Sein ständiger Begleiter Peter: »Wir gingen öfters richtig einen zischen. Die Frauen liefen ihm nach und steckten ihm ihre Adressen zu.« Der künftige Bildhauer hörte auf den Rat des etablierten Bildhauers Doyle, fragte ihn, was er besser machen könnte: »Er war sehr offen, sehr amerikanisch.«

Keiner konnte so viel vertragen wie der Eva zuliebe zum Judentum übergetretene katholische Ire aus Ohio und dabei so wunderbare Sauflieder singen oder auf den Tischen tanzen. Auch das beeindruckte Könitz. Aber dass es nicht gerade fair war, was Tom mit anderen statt mit Eva trieb, die eine so schöne Frau war, gibt er heute auch zu. »Ich war ein Teil der Welt, mit der sie Kummer hatte. Ich war der Männerfreund. Logisch, dass sie mir eher distanziert begegnete.« Das deckt sich mit einer Eintragung in ihrem Tagebuch, in der sie sich beklagt, dass dieser »unverantwortliche Peter« wieder vorbeigekommen war, um ihren Mann abzuholen. »Tom und ich hatten viel Spaß. Oft sagte sie: You are always talking about women.« Ja, sagt seine Schwägerin, so habe sie ihn auch in Erinnerung, den gut aussehenden heiteren *womanizer.*

Eva dagegen war die Ernsthaftere, die stets nur an einem interessiert schien – an Kunst. Und ihr brennender Ehrgeiz sei zu spüren gewesen, meint Wolfgang Liesen, ein Ehrgeiz, wie er ihn so von anderen Künstlerinnen nicht kannte. Aufnahmen des Düsseldorfer Fotografen Manfred Tischer, dessen Frau sie mochte, zeigen sie aber oft lachend, und dieses Lachen wirkt immer noch ansteckend. Alle Fotos, auf denen sie lacht, sind allerdings entstanden in einer Umgebung, die mit Kunst zu tun hat, und sei es auch nur am Rande. Inmitten einer Gruppe, ihr Mann am Hut erkennbar, vor einem Museum in der Schweiz – alle auf dem Bild lachen, sie auch. Eva lachend bei einer Ausstellung in Duisburg, im Hintergrund hängen Bilder. Eva lachend neben Tom in Kettwig im Atelier, der ihr gerade eine fertige Skulptur zeigt: Ein stählerner Kreis umschließt einen dreieckigen Stahlblock. Schweißen, sagt Scheidt, habe Doyle erst in Deutschland gelernt, und die Arbeiter, die ihm das beigebracht hatten, kamen aus seiner Fabrik, Tom war dabei einer von ihnen, während seine Frau nur als Frau, nicht als Künstlerin, in ihr Weltbild passte.

Zwar hoben sie die Gläser auf sie, als Eva am 11. Januar 1965 neunundzwanzig wurde, zum Wohl und alles Gute, doch als ihnen der Alkohol ein wenig die Zunge gelockert hatte, stellten sie ihr die Fragen, die sie deutschen Frauen ihres Alters gestellt hätten. Beispielsweise die, ob sie es denn nötig hätte, in dieser Fabrik zu malen, und ob es angesichts ihrer Schönheit nicht viel schöner wäre, wenn sie bald mal Kinder bekäme.

Darüber konnte Eva nicht so recht lachen.

Die kleine Person, die Peter Könitz in der ehemaligen Fabrik gesehen hat, ist damals jungen und heute alten Männern so lebhaft in Erinnerung geblieben wie ihr Mann Tom, der Kerl aus Ohio, den damals jungen und heute nicht mehr ganz so jungen Frauen. Die einen reden gern darüber, die anderen schweigen lieber. Wolfgang Liesen: »Eva Hesse war ja nicht etwa puppenhaft schön, sie war eher eine melancholische Schönheit.« Günther Uecker: »Elfenhaft klar war sie. Eine wunderschöne, eine faszinierende Frau. Also, ich hätte mich auch verlieben können.« Und er fügt hinzu, als müsste er sie in Schutz nehmen, dass halt Tom Doyle damals als der wichtigere

Künstler galt, dass er umschwärmt wurde und sie »die war, die auch etwas tut«, womit er ihre Rolle als Malerin an der Seite eines Großen umschreibt, allerdings stand sie, wie er glaubt, nie in seinem Schatten: »Sie lebte in aller Freiheit neben ihm.«

Noch einer wohnte in Mülheim, zwanzig Jahre alt, Psychologiestudent an der Universität Bonn, dort weniger mit dem Studium beschäftigt als mit dem Aufbau eines Studentischen Filmclubs, der war nicht nur verliebt in Eva Hesse, der himmelte sie geradezu an. Werner Nekes, ein inzwischen legendärer Undergroundfilmer – Besitzer einer einzigartigen Sammlung von Geräten und Apparaten und Objekten aus der Geschichte optischer Medien seit dem 15. Jahrhundert, die unter dem Titel »Schaulust« in Tokio und London, in Hamburg und Budapest, in Melbourne und Los Angeles die Massen anzog –, lebt nach wie vor in Mülheim an der Ruhr. Er hat mehr als hundert Filme gedreht und produziert, ist nebenbei ein jung gebliebener Professor, der schon nach wenigen Sätzen seine Studenten packt, der aber auch allen anderen, die in Museen staunend vor den Objekten seiner Sammlung stehen, die magische Welt der Bilder so erklären kann, dass sie es verstehen.

Werner Nekes schließt kurz die Augen, als müsste er sich auf eine Zeitreise begeben, öffnet sie nach Sekunden und sagt: »Sie war klein, richtig. Sie hat viel geraucht. Sie litt unter Migräne. Sie hatte einen eigentümlichen Gang. Lag wahrscheinlich auch an den hohen Schuhen, die sie trug. Sie bewegte sich energiegeladen.« Sowohl Eva als auch Tom interessierten sich für das, was auch ihn interessierte, zum Beispiel die Filme, die in Oberhausen gezeigt wurden. Bestärkten ihn, über alle gängigen Sichtweisen hinauszugehen: »Ich verdanke ihr die Radikalität meiner früheren Filme.« Da Tom häufig unterwegs war, saß er dann allein mit Eva in ihrem Atelier oder ging mit ihr spazieren, hörte mit ihr Platten des amerikanischen Komponisten Charles Ives, den er nicht kannte. Für sie war er, wie Eva Hesse in ihr Tagebuch eintrug, ein »netter Junge«.

So sah er sich auch. War zwar vom ersten Moment an in sie verliebt, doch darüber sprach er nie: »Eine erotische Liebe war absolut undenkbar. Weil ich zu jung und sie für mich zu alt war. Eva war keine alltägliche Schönheit, sie war extrem schön, extrem auch in der Farbgebung ihrer Kleider. Das war auf meiner Seite eher ..., ja: anhimmeln, und ich war natürlich interessiert an dem, was sie aus New York zu erzählen hatte vom Undergroundfilm und von Andy Warhol. Sie war achtundzwanzig, als ich sie kennenlernte, ich zwanzig, außerdem war sie verheiratet, und ich hatte eine Freundin. Alles an ihr war faszinierend. Herrlicher Körper, herrliche Haare und ein sehr liebevolles Wesen. Von vielen wurde sie deshalb geliebt.«

Vor allem eben von ihm. Er trägt Eva Hesse diese Liebe über den Tod hinaus nach. Er hat sie sich bewahrt. Wenn er am Schreibtisch seiner Lagerhalle an der Ruhr sitzt und ihr Tagebuch aus der Zeit in Kettwig liest, ist er im Kopf so jung, wie er es war, könnte sofort wieder in die sechziger Jahre fallen, und alles könnte sich wiederholen, was damals tatsächlich passierte. Allerdings würde er sich einen anderen Schluss ausdenken und in dem eine andere Rolle spielen, denn sie hätte nur mit dem Finger schnippen müssen, und er wäre ihr sofort nach New York gefolgt. »Wenn sie gewollt hätte, hätte ich alles zurückgelassen hier, aber wenn ich das gemacht hätte, wäre ich wahrscheinlich für immer dort geblieben. Ich hätte es bestimmt getan, wenn sie mich aufgefordert hätte.«

Auf die Idee kam sie nie, und er damals schon deshalb nicht, weil er sich keine Chance ausrechnete gegen Tom Doyle, der »jeden in seinen Bann zog«. Tom war weltläufig, *everybody's darling*, belesen, James Joyce verfallen. Er durfte sich benehmen, wie er wollte. Wenn er sich zurückverwandelt hatte von dem »Monster, das er bei nächtlichen Trinkgelagen sein konnte, verzieh Eva ihm alles. Er war der Star. Er war seiner selbst so sicher, dass ihn ihr späterer Ruhm eher überrascht hat.« Doyles ironische Bemerkung, dass sie immer im Schatten Hitlers gemalt und der deshalb am meisten Einfluss gehabt habe auf ihre Kunst, findet Nekes heute bedenkenswert: »Vielleicht ist da tatsächlich was dran. Wenn ich an ihre nächtliche Verzweiflung denke, dann kann man das so interpretieren, dass dieser ganze durch die Nazis und eben durch Hitler verursachte familiäre Horror sie stark beeinflusst hat, die ängstliche Seite ihres Wesens gefördert hat. Sie wird Tom gegenüber diese Ängste geäußert haben.«

Das tat sie. Wenn sie nachts nicht schlafen konnte, schon nach wenigen Stunden aufwachte aus einem Traum, suchte sie seine Nähe. »Ich kann zwar überall sofort einschlafen, wenn ich müde bin. Aber sobald ich im Bett liege, Zähne geputzt, Haare gebürstet, Licht ausgemacht, dann liege ich wach.« Ihre Psychiater kannten die Geschichte ihrer Familie bis zum Selbstmord ihrer Mutter, Werner Nekes hat sie die eigene erzählt, soweit sie sich erinnern konnte, aber nur ihr Mann wusste alles von ihr. Sie ahnte zwar, dass ihre Ängste psychosomatisch waren, aber was half es ihr, das zu wissen und nicht dagegen anzukommen. Tom Doyle: »This kind of Angst she had, also diese deutsche Urangst, geboren aus der Zeit der Emigration, die war tief in ihr drin, und diese Verlustangst erklärt ja auch vieles, was nach unserer Trennung passierte.«

Dass Werner Nekes seinen allerersten von inzwischen mehr als hundert Filmen über Eva Hesse und ihren trinkfesten fröhlichen Ehemann Tom Doyle drehte, als die beiden öffentlich zeigten, was sie in Kettwig in ihrer Fabrik produziert hatten, ist kein Zufall. Eine bessere Besetzung konnte er sich nicht vorstellen. Der groß gewachsene smarte US-Boy, die kleine dunkelhaarige Schönheit. Ein wunderbares Paar. Rein optisch gesehen.

Dass er sich den dreißigminütigen Stummfilm in seinem Lagerraum an der Ruhr, in dem er in Zimmern zum Fluss hin auch wohnt, regelmäßig anschaut, ist nur eine Vermutung. Er braucht nicht lange zu suchen in den Regalen, in denen

Tausende von faszinierenden Zeugnissen seiner Sammelleidenschaft stehen, so ungeordnet, dass nur er sich zurechtfindet – insgesamt besitzt er rund fünfundzwanzigtausend Sehmaschinen, Laternae Magicae, Fotografien, Camerae Obscurae, Guckkästen, bemalte Bildscheiben, Jukeboxes usw. –, um eine Zeichnung von Eva Hesse zu finden, die sie ihm damals geschenkt hat. Hat auch ein paar Objekte parat aus der Zeit, als sie mit anderen Materialien zu experimentieren begann, als sie vom Zweidimensionalen ins Dreidimensionale vorstieß: ein rundes Metallteil, umwickelt mit einer Schnur, bemalt. Eine weinrotbraun bemalte und mit Kordeln versehene Spindel, ein lackiertes Stück Metall: »Ich war so begeistert von ihren Arbeiten, dass ich bald an jedem Wochenende nach Kettwig fuhr und sie besuchte.«

Werner Nekes hatte trotz seiner Jugend etwas, was andere nicht hatten: einen Führerschein. Und er hatte einen gutmütigen Vater, der seinem Sohn, der nur noch selten an der Uni in Vorlesungen und in Seminaren saß, der keinen der experimentellen Filme versäumte, die aus Frankreich, aus Japan, aus den USA kamen, der plötzlich Ende 1964 auch zu malen begann und Gedichte verfasste – warum wohl? –, des Öfteren sein altes Auto lieh: »Weil ich einen Führerschein und gelegentlich ein Auto hatte, war ich ihnen zu Diensten und fuhr sie herum.« Insgesamt sei Eva wohl doch überrascht gewesen, dass es auch in Deutschland nette Menschen gab. Von New York aus gesehen, müsse das Land wohl ein schreckliches Land gewesen sein.

Bereits zwei Tage nach ihrer Ankunft, noch müde vom Flug und vom Zeitunterschied, kaum heimisch in ihrer Fabrik, fahren Eva Hesse und Tom Doyle mit Scheidt nach Düsseldorf und schauen sich eine Show über »Contemporary Art« aus England an. Ihr Freund Al Held, dem sie alles hier zu verdanken haben, stellt seine Hard-Edge-Bilder in der Galerie Pooch aus, auch den besuchen sie, und bei Schmela werden Arbeiten des

New Yorker Künstlers Kenneth Noland gezeigt. Eintrag von Eva Hesse, von sich in der dritten Person sprechend: »Went to Düsseldorf. Bought Eva paints. We went to two galleries, one museum. Saw English painters + Ken Noland at gallery.«

Es ist Sommer, und der Himmel ist blau über dem ihr bei der Ankunft noch grau und bedrohlich erscheinenden Deutschland. Zwar berichtet sie anfangs von fürchterlichen Alpträumen, die sie im Land ihres Vaters quälten – »the first two weeks here I had terrible, gruesome nightmares« –, dann jedoch siegt die Sonne und hellt ihre Stimmung auf. Auch das schlägt sich nieder in ihrem Tagebuch: »Hier in Kettwig ist es gar nicht so schlecht. Zumindest sind meine Angstanfälle nicht so schlimm wie in New York.« Wenn es ihr in ihrem Glaskasten, in dem sie malt, zu heiß wird, geht sie am Fluss entlang ein paar Schritte zum Garten der Scheidts, um dort im Pool zu schwimmen.

Sie richtet sich ein im Alltag. Einkaufen auf dem örtlichen Markt, was sie zwar mal gern macht – hat so was europäisch Heimeliges –, aber insgesamt ist es doch störende Unterbrechung in ihrer Konzentration auf das ihr Wesentliche, das Malen. Dann bricht stets ihr Frust aus, sowohl Hausfrau sein zu müssen, zu kochen und zu waschen und Tom, dem Künstler, ein neues Hemd zu besorgen, als auch gleichberechtigt mit ihm ihrer Arbeit nachgehen zu wollen. Das altbekannte Dilemma. Die Zeichnungen, mit denen sie beginnt, gefallen ihr »manchmal ganz gut«, manchmal gar nicht. Einige zerreißt sie und setzt dann aus den verschiedenen einzelnen Teilen eine Collage zusammen. Wie gut sie das kann, haben bereits vor vielen Jahren ihre Lehrer an der Cooper Union erkannt.

Aus New York treffen die ersten Briefe ein. Einer von Freundin Rosie, einer von Barbara Brown, die sich gerade von ihrem Mann David scheiden lässt. Die Fotografin kündigt für irgendwann einen Trip nach Deutschland an. Außerdem will sie ihre Schwester Nancy in Paris treffen. Dass ihr Besuch in Kettwig mehr Tom gelten könnte als ihr, ahnt Eva Hesse offenbar noch nicht. In ihren Tagebuchnotizen jedenfalls steht nichts davon, ganz im Gegenteil. Über dem deutschen Anfang scheint ein Zauber zu liegen, es scheint sich zu erfüllen, worauf sie in New York gehofft hatte – ein gemeinsamer Neubeginn. »Tom und ich sind dauernd zusammen und sind dabei sehr glücklich. Es ist wie in unserem ersten gemeinsamen Sommer in Woodstock ... Habe mit Ölfarben begonnen. Machte zwei kleine expressionistische Bilder. Fühlte mich gut danach, sie gefielen mir ... das allein zählt, denke ich. Andererseits darf ich mich nicht von Stimmungen und Gefühlen leiten lassen, ich muss wirklich lernen, alles und alle zu vergessen, und einfach nur malen.«

Wichtiger als die übliche Reise in ihr Inneres ist ihr jetzt der Blick nach draußen, ist die Reise nach Kassel, zur »documenta 3«, der wichtigsten Ausstellung zeitgenössischer Kunst weltweit. Ihr Mäzen fährt mit und außerdem ein junger Maler namens Bernd Völkle, von dem Arnhard Scheidt gerade ein Bild gekauft hat. Der »fantastic old fellow« Albert Schulze-Vellinghausen nannte Völkles Bilder »vital, farbig, voll von Energie, voll von einem Leuchten, für das es in unserer jungen deutschen Malerei nichts Vergleichbares gibt«, und weil der von allen kurz ASV genannte Kunstkritiker nicht irgendeiner war, sondern einer, dessen Wort galt, hatte Scheidt bei der alljährlichen Leistungsshow der von »Peau de l'Ours« geförderten jungen Talente etwas von Völkle gekauft.

So kam der junge Abstrakte Expressionist aus einem ähnlich klingenden Müllheim, gelegen in der Nähe von Basel auf der deutschen Seite des Rheins, in die Nähe von Mülheim an der Ruhr, und deshalb saß er nun im Auto auf der Fahrt nach Kassel neben Eva hinten im Auto. Völkle war der Nächste, der sich in Eva Hesse verliebte, aber wie Werner Nekes wagte auch er es nie, ihr das zu gestehen. Sie war für ihn wie eine Frau von einer anderen Galaxie, obwohl sie nur aus einer anderen Welt kam. Vor allem habe sie faszinierende Augen gehabt, so was Zartes, so was Dunkles sei da drin gewesen, beschreibt er sie heute und stößt aus seiner Zigarre Rauchwolken in die kalte Winterluft des Schwarzwalds, wo sein Haus und sein Atelier stehen, die »waren gleichzeitig wach und doch melancholisch«.

Da Bernd Völkle trotz seiner vielen Plastiken, Skulpturen, Collagen in seinem Herzen ein Maler geblieben ist, blieb ihm von Eva mehr in Erinnerung als ihre Augen und ihre beeindruckenden weiblichen Formen. Zunächst teilt er das Urteil Arnhard Scheidts über Evas modischen Geschmack: »Manchmal war sie fürchterlich angezogen, das erinnerte mich an Vorhänge in einem schäbigen Hotel.« Danach jedoch beschreibt er impressionistisch tupfend ihre Bewegungen, ihren Gang. Leichten Schrittes, wenn sie einem ihre Arbeiten zeigte, in ihrem Atelier von einem Bild zum anderen ging. Er bricht die Beschreibung ab und sucht nach einem besseren Wort, nein, nicht leicht, »fluchtartig« passe besser, um ihren Gang zu schildern.

Im Auto auf der Fahrt nach Kassel reden sie über Kunst, worüber auch sonst. Schwerpunkt der »documenta 3« sind Werke amerikanischer Maler. Die Deutschen sind gespannt, die Amerikaner freuen sich auf Bekanntes. Gezeigt werden Gemälde und Zeichnungen von Jackson Pollock, Arshile Gorky, Robert Motherwell, Franz Kline, Mark Rothko und von Willem de Kooning – dem Idol der jungen Eva Hesse. Sie alle malen in einer Farbigkeit, die selbst einem so kundigen Kunstsammler wie Arnhard Scheidt fremd ist. Nicht nur Deutschland ist zu dieser Zeit ein ziemlich graues Land, auch die Kunst der Deutschen war vorwiegend schwarz-weiß ausgerichtet, wie Hans Haacke es plastisch beschrieb, und genau deshalb fiel der junge Bernd Völkle so aus dem Rahmen. Die tiefe Wunde durch die Nazizeit, wo als entartet galt, was die eigentliche Art war, ist noch lange nicht verheilt.

Zunächst fällt Eva Hesse aber auf, wie hässlich Kassel ist,

was allerdings kein Wunder sei, weil die Stadt fast total zerstört worden war während des Krieges und danach nur eines wichtig war: sie möglichst schnell aufzubauen, damit die Menschen dort wieder leben konnten. Wie die Wohnungen und Häuser aussahen, in denen sie lebten, war sekundär. Hauptsache, man konnte einziehen. Genauso sieht Kassel denn auch aus, wie eine »Geisterstadt aus dem Mittleren Westen, ohne Phantasie, sehr provinziell«.

Sie bleiben drei Tage auf der »documenta«. Am Samstag schauen sie Skulpturen von Alexander Calder, Henry Moore, George Rickey und Jacques Lipshitz in der Orangerie an, abends wird gefeiert und getrunken. Vor allem Tom ist in Form, er geht ohne seine Frau tanzen und kommt erst am frühen Morgen und nicht ganz nüchtern zurück ins Hotel. »Diese Abende mit den deutschen Kunstkritikern, die hielt ich nicht aus. Ich konnte sprachlich einigermaßen verstehen, was sie sagten, aber inhaltlich nicht so viel von dem Blabla. Eva fand das spannend, und ich ging lieber einen trinken.«

Am Sonntag besuchen sie die der zeitgenössischen Malerei gewidmeten Ausstellungen, am Abend ist es erneut nur lustig: »jolly time and no sleep«. Eva Hesse interessierte sich ganz besonders für die Künstler der Gruppe Cobra, benannt nach den Städten *Co*penhagen, *Br*üssel und *A*msterdam, aus denen ihre Gründungsmitglieder stammten. Asger Jorn aus Kopenhagen malte noch am Abend vor der »documenta«-Eröffnung an seinen Bildern herum, wie Eva Hesse, die ihm dabei zusehen durfte, erstaunt vermerkte. Sie wird ihn mal übertrumpfen. Ein Jahr danach, am Abend vor der Eröffnung ihrer eigenen Ausstellung in Düsseldorf, machte sie nicht nur hier und da noch einen Strich, sondern stellte auch gleich fünf frische Zeichnungen her.

Die Gruppe Zero hat sich in einem dunklen, fast schwarzen Raum auf der »documenta« eingerichtet. Scheinwerfer drehen sich, Maschinen bewegen sich, Objekte mit rotierenden

Scheiben aus Glas oder Nägeln stehen unter einer Lichtkugel, die magisch wirkende Leuchtzeichen versendet. Die alles bewegende Kraft dahinter ist eine simpel konstruierte Zeituhr, die sich automatisch ein- und ausschaltet. Die Schöpfer dieser Installation heißen Heinz Mack, Otto Piene und Günther Uecker.

Vieles von dem, was in Kassel gezeigt wird, findet Eva Hesse phantastisch, und sie ist froh, das alles in nur drei Tagen sehen zu können, manches sei zwar nicht so gut, aber das sei schließlich ganz normal bei einer so großen Show und in New York nicht anders als hier: »I had a great time for the 3 days.«

Danach fahren sie zurück nach Kettwig in ihre Fabrik. Dass dort weder Tom noch sie die nötige Konzentration finden, um zu arbeiten, liegt nicht an zwischenmenschlichen Problemen. Die brechen zwar bereits hin und wieder auf und bald heftiger denn je, aber weil sie begierig sind, Neues zu sehen und sich davon inspirieren zu lassen, sind sie lieber gemeinsam unterwegs in Sachen Kunst. Ihre Ateliers in Kettwig sind der Standort, an den sie immer wieder zurückkehren mit frischen Ideen. Dort liegen nach wie vor Materialien herum, die langsam Gestalt gewinnen bei beiden Künstlern.

Sogar in Evas Träumen kamen sie vor. In einem ihrer *nightmares* sind Spindeln und Eisenstahlstäbe sowohl tödliche Waffen als auch rettende Anker. Sie war zum ersten Mal seit ihrer Jugendzeit auf sich selbst zurückgeworfen, musste ohne die Hilfe eines Psychiaters zurechtkommen. Die regelmäßigen Therapiesitzungen fehlten ihr. Nur einmal hatte sie die nicht gebraucht: im ersten Sommer mit Tom in Woodstock. Am Ende ihres Deutschland-Aufenthalts ging es ihr seelisch so schlecht, dass sie sich allein deshalb nach New York zurücksehnte, weil dort ihr Psychiater Samuel Dunkell auf sie wartete: »my only possibility«, ihre einzige Möglichkeit, mit sich zu leben.

Dass sie diesen bestimmten Traum im Gedächtnis behielt, lag aber auch an Lyndon B. Johnson. Der Nachfolger des ermordeten Charismatikers John F. Kennedy trat bei der Präsidentschaftswahl am 2. November 1964 gegen den Republikaner Barry Goldwater an, und obwohl Johnson bei vielen jungen Amerikanern wegen des Vietnamkriegs verhasst war, schien ihnen eine Alternative namens Goldwater die schlechtere. Eva und Tom hatten sich auf dem amerikanischen Konsulat in Düsseldorf in die Wahlregister eingetragen und per Briefwahl abgestimmt. In Deutschland hörten sie am Wahltag bis morgens um fünf Uhr Ortszeit Radio, gingen erst schlafen, als feststand, dass der Demokrat Johnson gewonnen hatte.

Dreieinhalb Stunden später wachte Eva bereits wieder auf und schrieb sofort auf, was sie gerade im Traum so Fürchterliches erlebt hatte: »Große Party. Hunderte von Leuten. Tom sehr betrunken. Ich schlief gegen Morgen ein. Irgendjemand hörte ich sagen: Bringen Sie Ihre lovely Frau nach Hause. Er war zwar ärgerlich, aber er machte es. Er trug mich nach draußen, er rannte sehr schnell mit mir, rannte in einen eisernen Zaun, ich verletzte mich, er rannte dennoch weiter, bis wir zu fliegen begannen. Wir flogen höher und höher durch das Innere eines Knochens, der war konstruiert wie eine Brücke. Wir griffen nach einem Eisenstab, und mit meiner Hilfe konnte sich auch Tom festhalten. Unter uns fand eine Parade mit Fremdenlegionären statt. Wir fielen runter und störten deren Aufmarsch. Offiziere kamen von irgendwoher und schlugen mit ihren Säbeln allen Legionären den Kopf ab. Ich war entsetzt. Tom und ich gingen weiter. Er nahm sein Taschenmesser raus und stach sich dreizehn Mal in den Rücken … Wir durchquerten viele Straßen und einen Markt. Tom war immer noch ziemlich betrunken. Ich versuchte ihn nüchtern zu machen. Irgendwo wurden wir von irgendwelchen Offizieren ergriffen und in Einzelhaft gesteckt. Sie bedrohten uns mit ihren Säbeln. Andere Gefangene wurden reingeschleppt, darunter Leute, die wir kannten. Einem spalteten sie den Schädel, aber der schrie trotzdem weiter nach Freiheit. Sie sagten mir, wenn ich nicht noch ein Kind wäre, hätten sie auch mich längst getötet. Irgendjemand flüsterte mir zu, dass die amerikanische Regierung eingreifen würde, wir sollten nur durchhalten, bis sie uns befreiten ...«

Als sie von diesem Traum ihrem New Yorker Psychiater schrieb, wusste der nichts damit anzufangen, außer dass er wieder mal eine Bestätigung dafür sah, dass sie geplagt war von ihren lebenslangen Verlustängsten, ihrer Panik vor totalem *abandonment*.

Tom verbindet die Kunstreisen seiner Lebenslust entsprechend mit Abstechern ins Nachtleben, Eva ist nicht immer an seiner Seite. Sie will Kunst nicht nur sehen, sondern auch nächtelang über Kunst reden. Schon in New York hatte sie jeden Tag für einen verlorenen Tag gehalten, an dem sie nicht einen Künstler im Atelier besucht oder eine Ausstellung gesehen hatte. Ihre Eigenschaft, aufzunehmen und zu speichern, was sie sieht, treibt sie. Was sie dabei sieht, das wird sich niederschlagen in ihrer Arbeit. So wie sich niedergeschlagen hatte in ihren Arbeiten, was sie bisher alles gesehen hatte. In kleinformatigen Gouachen, in abstrakten Arbeiten auf Papier, in Ölbildern, Aquarellen, Collagen und in den ersten Boxes. Die vor allem wurden wichtig.

Das so entstehende Bild von Eva Hesse, die sich offenen Auges durch die Welt treiben ließ, aber nur aufnahm, was sie sehenswert fand, ist jedoch nicht vollständig. Sie stand nicht mit dem Rücken zum Leben, nur weil sie das anschaute, was vor ihr stand oder hing. Sie trank gern Wein. Sie trank gern Bier. Sie hörte gern Musik. Sie war einem Flirt nicht abgeneigt, und wenn jemand in ihrer Schönheit versank, ließ sie ihn gewähren.

Gern auch ihren Mann.

Sie genoss es, an seiner Seite im Abendkleid bei einem festlichen Dinner auf einem Schloss in der Schweiz aufzutreten, er hatte einen Frack an. Beider Outfit war geliehen. Dem Zimmermann aus Ohio stand diese Verkleidung ebenso gut wie das Holzfällerhemd und die Jeans, die er bei der Arbeit trug. Sie bummelte über Flohmärkte, saß auch ohne Tom mit römischen Jazzern in einer Bar und ging erst, als der Morgen dämmerte. Am liebsten allerdings waren ihr die Feste, die nach großen Ausstellungseröffnungen in einem Museum stattfanden. Da traf sie immer einen, mit dem sie über Kunst reden konnte.

In Bern zum Beispiel, als Tom Doyles Skulpturen in der Kunsthalle gezeigt wurden. Den Kurator kannten beide aus New York. Der war dabei gewesen, als an jenem Morgen im vergangenen Jahr der Fahrstuhl in Toms Atelier hielt und die Kunstreisenden aus Europa entließ: Harald Szeemann. Eva Hesse war zwar auch in Bern eher die schöne Frau an Toms Seite, der im Mittelpunkt des Interesses stand, aber das war ihr bei so viel künstlerischer Ablenkung egal: In den beiden parallel laufenden Ausstellungen mit Werken von Marcel Duchamp, Wassily Kandinsky, Kasimir Malewitsch und ihrem alten Lehrer Josef Albers verbrachte sie den ganzen Tag, bevor abends gefeiert wurde. Oder auf der nächsten Station, als sie in Basel dem Schweizer Kinetiker Jean Tinguely vorgestellt wurde, der eh zu den Favoriten der Malerin Eva Hesse zählte. Dessen Arbeiten hatte sie bereits in New York bewundert, als er dort ausstellte und sich nebenbei auf den Schrottplätzen New Jerseys oder in den kleinen Läden in der Canal Street umschaute, die auch sie kannte, wo Tinguely Material suchte und Anregungen fand. Lakonischer Eintrag in ihrem Tagebuch: »huge party, Fest which went throughout night«, was bedeutete, dass auch sie die ganze Nacht über mitfeierte und bis zum Morgen durchhielt.

Alles, was sie erlebte, was sie sah, was ihr widerfuhr, schrieb sie skizzenhaft in Stichworten auf. Robert Morris zum Beispiel, den Eva Hesse und Tom Doyle aus New York kannten, stellte im Oktober 1964 bei Schmela aus. Morris benutzte einen

Werkstoff, den Bildhauer noch selten benutzten: Blei. Für ihn war Blei aber reizvoll und deshalb die Basis seiner Reliefs, von der aus allerlei Verstörendes wuchs oder hing oder in sie eingegraben war: Drähte, Schnüre, Halbkreise. Eva Hesse gefielen die Reliefs von Robert Morris. Sie fand das benutzte Material interessant, hielt die Symbiose von flächiger und räumlicher Kunst für gelungen, merkte sich, was sie gesehen hatte, und wie man bald sehen würde, merkte sie es sich genau. Nach der Vernissage fand in der Düsseldorfer Kunstakademie eine Performance von Yvonne Rainer statt. Erstaunlicherweise blieb bei allen ihren tänzerischen Bewegungen, selbst bei Sprüngen, ihr Busen starr in Form. Es bewegte sich nichts. Das gehörte sich so. Ihr Lebensgefährte Robert Morris hatte Yvonne Rainer einen Büstenhalter aus Blei verpasst und auch sie zu einem Objekt seiner Kunst erklärt.

Yvonne Rainer, Choreografin und Tänzerin, hat Eva Hesse schon in New York auf einer der Off-Broadway-Bühnen gesehen und bewundert. Sie war aus San Francisco nach New York gezogen und hatte dort das Judson Dance Theater gegründet. Im selben Gebäudekomplex, dem Judson Student House, wohnte zu der Zeit Eva. Seitdem kannten sie sich auch persönlich. Im Ausdruckstanz der um zwei Jahre Älteren entdeckte sie Verwandtes, war fasziniert von Yvonne Rainers willkürlichen und unwillkürlichen Bewegungen, die trotz aller spontanen Improvisation einer geheimen Ordnung zu folgen schienen, trotz aller Verspieltheit genauen Spielregeln gehorchten. Dieses absurd anmutende Prinzip entsprach ihrer Arbeitsweise, war vergleichbar mit dem, was sie mit ihrer Kunst ausdrücken wollte: spürbare Ordnung unter farbigem Chaos. Die Konzeptkünstlerin Yvonne, die im späteren Verlauf ihrer Karriere Filme drehte, gehörte ebenso zur Avantgarde im East Village wie die Musiker und die Poeten und die Maler und die Bildhauer.

Die Wiener Kunsthistorikerin Sabine Folie bezeichnet Eintragungen über Kunsterlebnisse im Gegensatz zu denen in ihren Tagebüchern zu Recht als Kalendernotizen, aber Eva Hesse wäre nicht Eva Hesse, wenn sie nicht unter diese immer ihre ganz persönlichen Probleme mischt, denn: »Mein Leben und meine Kunst sind unzertrennlich.«

Wenn sie mit dem Kerl, den sie liebte, wieder mal nicht zurechtkam, suchte sie Hilfe auch im fernen New York. Ethelyn Honig bekam einen solchen Hilferuf und schrieb ihr einen flammenden Appell zurück, das Leben zu genießen und sich nichts gefallen zu lassen: »Zum Teufel, Eva, Du bist nur für eine kurze Zeit in Europa und hast ebenso viel Recht, Dich zu amüsieren, wie Tom. Es ist doch nur diese lausige Rolle als Frau, die Dich runterzieht. Ich habe gerade ein Buch gelesen, das heißt ›Das feministische Mysterium‹ … Zum Teufel mit dem Leben im Nest der Familie – wir wissen doch, dass Frauen auch Menschen sind … lass die Männer doch ihre eigenen verdammten Sachen machen, was schert es uns. Will ich einen Aufstand lostreten? Was? Ich? Einen Aufstand?«

Und die so selbstironisch zum Widerstand aufgeforderte Freundin Eva schreibt ihr zurück, weil sie weiß, dass auch Ethelyn Honig darunter leidet, schöne Frau an der Seite eines Bedeutenden zu sein, bewundert und *well dressed*, und dass auch sie, die Gattin des Park-Avenue-Arztes, lieber aufgrund ihrer eigenen Leistungen bewundert werden möchte. »Ich würde gern wissen, ob es nur uns so geht. Nicht der Kampf der Frauen überhaupt, sondern unser Kampf. Es scheint mir unmöglich, das zu erreichen, was Männer schaffen. Die lassen sich durch nichts von ihrem Ziel abbringen. Eine Frau dagegen wird immer abgelenkt durch das, was als typisch weiblich gilt – von der Menstruation über den Haushalt, von der Pflicht, jung und hübsch zu bleiben und auch noch Babys in die Welt zu setzen. Wenn sie mehr will, heißt das ja noch lange nicht, dass sie alles andere liegen lassen kann … dass sie genauso ein Recht hat, sich zu verwirklichen wie die Männer.

Ein paar schaffen es ja trotzdem. aber man braucht gewaltige Kraft dafür und Mut. Ich schlage mich schon eine ganze Weile damit herum, auch damit, mich mit einem Mann messen zu müssen, der sich in seiner Arbeit so verdammt sicher ist und außerdem auch noch erfolgreich.«

Mit diesem Mann, ihrem Mann, dem erfolgreichen Bildhauer Tom Doyle, fährt sie nach Brüssel und schaut sich dort alles in den Museen an. Die Fahrt hin und zurück dauert acht Stunden. Es ist anstrengend, aber nicht nur Bruegel und Rubens und Bosch gefallen ihr, sie findet es ebenso toll, mit Tom nur ganz einfach so auf dem Grand Place zu sitzen und Kaffee zu trinken. Da kamen sie sich vor wie ein Paar auf Hochzeitsreise, unterwegs im alten Europa, alle Zeit der Welt genießend, für sich zu sein und sich zu genügen.

Als Toms erste Skulptur fertig ist, schon am 2. Juli 1964, freut sie sich mit ihm, auch wenn ihr selbst noch nicht recht was gelingen will. Die Skulptur soll angemalt werden, die Farben sind bestellt, aber noch nicht eingetroffen. Sie wird ihn beraten. Er sei farbenblind gewesen, sagt Peter Könitz, was aber nichts Besonderes war, das trifft auf viele Bildhauer zu. Doch Tom Doyle, den Hut mal wieder auf dem Kopf, dementiert: »Quatsch. Ich war nie farbenblind.« Natürlich war er das, sagt Werner Nekes, aber eigentlich sei es unwichtig.

In Paris, eher für Liebende gedacht als Brüssel, voller Geschichten von geheimen und nicht mehr geheimen Affären, die Luft flirrend und anregend, ist es allerdings dann wieder alltäglich – und außer der von ihr als »lousy contemporary«, als lausig bezeichneten zeitgenössischen und der »schönen alten französischen Kunst« ein ganzer Raum im damaligen Palais de Tokyo mit den Werken des Kubisten Fernand Léger, die sie großartig findet und dessen Art auf die ihre abfärben wird. In Amsterdam gefallen ihr der Art-Brut-Künstler Jean Dubuffet und Vincent van Gogh im Stedelijk Museum und Rembrandt, sein Spiel von Licht und Schatten, im Rijksmuseum, aber mehr staunt sie darüber, dass in dieser Stadt »die Prostituierten in den Fenstern ausgestellt« sitzen und auf Kunden warten.

Tom Doyle hatte übrigens auf der Fahrt von dort nach Rom, ihrer nächsten Station, die quälende siebzehn Stunden per Eisenbahn dauern wird, was Eva in derben Worten verflucht, davon geredet, in Amsterdam eine Ausstellung mit einer Gruppe zeitgenössischer amerikanischer Künstler zu organisieren, ganz bewusst als Kontrapunkt zu den alten Meistern in den dortigen Museen. Seine Frau war dagegen, er möge sich um seine eigene Kunst kümmern, gern auch um ihre und nicht um die der anderen.

In Berlin, wohin sie mit dem Zug reisten, um der Weihnachtsstimmung in Kettwig zu entkommen – die Scheidts waren im Urlaub –, besuchten sie eine Ausstellung »Neue Realisten & Pop Art« in der Akademie der Künste, schauten sich das Charlottenburger Schloss an, waren begeistert von Vermeer und van der Goes. Als Amerikaner konnten sie ohne Schwierigkeiten nach Ostberlin fahren, allein schon die Kontrollen fand Eva Hesse aufregend. Doch für das, was ihnen anlässlich des 15. Jahrestages der Gründung des dort real existierenden deutschen Staates an Kunst in der Nationalgalerie geboten wurde, benutzte sie nur das Wort, das sie auch in Paris für die moderne französische Kunst gefunden hatte: »lousy«. Danach das Pergamon-Museum, Blick auf den berühmten Altar, die spätantike Laokoongruppe, das babylonische Ishtartor, durch das laut Legende Ishtar, die Göttin der Liebe, auf ihrem Weg in die Unterwelt schritt, um ihre verlorene Liebe zu suchen.

Von Ishtar lieh sich Eva Hesse den Titel für ihr ganz anderes, das hängende *Ishtar*, das dann die Lynns, ihre Nachbarn in der Bowery, kauften. *Laocoon* hieß ihre erste frei stehende Skulptur aus Acryl, Draht, Seil, Papiermaché und Kunststoff, grau in grau hoffnungslos ineinander verschlungen, anrührend wirkend, so dass manche Besucher versucht waren, die Knoten aufzulösen, um auch die zu befreien, die sie gemacht hatte.

In Rom schwärmt sie von Michelangelo und den Vatikanischen Museen und den Caracallathermen und dem Pantheon, aber auch eine ganz banale Lichtshow für Touristen im Kolosseum findet sie toll. Von den Sehenswürdigkeiten aus Florenz notiert sie Fra Angelico und die Uffizien, doch so richtig aufgehoben fühlt sie sich auf der Rückfahrt, als sie Station machen in Zürich: eine Ausstellung mit Hartkantler Al Held, Skulpturen von Giacometti und als Höhepunkt ein Konzert mit Miles Davis. Zu denen, die sie auf ihren Reisen persönlich kennenlernt und nicht nur mit ihrer Kunst sieht, gehört neben Jean Tinguely auch Meret Oppenheim – die Frau mit der Pelztasse, wie sie erklärend hinzufügt.

Joseph Beuys allerdings hat sie nie getroffen. Kann sein, dass er mal auf derselben Veranstaltung des Kunstvereins in Düsseldorf war, wo auch Kasper König öfters auftauchte, oder bei einer Vernissage in der Galerie Schmela, die ja die erste gemeinsame öffentliche Ausstellung der Gruppe Zero gezeigt hat, aber miteinander gesprochen haben sie nie. Das weiß Tom Doyle, denn er war bei solchen Veranstaltungen immer dabei. Dagegen sprechen auch ihre Aufzeichnungen, in denen sie keine Begegnung mit Prominenten vergessen hat – wie die bei einem Dinner in Amsterdam mit James Baldwin – und bestimmt nicht versäumt hätte, ein Treffen mit Joseph Beuys zu erwähnen.

Womit alle Hypothesen hinfällig wären, die darauf aufgebaut sind, dass Eva Hesse vom Schamanen Beuys, dem Professor an der Düsseldorfer Kunstakademie, in ihrer Kunst direkt und nicht nur eventuell indirekt beeinflusst worden sei. Der wollte mit Kunst die Welt überhöhen, sein Leben mystifizieren, sie ihre kleine Welt durch Kunst für sich erträglich und lebenswert machen. Mel Bochner, vier Jahre jüngerer Freund von Eva Hesse, nach ihrer Rückkehr in die Bowery ein Vertrauter bis zu ihrem Tod, vor allem aber ein New Yorker, dem Ironie nicht fremd ist, erteilt in diesem Sinne allen nachgereichten

Interpretationen eine lakonische Antwort. Es sei schon ein gewisser Unterschied, ob man »wie Beuys ein Kampfpilot der deutschen Luftwaffe gewesen ist oder wie Eva jemand, die vor dieser Armee hatte flüchten müssen. Für Eva war es der einzige Weg zu überleben, indem sie ihr Leben in ihrer Kunst persönlich verarbeitete.«

Dass sie beide in Deutschland geboren waren, der eine katholisch und die andere jüdisch aufgewachsen und erzogen, ist kein Beleg für eine innere Beziehung, sondern Zufall der Geschichte. Es gibt vermutlich zu Beuys eine geistige Verwandtschaft, was den Umgang mit Materialien betrifft, und es ist auch richtig, dass niemand vor ihm gemacht hat, was er machte, und niemand vor Eva Hesse machte, was sie gemacht hat.

Renate Petzinger, die Eva Hesse besser kennt als viele andere ihres Fachgebietes, grenzt diese Verwandtschaft jedoch ein: »Beuys kommt in seinen Formen stark aus der katholischen Mythologie des Niederrheins. Bischofsstab. Kreuz. Eine Kraft der katholischen Kirche, visuell präsent zu sein. Eine vergleichbare, eher unterbewusste visuelle Präsenz religiöser Traditionen könnte es auch bei Eva Hesse gegeben haben. Bei einem Symposium in Wiesbaden im Sommer 2002 wurde anlässlich unserer großen Eva-Hesse-Ausstellung auf die Motive der Thorarolle oder des Gebetsmantels mit seinen geknüpften Fäden verwiesen« – also auf Elemente aus der jüdischen Tradition, die aus einer tiefen mythischen Tradition kommen –, »aber dies wurde bisher nicht näher untersucht.«

Auch Bernd Völkle hält mögliche Parallelen zu ihren Skulpturen für zufällig: »Beuys war zu ihrer Zeit noch nicht diese Gurufigur. Er hat für sie keine Rolle gespielt. Man kann allenfalls darüber spekulieren, dass sie sich zufällig getroffen haben bei einer Vernissage«, womit er eigentlich meint, dass sie sich zu einer bestimmten Zeit im selben Raum am selben Ort aufgehalten haben mögen, mehr nun allerdings wirklich nicht.

Auf den vielen Reisen ging es nicht nur um magische Momente, in denen Kunst und Leben eins waren und die ernsthafte Eva Hesse strahlend aus sich herausging und die Leichtigkeit des Seins stärker war als die mitgeschleppten Lasten. Es drehten sich die Gespräche auch oft um Politik, und da zeigte Tom Doyle in witziger Gelassenheit amerikanische Flagge: »Als mich einer von den Deutschen fragte: Warum habt ihr Kennedy getötet?, habe ich geantwortet: Und warum habt ihr Hitler nicht getötet? Eva hat sich an diesen Debatten nie beteiligt. Sie hatte bei solchen Diskussionen immer Angst, ich hatte das Gefühl, sie andauernd beschützen zu müssen.«

Von ihrer eigenen deutschen Geschichte ahnten die meisten ja nichts, darüber sprach sie nicht. Was sie von den Deutschen hielt, die zu der Generation gehörten, von denen einst sie und ihre Schwester und ihr Vater und ihre Mutter aus Deutschland verjagt worden waren, behielt sie für sich. Nekes hat sie einige Details ihrer Biografie anvertraut, aber zum Beispiel Scheidt und dessen Frau Isabel hatten davon nie gehört. Wolfgang Liesen wusste auch nichts davon, kann sich aber an eine Situation erinnern, in der es grundsätzlich um die deutsche Vergangenheit ging: »Sie hat dabei ziemlich laut über die Deutschen geschimpft. Meine Eltern waren hier, das war die Generation der Nazis, da gab es dann ziemlich heftige Diskussionen. Eva war sehr emotional und hat die Deutschen aggressiv als Nazis beschimpft. Die hat sie alle in einen Topf geworfen. ›Ich will‹, so sehe ich sie noch in diesem Zimmer sitzen, ›ich will, dass alle Deutschen untergehen.‹ Da hat sich eine Wut aufgestaut, aber woher die kam, das wussten wir nicht, ihren persönlichen Hintergrund kannten wir ja nicht.«

In ihren Aufzeichnungen steht nicht nur, was sie Tolles gesehen und wo sie Aufregendes erlebt hat, wie immer notiert sie auch Alltägliches und Banales. Was Kettwig außerhalb ihres Ateliers zu bieten hat, ist nicht gerade aufregend. Ihr Mann Tom sieht das anders, deshalb ist sie abends oft allein, hat keine

Lust, in eine Kneipe zu gehen und mit Menschen zu reden, die sie nicht interessieren, über Themen, die sie erst recht nicht interessieren. Bei den Scheidts kann sie sich nicht ausweinen, das wäre ihr peinlich, weil der Unternehmer Arnhard Scheidt ja eigentlich ihren Mann geholt hat und nicht unbedingt sie hat haben wollen und bestimmt nichts von ihren Problemen hören mochte. Die Sekretärin ihres Mäzens, Gudrun Maas, besucht sie. Die hat abends immer Zeit für sie, und mit ihr trifft sie sich oft.

»Ich bin sehr müde, meine Beine tun weh, und nun muss ich auch noch abwaschen, bevor ich wieder ins Atelier kann. Meine Tage hier sind ziemlich ausgefüllt, aber das lenkt auch von anderen Gedanken ab … Ich mag die Farben nicht mehr, die ich gebrauche … Am Ende ist es rot, gelb, blau, grün, und ich hasse es. Es ist langweilig, uninteressant, und ich kann es eigentlich besser … Sonntag sind wir schon einen Monat hier, kaum zu glauben, es geht noch immer nicht so recht voran mit meiner Arbeit, Tom geht es ebenso. Ich habe furchtbare Schmerzen in meinen Beinen, es ist schwierig, zu gehen und zu stehen, und selbst wenn ich mich hinlege, tut es weh. Hauptsächlich hinten an den Knien. Ich hoffe, das gibt sich, aber ich hatte immer schon gewisse Schwächen in meinen Beinen. Ob es an der Blockierung liegt, die mich auch am Arbeiten hindert? … Habe von meiner Mutter geträumt … Mit Periode aufgewacht, fühle mich miserabel … Wäsche gewaschen und eingekauft und gekocht und abgewaschen und wenig gearbeitet und die Beine zu müde, um ins Atelier zu gehen …«

Die Ursache für die Schmerzen in den Beinen stellt ein Arzt fest, den sie wegen anderer Probleme aufsucht. Sie hat überall am Körper rote Pusteln. Er diagnostiziert »German measles«, die Röteln. An sich sind Röteln eine Kinderkrankheit und bei Erwachsenen nicht häufig. Er verschreibt fiebersenkende Mittel und ordnet Bettruhe an. Nach drei Tagen sind die Symptome verschwunden. Eisenmangel sei es wohl, der ihr das

Gehen schwer macht. Außerdem habe sie einen zu niedrigen Blutdruck, was die Patientin lakonisch so kommentiert: »Ich hoffe, es kommt nicht von meiner gedrückten Stimmung oder von meinem geringen Selbstbewusstsein.«

Geeignete Medikamente, um den Blutkreislauf zu fördern, sind zweimal täglich einzunehmen. Außerdem empfiehlt der Arzt Massagen und viel Bewegung. Woran sie sich nur einmal hält. Zusammen mit Rosemarie und Wolfgang Liesen geht sie den weiten Weg von Kettwig an der Ruhr entlang nach Mülheim, gesteht anschließend den beiden, so weit sei sie in ihrem ganzen bisherigen Leben noch nie zu Fuß gegangen.

Die Mittel, die sie lieber haben wollte, Librium gegen die Depressionen und die roten Pillen, Optalidon, gegen ihre Schmerzen, bekam sie nicht. Die aus den USA mitgebrachten Vorräte waren aufgebraucht. Scheidt erinnert sich, dass Eva Hesse von ihm und seiner Frau wissen wollte, ob es in Kettwig einen Psychiater gebe. Natürlich nicht, lautete die Antwort. »Das war damals noch nicht üblich in Deutschland.« Wer einen solchen Spezialisten brauchte, im Volksmund Seelenklempner genannt, galt als verrückt, und für Verrückte hatte man gewisse Anstalten. Sie schickten Eva Hesse stattdessen zu ihrem Hausarzt, und der stellte dann fest, dass sie wegen der Röteln viel Ruhe brauchte.

Librium einzuwerfen gegen ihre Depressionen, zwei Pillen pro Tag, sorgte eh nur vorübergehend für Entspannung. Blieb als Alternative ohne Nebenwirkungen nur die Therapie, alles aufzuschreiben. Diese Methode kannte sie. Auch deshalb schrieb sie in Deutschland so viel wie nie in ihre Tagebücher und in ihre Kalender. Wie früher auch mal wieder in Anrede an sich selbst: »Eva, du wirst benutzt. Dein Mann behandelt dich wie ein Stück Scheiße. Und aus welchen Beweggründen auch immer lässt du es dir auch noch gefallen.«

Die Freundin von Werner Nekes, neunzehn Jahre alt, Tochter des reichen Fabrikanten Oberloskamp aus Mülheim, als

Dore O. in Nekes' Filmen als seine Muse eingesetzt und für viele Jahre mit ihm verheiratet, kommt ihr nah. Dore studierte damals Textildesign, fuhr immer nur an den Wochenenden nach Mülheim und hatte sich dort neben Peter Könitz in der alten Lederfabrik ihres Großvaters bereits ein Atelier eingerichtet.

Sie lebt noch immer in Mülheim, Haus an Haus neben Nekes, von dem sie geschieden ist, hat ohne ihn selbst viele Filme gemacht, hat Bilder und Objekte ausgestellt auf der »documenta«. Sie weiß heute, was Eva Hesse, die zehn Jahre ältere Frau, schon vor ihr erkannt hatte: »Man wird als Künstlerin immer in die Ecke gedrängt, weil sich die Männer nicht ihre Plätze wegnehmen lassen wollen.« Manchmal habe sich Eva bei ihren Besuchen einfach nur aufs Sofa gelegt und sei eingeschlafen, so erschöpft sei sie gewesen von den Auseinandersetzungen mit Tom, ihrem Mann. Dore konnte ihr noch keine Ratschläge geben, so wie die erwachsenen Frauen Gudrun Maas, Linda Haacke oder Rosemarie Liesen. Sie konnte nur für sie da sein.

Das aber reichte Eva.

Wie unglücklich sie war, blieb aber weder Dore noch ihren Schwestern verborgen. »Eva hat sich bitterlich beklagt über ihren Mann, sie hat gelitten.« Tom Doyle war der Dominierende, und sie war das Schmuckstück, doch für die Studentin waren beide gleichberechtigt, für sie waren das einfach »zwei tolle Personen aus New York«. Im Sommer saß sie mit Eva unten am Fluss neben dem Weidenbaum, wo sie ihre langen Haare in der Sonne trocknete. »Über Kunst haben wir nicht sehr viel gesprochen. Ich wollte gern Englisch sprechen, sie gern Deutsch, und sie hat mir auch etwas von ihrer deutschen Geschichte erzählt.« In Erinnerung bleibt sie ihr als eigentlich ernste Frau, »obwohl sie lustig hübsch aussah, wunderschöne Kleider anhatte und verrückte Ohrringe trug«.

Die Kettenraucherin Eva Hesse schlief nicht nur bei den

Fabrikanten aus Mülheim auf dem Sofa ein, weil sie sich mit Tom bis zur psychischen Erschöpfung mal wieder gestritten hatte. Sie fühlte sich oft ganz einfach schlapp. Ihre Unzufriedenheit, mit ihrer Kunst nicht weiterzukommen, machte sie müde. Manchmal lag sie den ganzen Tag im Bett und las, anstatt zu malen – Katherine Anne Porter, Kingsley Amis. Im Amerikahaus Ruhr in Essen gab es eine Bibliothek, dort konnte man Originalausgaben ausleihen. Tom fuhr öfter hin als sie, brachte manchmal die falschen Bücher mit, kam erst nachts nach Hause, wenn er in der Umgebung der Folkwangschule jungen Kunststudentinnen half, die ihn nach dem richtigen Weg zum Ruhm fragten.

Oder so.

Bei der Lektüre von Simone de Beauvoirs »Anderem Geschlecht« findet Eva zwar keinen Trost, aber Parallelen zu ihrem Leben. Dass Frauen als Objekte betrachtet werden, nun ja, das weiß sie aus eigener Erfahrung. Bei ihr sei es aber nicht diese von Männern bestimmte Rolle, das ließe sich ja ändern durch eine bewusste Antihaltung. Bei ihr seien eher die »Unsicherheiten aus einem zerbrochenen, kranken« Heim prägend gewesen, in dem sie nicht unterstützt worden sei. Vom Vater hat sie mitbekommen den Sinn für Ordnung, das Lieb-sein-Wollen, von der Mutter die Kreativität und ihr labiles Wesen, aber auch die sexuelle Kraft. Wieder könnte daraus der Schluss gezogen werden, die beiden bestimmenden Faktoren in ihrer Kunst, Ordnung und Chaos, seien genetisch bedingt, aber das wäre zu einfach: »Ich habe überlebt, nicht glücklich überlebt, sondern weil ich ein Ziel hatte und eine Vorstellung davon, wie es besser sein könnte.« Sie spricht sich Mut zu, keine Angst zu haben vor den Konsequenzen, falls sie mal kühl die Bilanz ihres Lebens zieht und die aktuellen Ursachen findet, warum sie jetzt unglücklich ist, nicht die aus der Vergangenheit sucht.

Gemeint ist wieder mal ihre Ehe. Auf der einen Seite immer noch ihre Sehnsucht, auf der anderen Seite ahnt sie, dass die nur bestehen kann, wenn sie sich unterordnet und ihrem Mann eine Freiheit lässt, die der für selbstverständlich hält, an der sie aber langsam zerbricht. Welche Art Partnerin Tom für ideal hielt, zeigte sich nach dem Tod von Eva, als ihn ein Reporter in New York fragte, was ihm an seiner neuen Frau Jane am besten gefalle. Die Antwort: »Dass sie für mich da ist, dass sie für mich sorgt.« Auch Eva wollte für ihn da sein, aber auf Augenhöhe und nicht als Putzfrau, als Sekretärin, als Köchin, die das Hobby Malen pflegt. So hatte sie sich die Alternative zur Park-Avenue-Welt nicht vorgestellt. Tom habe nur im Sinn, seine Skulpturen zu formen, zu lesen und dann seinen »liebsten Bedürfnissen nachzugehen: Saufen, Essen & Frauen«.

Sogar der zehnjährige Junge Carl, der es aufregend fand, den Amerikanern bei ihrer Arbeit zuzusehen, still dabeizusitzen und sie zu beobachten, merkte die Spannung, die zwischen den beiden herrschte: »Das konnte man auch als Kind schon spüren.« Eva spielte oft mit den Kindern ihrer Gastgeber, zeichnete mit ihnen, machte für Carls Schwester ein Bild mit den Buchstaben des Alphabets, weil Gabriele Scheidt gerade eingeschult wurde, und für ihn, für Carl, den sie auf dem Bild mit K schrieb, der sie Eva nannte, eines mit vielen Wasserbällen – die mal auftauchen werden als Form in ihren hängenden Skulpturen –, das heute in seiner Wohnung in Freiburg hängt. »Sie nahm uns Kinder ernst, auch auf der Ebene Kunst.« Eva Hesse in ihren Aufzeichnungen: »Habe Zeichnungen für die Kinder gemacht. Sie waren bunt. Rote, blaue und grüne Quadrate. In jedem ein Buchstabe des Alphabets.« Er und seine vier Geschwister haben einige Werke aus der Sammlung ihres Vaters geerbt, der zuvor vieles verkaufte, nachdem die Textilindustrie in Kettwig unterging.

Die Kinder fühlten sich von ihr geliebt, und der alte Scheidt erinnert sich, dass sie mit seiner Tochter und seinem Sohn gelöst spielte und ihnen Zeichenunterricht gab und mit denen lachen konnte, wie er sie sonst nur selten so befreit lachen gehört habe. »Sie und Tom hatten oft Streit. Manchmal gingen sie wie zwei Kampfhähne aufeinander los. Gestritten wurde um persönliche wie um künstlerische Probleme. Wir versuchten häufig zu schlichten.« Er glaubte im Nachhinein erkannt zu haben, dass Eva etwas Alttestamentarisches an sich hatte, er nannte es »mosaisch«, was nun gar nicht zu Tom gepasst habe und zu dessen »angeborener irischer Fröhlichkeit«, seinem stets wachen Whiskeydurst und seiner Lust auf Geselligkeit. Scheidts Sohn: »Ich kann mich an manche Abendessen bei uns erinnern, Tom trank Whiskey aus Wassergläsern. Nach und nach entwickelten sich ziemlich laute Gespräche ...«

Als ihre Freundin Ethelyn Honig aus New York schreibt, dass sie bald auf Mallorca sein werde, und die Insel sei doch von Deutschland schnell erreichbar, entschließt sich Eva Hesse spontan, ihrer Einladung zu folgen. Ohne Tom. Über Frankfurt fliegt sie nach Palma. Dort holt Ethelyn sie am Flughafen ab. »Sie war sehr aufgewühlt. Sie kam aus dem Flugzeug, angezogen orange und pink. Sah für das damals sehr konservative Spanien einfach wahnsinnig aus. Es hat sich auch einer gleich am Abend in sie verliebt, der hieß Pepe, aber da ging nichts. Ein toll aussehender Mann, doch Eva hatte nur einen im Sinn: Tom, trotz seiner Eskapaden. Zwischen den beiden lief es ganz schlecht.«

Ethelyn Honig findet es noch heute erstaunlich, wie sehr sich Eva Hesse in »großen Dingen klar und bestimmt ausdrücken konnte« und sich über Kleinigkeiten in persönlichen Beziehungen fürchterlich aufregte. Ein Beispiel fällt ihr ein: »Es waren natürlich viele Deutsche in der Gegend, und sie redete mit denen auch auf Deutsch, und anschließend erzählte sie mir, wie sehr sie es hasste, mit solchen Leuten zu reden. Paradox. Absurd.«

Seit Monaten hatte sie schon Kopfschmerzen, wie sie ihrer Freundin erzählt. Auf Mallorca war es manchmal so schlimm, dass sie »vor Schmerzen buchstäblich schrie«, dass sie oft nicht richtig schlafen konnte und Tabletten brauchte, die allerdings in ihrer Wirkung nicht lange vorhielten. Eva Hesse schreibt über die zehn Tage auf Mallorca nur wenig: »Stierkampf in Maura. Fest in Pueblo, Furunkel im Ohr. Lag am Strand. Pepe im Segelboot. Handschuhfabrik Wein probiert. Konzert im Klostergarten. Höhlen bei Canyamel. Zehen gebrochen.«

Wie »beschissen« sich ihr Mann, den sie aber nach wie vor liebt und dem sie alles immer wieder verzeiht, immer dann verhält, wenn er zu viel getrunken hat, erleben bei einem Kostümfest in Basel auch andere. Bernd Völkle zum Beispiel, der in sie verliebte junge Maler. Bei der Böcklinade zum Gedenken an den 1901 verstorbenen Basler Künstler Arnold Böcklin, veranstaltet vom umtriebigen Arnold Rüdlinger, schlägt Tom Doyle einen Fremden zusammen. Stark ist er ja, und wenn er ein gewisses Stadium der Trunkenheit erreicht hat, erkennt man ihn nicht wieder. »Tom schlimmer denn je«, schreibt Eva Hesse, und Völkle erzählt, dass sie weinte und sich an ihn klammerte und ihn bat, mit ihr irgendwohin zu gehen, Hauptsache, weg. »Aber wohin? Sehr stark spürbar war ihr Suchen nach Hilfe. Sie hatte Angst. Das war draußen vor der Kunsthalle. Ich hatte auch Angst und immer über ihre Schulter geschaut, ob Tom vielleicht herauskäme und mir auch eine verpassen würde, obwohl er mich grundsätzlich ja mochte.« Der Mann, den Tom Doyle niedergeschlagen hatte, auch ein Amerikaner, hatte nur irgendwas in der Richtung gesagt, dass Tom sich gefälligst benehmen solle, da war Tom schon aufgestanden, »hat ihm am Hemd alle Knöpfe abgerissen und ihm eine solche gelangt, dass er am Boden lag«.

Irgendwann ging das Paar aus der Kälte wieder in die weinselige Wärme der Kunsthalle zurück, der Maler und die sich an ihn klammernde Eva, und da stand Tom und strahlte beide an, und dann tranken alle gemeinsam was, und alles war wieder gut.

War es wohl nicht. Denn zurück in Kettwig, trug sie ein: »I

had a hysteric fit«, einen hysterischen Anfall, doch sie empfand ihre Wut als gerechtfertigt angesichts dessen, was sie in den vergangenen beiden Tagen in Basel erlebt hatte. Wie sollte es weitergehen? Mit ihr und Tom? Mit ihr? Mit ihrer Kunst?

Erst einmal erfolgreich, weil für die Winterausstellung des Kunstvereins in Düsseldorf drei Zeichnungen von Eva Hesse angenommen werden. Weil die Direktorin des Museums in Dortmund gleich vier ihrer Blätter erwirbt und weil Tom an Albert Schulze-Vellinghausen eine Skulptur verkauft. Die kleinen Erfolge verbessern die Stimmung, entspannen die Atmosphäre in der Fabrik. An seinem dritten Hochzeitstag erwartet das Ehepaar keinen Besuch.

Eva Hesses in Kettwig entstandene Aquarelle haben noch Titel wie *Try to fly*, was vielleicht zurückgeht auf ihren ersten Flug, den von New York nach Luxemburg. Ihre Tusch- und Bleistiftzeichnungen, die Materialbilder sind alle *untitled*. Sie scheint auf denen zeichnend mit dem Material zu üben, das sie vor Augen hat, dem von Doyle *»junk«* genannten Abfall aus der Tuchfabrik. Spätere Interpretationen sehen in den Formen allerdings nicht Spindeln und Stäbe und Schrauben und Verschlüsse, sondern Penisse und Vaginen und Brüste und Geburtsmaschinen. Al Held ging noch weiter und bekannte angesichts eines von Arnhard Scheidt mal als Geburtsmaschine bezeichneten Bildes, Erotischeres habe er nie zuvor erblickt.

Im Nebel nachträglicher Deutungen sehen nur wenige Experten wie Renate Petzinger oder Eva einst nahe stehende Freunde wie Mel Bochner klar, sind sich einig, dass in diesen Materialbildern erkennbar wurde, welches Ziel Eva Hesse vor Augen hatte, wohin es mal gehen sollte. Tom Doyle hat ihr, auch genervt von ihrem Genöle, dass ihr wieder mal diese oder jene Zeichnung misslungen sei und dass sie keine Lust mehr habe aufs Malen, den entscheidenden Tipp gegeben. Er schlug ihr vor, es doch »mal mit all dem Mist zu versuchen, der auf dem Hof herumliegt«, mal was anderes zu machen. In ihren Zeichnungen sei doch enthalten, was sie brauche, sei ihr instinktiv sicheres Gefühl für Dreidimensionales, für Plastiken sichtbar. Sie befolgte seinen Rat, denn auch wenn er am Alltag desinteressiert war und sich darauf verließ, dass sie schon alles richten werde, so konnte sie sich auf ihn verlassen, wenn er als Künstler agierte. Da war er »hundertprozentig konzentriert«, und sie bewunderte ihn dafür.

Also, *fuck painting*, Eva, *just do it.*

Eva Hesse tastet sich systematisch heran. Zunächst braucht sie eine feste Unterlage. In der Schreinerei der Scheidt-Fabrik bestellt sie sich Tableaus. Hartfaser auf Holz, zugeschnitten nach ihren Wünschen. Die Drähte und Schnüre, die sie benutzt, sind Reste aus der Tuchfabrik. Wie diese Materialien, die in Sichtweite auf dem Fabrikhof liegen, auf Deutsch heißen, wussten weder Eva noch Tom, aber das ist auch nicht nötig. Sie gehen einfach runter und suchen sich in einem der Haufen was Passendes aus. Sie beginnt mit einem Stahlgitter, durch das sie in Handarbeit Drähte zieht, die sie miteinander verknotet. Gefällt ihr aber nicht, ist nur Kunsthandwerk, mehr nicht. Sechs Tage danach versucht sie es mit Hilfe der Gipsmasse, die Tom für sie in einer kleinen Wanne angerührt hat. Er warnt sie, das Zeug werde schnell fest und kalt und sie unangenehm kalte Hände bekommen. Eva überlegt nicht, taucht Seilstücke in Gips, zieht die triefenden Teile durch die Quadrate im Gitter, verknotet die dahinter – und *wow*, das ist es: »Gips! Ich fand dieses Material immer toll. Es ist biegsam, leicht und leicht zu verarbeiten, die weiße Farbe.«

So simpel kann man sich als Laie den Übergang vom Zeichnen und Malen in die dritte Dimension, den Quantensprung vom Flächigen ins Räumliche, eigentlich gar nicht vorstellen. Man erwartet den Kuss der Muse oder zumindest ein Aha-Erlebnis der Künstlerin. Doch Tom Doyle erzählt es einfach so, wie es war. Die Idee hatte sich seit den »Boxes« in New York, die sie dann wieder begrub, wohl bei ihr eingenistet. In ihren

Zeichnungen war die Kopfgeburt bereits auf der Welt. Aber fassbar war sie noch nicht, nur sichtbar. Dann hat sie das herumliegende Material eines Tages »einfach nicht mehr abgezeichnet, sondern tatsächlich benutzt«. Was Eva Hesse für ihre Raumfahrt in die neue Dimension noch so brauchte, Spachtelmasse und Spachtelmesser, Gips und Kordeln, Spindeln und Schnüre, Sperrholz und Spanplatten, bekam sie umsonst vor der Haustür. Als sie entdeckte, dass sie mit Dingen außerhalb einer Leinwand arbeiten konnte, war Tom »richtig froh, dass sie endlich etwas für sich gefunden hatte und dass endlich diese Selbstzweifel, diese quälenden, vorbei waren. Ich habe ihr geholfen, ja, aber sie fand schnell einen eigenen Weg.«

Am Anfang leuchteten die Markierungen auf diesem Weg so bunt, als sei alles gemalt und hätte nur zufällig eine andere Form. Das waren Farben, die sie in »Boxes« benutzt hatte und die Tom Doyle für seine Skulpturen einsetzte, und die hatte er von ihr bekommen. Jetzt gab er ihr was zurück. Brachte ihr mal dieses, mal jenes Stück, das er für seine Objekte nicht brauchte, rüber in den Glaskasten, und sie integrierte es in ihre Kunst. So nah war sich das Künstlerpaar Hesse/Doyle noch nie gewesen, und so nah würde es sich nie wieder sein. Das Ehepaar Doyle erlebte nur noch Momente von Nähe.

Sie warf sich zwar vor, immer mehr von ihm verlangt zu haben, als er ihr geben konnte, und was sie damit meinte, war Nähe nicht nur für Augenblicke, sondern auf Dauer. Aber diese Erkenntnis half ihr nicht weiter, denn sie änderte nichts daran, dass Eva der Mangel schmerzte. Lächerlichkeiten wie die, dass Tom zu spät zum Abendessen nach Hause gekommen war, nachdem sie sich so viel Mühe gegeben hatte und eigentlich auch lieber was anderes gemacht hätte, als zu kochen, trug sie ebenso in ihr Tagebuch ein wie beiden mitunter gemeinsame Depressionen, die ähnliche Gründe hatten – »Tom even said this morn, maybe I just won't ever make it. My feeling also.« Nicht nur sie zweifelte an ihrer Kunst, auch er, der scheinbar

Unerschütterliche, hatte manchmal wie an diesem von ihr beschriebenen Morgen das Gefühl, es nie dahin zu schaffen, wohin er wollte. Doch er schüttelte die Zweifel schnell ab, verließ das Haus, zog in Kettwig um die Häuser und ertränkte seine düstere Stimmung in lauter irischer Fröhlichkeit.

Dass er sogar mal mittags um halb eins betrunken am Bahnhof gestanden habe, um eine Freundin von ihr abzuholen, empörte sich Eva Hesse schriftlich, um später zu bekennen, weil diese Freundin während ihres Aufenthalts bei ihnen in Kettwig so unerträglich viel gelabert habe, seien Tom und sie sich im fassungslosen Schweigen näher gekommen und hätten anschließend gemeinsam gelacht. Sie beendet diese Passage mit der leisen, zarten, hoffnungsvoll-hoffnungslosen Frage: »I wonder can we be in love«, geht auf Distanz zur Künstlerin Eva Hesse und geht ganz auf in ihrer Rolle als Ehefrau Eva Doyle, beginnt sogar zu häkeln, was sie nie gelernt hat. Eva will Tom einen selbstgestrickten Schal schenken.

Eva Hesses Erstling aus Draht und Schnur und Gips, noch farblos weiß, ist nicht erhalten, sie hat ihn zerstört. Tom Doyle vermutet, dass sie wohl erschrocken darüber gewesen sei, weil es so gar nichts mehr mit dem zu tun hatte, was sie bisher gemacht hatte. Doch er habe selbst bei diesem ersten Versuch gleich gewusst, das ist es, das ist sie, das ist jetzt wirklich sie. Angeregt nicht nur durch ihn, sondern auch von Jean Dubuffet, der den Begriff Assemblagen prägte für Collagen mit plastischen Objekten, die auf Platten montiert sind, Kunstwerke mit einer reliefartigen Oberfläche. Die Arbeiten des Franzosen hat Eva Hesse auf ihrer Kunstreise durch Europa in Amsterdam gesehen, und jetzt mischt sie mit auf ihre Art.

Angeregt vom Spiel der Farben ihrer Lieblinge Fernand Léger, Willem de Kooning, Jackson Pollock, Jasper Johns, ausgebildet in der Farbenlehre des ungeliebten Lehrers Josef Albers, was sich aber jetzt hilfreich niederschlägt in ihren stimmigen Kompositionen, angestoßen durch die Reliefs und

Skulpturen und Objekte von Dubuffet und von Tom, aber auch von Hans Haacke, Robert Morris, Günther Uecker, Jean Tinguely, Meret Oppenheim, Marcel Duchamp, befördert durch das, was Arnhard Scheidt in Hülle und Fülle anbietet in seinen Fabriken, machte sich Eva Hesse auf die Reise. Sie nahm zwar Abschied von der Malerei, aber wusste noch nicht, wo sie ankommen würde.

Vom Aufbruch ins Unbekannte schreibt sie ihrer Freundin Rosalyn Goldman in New York, die ihr berichtet hat, dass sie schwanger sei: »Dear Rosie, ich will Dir erklären, was genau ich gemacht habe. Und obwohl ich meine Zweifel hatte, was die Halbwertzeit betrifft und überhaupt, was es bedeuten soll, hat es mir Spaß gemacht, weil es neu war, auch die Arbeit als solche. In der verlassenen Fabrik, in der wir arbeiten, gibt es jede Menge Abfall von den Maschinen. Tom hat viel davon, vor allem Stahlstücke, für seine Skulpturen benutzt. Ich habe seit Monaten das Zeug gesehen und irgendwann ein Drahtsieb genommen, eine Art Netz aus Stahl, ein Gitter, auf einen Rahmen gezogen und ein Seil in kleine Stücke geschnitten. Die habe ich in Gips getaucht und jedes Stück durch ein Loch gezogen und dahinter verknotet. Es ist noch nicht das Gelbe vom Ei, aber wenn wirklich was Neues daraus wächst, wäre es toll. Noch ist es das nicht, aber ich habe ein paar Ideen, was man mit anderen Strukturen anstellen könnte, und will noch mehr mit Gips versuchen. Es könnte was daraus werden.«

Dass die in Kettwig entstandenen vierzehn Reliefs alle getauft wurden und zum Teil wunderbar absurde Namen tragen, die sowohl alles als auch meist nichts bedeuten, liegt nicht nur an ihrem Lieblingsdichter Eugène Ionesco, dem Meister des Absurden, sondern auch am Lieblingsdichter von Tom Doyle, dem irischen Sprachbildhauer James Joyce. Gemeinsam denken sich Tom und Eva nachts beim Wein oder Whiskey verrückte Namen aus, und weil sie beide dabei so viel Unsinn machen, sind sie sich nahe wie einst. Manche Titel sind so verrückt, dass wirklich keiner darauf käme, was sie bedeuten sollen. *Eighter from Decatur* zum Beispiel regte viele Interpreten an, aber denen ging es um Werkdeutung und einen womöglich tieferen Sinn. Farben. Jörg Daut vom Museum Wiesbaden wollte mehr wissen, nämlich das, was eigentlich jeder wissen möchte: Wieso heißt es so? Mehr als dreißig Jahre nach Eva Hesses Tod fand er durch hartnäckiges Recherchieren heraus, dass der Ausdruck *Eighter from Decatur* in einem Würfelspiel gebräuchlich ist, das Tom Doyle in Ohio zu spielen pflegte.

Das erste Relief ist Freundin Rosalyn Goldman gewidmet. Weil die schwanger ist, nennt Eva Hesse es in ihren Aufzeichnungen zunächst *Ring around a Rosie*, womit wohl Rosies dicker Bauch gemeint ist, dann *Ringaround Arosie*. Titel und verwendetes Material sind leicht erklärbar, wenn man weiß, wem das Namensspiel gilt und in welchem Zustand sich Rosie gerade befindet, dem der Schwangerschaft: Zwei kreisförmige Papiermaché-Elemente, eine abstrakte weibliche Figur darstellend, der Untergrund dunkelgrau, eine Farbe, die typisch ist für künftige Arbeiten wie auch die Halbkugeln und die Kreise. Die Kordeln um die beiden mit einem witzigen kleinen Nippel versehenen Rundungen sind orangefarben, die in ihnen aufgerollten Schnüre weiß. Aber auch Anklänge an Marcel Duchamps Pseudonym Rose Sélavy sind denkbar.

Alle Reliefs bestehen aus dem Material, das Eva im Atelier von Tom oder unten auf dem Hof gefunden hat. Doch sie schwelgt geradezu in Farbigkeit, als wolle sie noch einmal bis zur Neige auskosten, was die Malerei ihr bieten konnte. Insofern ist das bunte Rosie-Relief eher eine hängende Skulptur, ein mit Wölbungen versehenes Bild. Als es mit ihren anderen Arbeiten dieser Art und einigen Zeichnungen aus ihrer früheren Art im August 1965 in der Düsseldorfer Kunsthalle ausgestellt wurde, ließ sich Eva Hesse für ein Faltblatt mit ihrer Freundin Rosie fotografieren – der von ihr gestalteten abstrakten Rosalyn. Sie sitzt auf einem Hocker, ihr langes schwarzes

Haar endet oben auf der Spanplatte von *Ringaround Arosie*, das zwischen ihren Beinen lehnt.

Diese Vernissage war übrigens der letzte gemeinsame Auftritt des Künstlerpaares Hesse/Doyle. Parallel mit ihren Reliefs und Zeichnungen, die irgendwo im Nebenraum gezeigt werden, präsentierte der »Kunstverein für die Rheinlande und Westfalen« in der Düsseldorfer Kunsthalle Skulpturen von Tom Doyle. Er bekommt selbstverständlich einen fein gedruckten Katalog, und er ist die Hauptperson der Show. Eine Bekannte aus New York, die Kritikerin Lucy Lippard, schrieb ihm aus der Ferne die Einleitung: »Es scheint manchmal vorteilhaft für einen amerikanischen Künstler, Amerika zeitweilig zu verlassen. Unsere Tradition, so jung sie auch scheinen mag, kann auf diese Weise überwältigender sein, als es Europas glänzendes und altes Erbe für seine Künstler ist ... Dass er ein Jahr lang dem Druck der New Yorker Kunstwelt entfloh, die durch ständige Neuheiten und Umschwünge gehemmt ist, hat seine Entwicklung entscheidend gefördert ... der Aufenthalt in Deutschland trug Früchte ... Doyles Helden sind James Joyce, Brendan Behan, William Tecumseh Sherman, Stonewall Jackson, Walt Whitman, Abe Lincoln, David Smith, Charles Ives und Jackson Pollock. Wie sie macht er aus dem Leben eine außerordentliche und leidenschaftliche Angelegenheit.« Besonders diesen letzten Satz hätte die Frau des so Gerühmten sofort unterschrieben.

Die Vernissage fand am 5. August 1965 statt, fünf Tage später werden beide Deutschland verlassen, alle Arbeiten zurückbleiben, der Transport nach New York wäre zu teuer gewesen. Tom Doyle: »Ich habe damals alles zurückgelassen. Falls ich mehr Skulpturen brauche, dann mache ich sie halt, basta. Ich habe keine Ahnung, was damit passierte.«

Hesses zweites Relief, *Two Handled Orangekeyed Utensil*, ruht wieder auf grauem Untergrund, graublaue und ockerfarbene Kordeln sind asymmetrisch angeordnet, wieder wird deutlich sichtbar, dass die Künstlerin eine Malerin ist. Auf dem Relief *An Ear in a Pond* – den Titel übrigens verdankt sie Wolfgang Liesen, und der wiederum fand ihn bei der Lektüre von Ernst Jüngers »Gläsernen Bienen« – hängt auf weißrosa Untergrund zum ersten Mal eine bemalte Schnur aus einem rosafarbenen gewölbten Schnurgefäß über den Rahmen hinaus zum Boden. Insofern ist dieses Relief ein Prototyp für die kommenden. *Legs of a Walking Ball* ließ Interpreten vermuten, mit den beiden aufrecht stehenden, aber beweglichen Kordeln auf gelbgrauem Untergrund könnten Penisse gemeint gewesen sein.

Oomamaboomba: klingt warm, als laute ein Lied so, nach dem Eingeborene in einem afrikanischen Kral tanzen, oder als hießen die Masken so, die sie dabei tragen. Die New Yorker Kunstkritikerin Naomi Spector sieht das natürlich anders, und ihre Sicht ist sicher wesentlicher: »Diese Reliefarbeit zeichnet sich durch eine besondere Lebhaftigkeit und Kühnheit aus. Von der leicht querformatigen Hintergrundplatte, die in einem gedämpften grünen Ton gehalten ist, hebt sich, gleichsam auf der Suche nach einem Halt, eine seltsam giftig-hellgrüne Form mit einer undurchdringlich braunen Stelle ab.«

Fünf hängende umwickelte Schnüre in verschiedenen Farben, überspannend die alte und die neue Welt, prägen *Tomorrow's Apples*, im *Pink* genannten Relief ist alles grau, und rosa nur ein kleiner Punkt in der Mittel des Objekts. Eva Hesse scheint sich ausgetobt zu haben, was ihre Farben betrifft. Die Form, die sie gefunden hat, ist wesentlicher.

Typisch für sie: Es bleiben Zweifel. Von Tom erwartet sie keine Hilfe, was aber nicht daran liegt, dass er es ablehnt, ihr zu helfen. Im Gegenteil, das würde er lieber tun, als ihre anderen Fragen, die nach der Zukunft ihrer Ehe, zu beantworten. Aber sie fragt ihn nicht. Einem Freund in New York, dem von ihr behutsam abgewiesenen Möchtesiesogern-Liebhaber Sol LeWitt – dem schreibt sie. Und der ihr. Ihm nur kann sie sagen, was sie bedrückt. Ihm nur kann sie alles offenlegen, weil »Du sowohl mich als auch meine Kunst verstehst«, wie sie ihm gesteht, mal abgesehen davon, ob die es überhaupt wert sei, so intensiv diskutiert zu werden. Zwar hat sie ihn persönlich oft verletzt, wie sie zugibt, und oft auch enttäuscht, aber dennoch hat sie das Gefühl, dass er im Zweifelsfall immer auf ihrer Seite stehen würde.

Sol LeWitt konnte dank der Unterstützung einer Galerie, die an seine Kunst glaubte, schon von der leben, weil er zu seinem eigenen Stil mit geometrischen Reliefs, Kasten und Wandstrukturen gefunden hatte, beispielsweise in *Red Square, White Letters*, wo er Schriftzeichen und Farben aufeinander abgestimmt hatte. Eine Botschaft außer der im Titel genannten Aussage des Sichtbaren, rotes Quadrat und weiße Buchstaben, gebe es übrigens nicht, sagte er. Er sah sich selbst in einer Gelassenheit, die seiner geliebten Eva fehlt: »Meine Arbeiten haben sich stark verändert. Vieles ist besser geworden. Ich habe das alles auch schon durchgemacht. Habe alles schon mal verändert, habe alles gehasst, was ich gemacht habe, und dann besser gemacht. Die Überzeugung, es besser zu können, ist wichtig. Besser als den Mist, den ich zuvor fabriziert habe.«

Sie traut sich selbst nicht viel zu. Will einerseits nichts als arbeiten, weiß andererseits nicht, ob es sich auch lohnt. »Ich grabsche alles und nichts, um mich zu finden.« Was aber soll sie sonst tun? »Ich bin allein mit mir.« Anerkennung von ihm oder anderen für ihre Kunst braucht sie zwar nicht, behauptet sie, aber »ausgelacht werden möchte ich auch wiederum nicht«. Eigentlich will sie nur zeigen, was sie gemacht hat, und weil Sol, dem sie gern das alles zeigen würde, nicht greifbar ist, berichtet sie ihm davon, insgeheim wohl auf seine Unterstützung hoffend. »Bin selbst viel zu verunsichert, was mich betrifft. Brauche Zuspruch von außen.«

Also schildert sie einzelne Phasen ihrer derzeitigen Arbeiten. Hunderte von Zeichnungen habe sie gemacht, was übertrieben sein dürfte, in »wild space«, in wildem Raum, wie schon früher ohne spezielle Formgebung. Dann welche, die viele Formen enthalten, ihre Maschinenzeichnungen. Danach »saubere, klare Zeichnungen«, in denen irgendwelche verrückten Dinge untergebracht sind, »real nonsense«. Und seit zwei Tagen sitze sie »am Dreidimensionalen. Es sieht tatsächlich aus wie Brust und Penis, was ich da gemacht habe, was okay ist, ich sollte so weitermachen in dieser Richtung, weiß aber nicht, ob die Richtung auch stimmt. Ich habe die irre, die absurde, meinetwegen auch kranke Seite in mir entdeckt, meinen seltsamen Humor, aber ich kann das nicht einfach ganz cool betrachten, weil das ja alles auf der Angst basiert, die in mir ist, und wer immer nur Angst hat, der kann nicht einfach cool sein. Alles, was ich mache, ist von dieser Angst überschattet.«

Doch immer noch besser, ängstlich zu sein, als gar nichts zu machen, nicht wahr, Sol? »Wie erkennst Du denn, ob das, was in Dir ist, auch gut ist? Dass es überhaupt zu Dir passt? Passt das zusammen, Ehrgeiz und Angst? Ich schreibe alles, was mich bewegt, in ein Buch. Auch diesen Brief an Dich ...« Was die Welt bewegt, hören sie im Radio oder lesen darüber: »Wir hören Voice of America und AFN, kennen die Rede von Martin Luther King ... lesen ›Time Magazine‹ und ›Life‹ (lousy!) und haben neulich sogar eine Ausgabe von ›Arts International‹ bekommen.« Gern würde sie ihm noch mehr erzählen, aber sie ist einfach zu müde: »Ich hoffe, es geht Dir gut. Hast genug zu tun und bist glücklich. Alles Liebe, Eva. Grüße an alle anderen.«

Sol LeWitt, der seine Eva und ihre Stimmungen kennt, antwortet in der ihm eigenen Mischung von Mitgefühl, aus dem seine unerwiderte Liebe spricht, und unsentimentalen Kontern, mit denen er ihre sentimentalen Selbstbetrachtungen ad absurdum führt, was ebenso liebevoll gemeint ist. »Du scheinst mir unverändert zu sein, und jede Minute, in der Du bist, wie Du bist, zu hassen. Hör endlich auf mit diesem Selbstmitleid. Lern doch endlich fuck you zu sagen. Scheiß drauf, was der

Rest der Welt denkt, wenigstens für eine gewisse Zeit. Hör auf, Dir um alles Sorgen zu machen, schau nicht zurück.«

Und weil er gerade so in Schwung ist, gibt er ihr eine ganze Briefseite lang ernst gemeinte und manchmal nur ernst klingende, aber rein wortmalerische Ratschläge. Nicht zu grübeln, zu nölen, zu zweifeln, ängstlich zu sein, nicht zu stolpern und nicht zu brüten, nicht zu klagen und nicht mit dem Finger auf andere zu zeigen, nicht herumzuwursteln und nicht alles festzuhalten, nicht zu hadern und sich nicht zu sorgen: »Just stop worrying, looking over your shoulder, fearing, doubting, eyeball-poking, horse-shitting, rambling, gambling, groaning, hair-splitting, nose sticking, ass-gouging, itching, hatching, finger pointing, mourning, grunding, grending, grinding …« Und endet auf jeder Seite mit »Stop it« sowie einem gezeichneten großen »DO«, tu es.

Wird dann aber doch inhaltlich wesentlich und bestärkt sie darin, weiterzumachen auf dem Weg, den sie ihm beschrieben hat. Versichert ihr, dass er an ihr Talent glaube, davon überzeugt sei, dass sie eine richtig gute Künstlerin ist, aber: »Dein Kopf muss leer sein, wenn Du zu arbeiten beginnst. Nur dann kannst Du alles aus Dir rauslassen. Manches wird schlechter sein, manches wird besser sein, aber so ist es nun mal. Basta. Zeichnungen klar und rein und dann real nonsense? Gut. Brüste, Penisse, Vaginae? Auch gut. Mach einfach das, wonach Dir ist, setz Deinen absurden Witz ein und lass auch Deine Angst für Dich arbeiten, lass sie raus. DO.« Typisch für seine Begabung, die Welt lakonisch zu nehmen, wie sie nun mal ist: »Falls das Leben einfacher für Dich ist, wenn Du nicht arbeitest, dann hör auf zu arbeiten. Alles Liebe, Sol.«

Das aber will sie nicht. An ihrer Arbeit kann sie sich festhalten, auch dann, wenn es keinen anderen Halt mehr gibt. Denn in einem sich täglich steigernden Prozess der Entfremdung zerbricht ihre Ehe. Nach außen hin versuchen Eva und Tom die Form zu wahren, weil im Mai eine gemeinsame Ausstellung im Park und im Gewächshaus ihres Mäzens Arnhard Scheidt geplant ist, in deren Mittelpunkt natürlich Tom Doyle stehen wird. Aber Eva Hesse macht sich nichts mehr vor: »Ich bin allein. Tom ist nicht mehr bei mir. Er bleibt in seinem Atelier sechzehn Stunden am Tag. Wir reden nicht mehr mit-

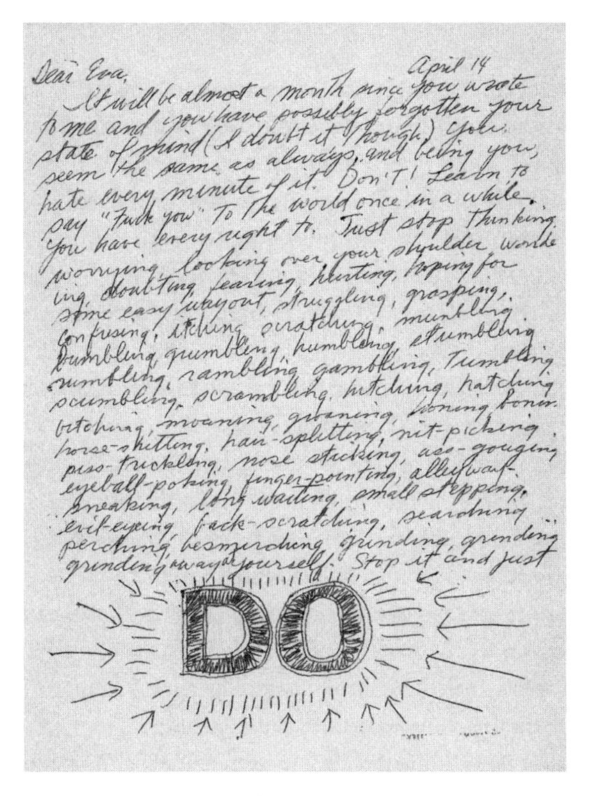

April 14

Dear Eva,
It will be almost a month since you wrote
to me and you have possibly forgotten your
state of mind (I doubt it though). You
seem the same as always, and being you,
hate every minute of it. Don't! Learn to
say "Fuck you" to the world once in a while.
You have every right to. Just stop thinking
worrying, looking over your shoulder, wonder
ing, doubting, fearing, hurting, hoping for
some easy way out, struggling, grasping,
confusing, itching, scratching, mumbling
bumbling, grumbling, humbling, stumbling
numbling, rambling, gambling, tumbling
scumbling, scrambling, hitching, hatching
bitching, moaning, groaning, honing, boning
horse-shitting, hair-splitting, nit-picking,
piss-trickling, nose sticking, ass-gouging
eyeball-poking, finger-pointing, alleyway-
sneaking, long waiting, small stepping,
evil-eyeing, back-scratching, searching
perching, besmirching, grinding, grinding
grinding away at yourself. Stop it and just

DO

Gezeichneter Rat: Brief von Sol LeWitt an Eva Hesse mit der Aufforderung, es einfach zu tun.

einander ... wir sollten es beenden. Er lehnt diese Wahrheit ab. Nur ab und zu bricht es aus ihm raus, wenn er betrunken ist. Er behauptet, der einzige Grund, dass wir getrennt nebeneinander herleben, ist seine Arbeit. Ich hasse das Atelier, er hasst das Haus. Mir bleibt nichts mehr, alles sieht so düster aus.«

Der Alltag bleibe an ihr hängen, ihr Mann kümmere sich um nichts und gehe, wenn er mal nicht arbeite, nur mit seinen Freunden aus, nie mit ihr. Er will nicht mal mehr mit ihr schlafen. So schlimm sei es zwischen ihnen noch nie gewesen, er spreche überhaupt nicht mehr mit ihr. Aber einmal hätten sie sich doch geliebt, verdammt noch mal, warum ist das Leben bloß so grausam?

Es passt zur Realität, dass sie in einem Traum von einem Mann bedroht wird, der sie ermorden will, und dass Tom ihr nicht helfen kann oder will, weil er zu betrunken ist, sie sich selbst wehren und den Angreifer töten muss. Auch die verhasste Stiefmutter Big Eva kommt in dem Traum vor. Was daran liegt, dass sie von der am Tag zuvor erfahren hat, dass ihr Vater schwer erkrankt war, Lungenentzündung und Herzanfall, und dass Evas Sorgen, ob er überlebt, sie in die Nacht verfolgt haben. Er überlebt. Aber William Hesse, erst dreiundsechzig Jahre alt, ist schwer angeschlagen.

Sie wundert sich, woher sie die Kraft nimmt für ihre Reliefs, für ihre Objekte, doch die Kraftquelle ist ihr Ehrgeiz. Der war immer schon stärker als ihr Kummer. Im Atelier fühlt sie sich stark. Ihre Kunst stützt sie. Und deshalb merkt von den Gästen, darunter viele Geschäftspartner ihres Mäzens, niemand, wie es um sie steht, als Arnhard Scheidt zu einer Ausstellung in seinen Park bittet. Schulze-Vellinghausen hält eine Rede auf die beiden amerikanischen Künstler, die seit bald einem Jahr schon in Kettwig sind. Die sind in Reihe eins der im Garten aufgestellten Klappstühle platziert. Neben dem großen Amerikaner sitzt der kleine Carl Eduard Scheidt. Danach findet Kunst im Park und im Gewächshaus statt. Tom Doyle mit Krawatte und Jackett, ohne Hut, aber die Pfeife lässig im Mundwinkel, umschwärmt von den Frauen. Eva Hesse auf hochhackigen weißen Schuhen, Haare wie üblich hochgesteckt, lange Ohrringe, grünes Kleid mit Bordüren behängt, von den Männern in den dunklen Anzügen. Die Sonne scheint, die Kapelle der Betriebsfeuerwehr spielt, ein Ochse dreht sich am Spieß. Doyles Skulpturen sind wie zufällige Besucher auf dem Gelände verteilt, farbig und kraftvoll und stark. Die Maschinenzeichnungen und die fünf fertigen Reliefs seiner Frau blühen im ehemaligen Gewächshaus.

Werner Nekes, der nette junge Mann aus Mülheim, hat sich für den Anlass eine Kamera geliehen und von Scheidt 60 Mark bekommen, um Filmmaterial zu kaufen. »Ich sollte nur Aufnahmen machen vom Abschlussfest im Gewächshaus und von der Kunst und den Besuchern. Mit der Kamera bin ich umhergegangen, habe zwischen Schwarz-Weiß und Farbe gewechselt.« Tom Doyle hatte Scheidt seinen Freund Werner als Dokumentaristen für das Fest vorgeschlagen und auch die Farben bestimmt. »Schwarz-weiß das Ereignis, farbig die Kunst. Wozu die Leute farbig? Damals war doch eh alles schwarz-weiß in Deutschland.«

Eva Hesse spielt mit und lacht in die Kamera, man sieht sie, einen Tulpenstrauß in der Hand, wie sie im Gewächshaus steht und einer Besucherin eines ihrer Reliefbilder erklärt, die so hoch hängen, dass sie mit ausgestrecktem Arm gerade mal bis zur Mitte des Bildes reicht. Bernd Völkle erinnert sich an Evas Zeichnungen und Reliefs: »Da gab es von ihr ziemlich bunte Bilder, aber so sehr haben die mich nicht beeindruckt. Man ahnte nicht, da kommt etwas Großes auf uns zu.« Peter Könitz weiß noch, dass es eine tolle Party war und er mit Tom nachts anschließend um die Häuser gezogen und Eva Hesse nach Hause in die Fabrik gegangen ist.

Dieser Film, der einzige über Eva und Tom, war der Erstling von Werner Nekes, und es war ein Amateurfilm ohne Ton. »Ein paar gute Aufnahmen sind mir eher durch glückliche Zufälle gelungen. Beide sagten mir, dass ihnen der Film gefallen hatte.«

Am nächsten Tag regnete es. Toms Skulpturen wurden nass, Farben zerflossen. Ihm war es egal. Seine Frau konnte diese

Strahlend unter Männern: Eva Hesse bei der Vernissage auf dem Anwesen Arnhard Scheidts im Mai 1965, mit Tom Doyle im Garten der Villa, in der ersten Reihe bei der Eröffnung (neben Tom Doyle der junge Carl Eduard Scheidt) sowie mit Tulpenstrauß im Arm und vor einem ihrer im Gewächshaus ausgestellten Reliefs.

Gleichgültigkeit nicht verstehen. So durfte man doch nicht mit Kunst umgehen. Aber sie hütete sich, deswegen gerade jetzt mit ihm zu streiten und ihm Vorwürfe zu machen. Denn ein paar Tage danach brauchte sie ihn dringender denn je. Allein will Eva Hesse nicht in ihre deutsche Vergangenheit nach Hamburg und nach Hameln fahren. Das traut sie sich in ihrem labilen Zustand nicht zu.

In der Stadt des Rattenfängers trafen sie und Tom Schulfreundinnen ihrer Mutter, von denen Tom später in einem Brief an Sol LeWitt – den das Ehepaar gemeinsam schreibt – nur lakonisch über die »Schatten der Vergangenheit« berichtet, dass die alle viel geweint hätten über die Zeit, in der »angeblich ja niemand gewusst hatte, was passiert«. In Hamburg übernachteten sie direkt am Hauptbahnhof im Hotel »Reichshof«, Eva schlief schlecht und hatte Halsweh und Krämpfe. Am nächsten Morgen standen sie in der Isestraße 98. Die Haustür war unverschlossen, sie konnten direkt raufgehen in die Etage, in der einst die Familie Hesse gewohnt hatte. Eva trug ihr langes schwarzes Haar offen, hatte einen bunten Rock an, sah zerknautscht aus, weil sie übernächtigt war. Ihr Mann, der schnauzbärtige Tom, lässig wie immer. Jeans. Kariertes Hemd. Hut auf dem Kopf. Sie klingelten. Die Tür wurde geöffnet. Weil sie besser Deutsch sprach als Doyle, erklärte Eva, aufgeregt stockend, nach den richtigen Worten suchend, wer sie waren und was sie hier wollten, und bat darum, einen Blick in die Wohnung werfen zu dürfen. Das wurde barsch abgelehnt und die Tür zugeschlagen. Sie weinte. Alle Urteile über die Deutschen hatten sich bestätigt – oder waren das gar noch genau die Leute, die sich damals nach der erzwungenen Emigration die Wohnung ihrer Eltern unter den Nagel gerissen hatten?

Tom Doyle blickt zurück ohne Zorn: »In Hamburg ließen die uns nicht rein, was ich empörend fand, und Eva weinte, aber wenn ich heute darüber nachdenke, war es gar nicht so überraschend. Die hielten uns wohl, so wie wir aussahen, für gypsies und haben uns aus Angst, dass wir sie ausrauben wollten, nicht eingelassen. Wir sahen ja auch wild und ungewöhnlich aus. Es lag nicht an denen, es lag an uns.«

Was sie damals anders empfand und voller Empörung den Klienten und Kollegen ihres Vaters erzählte, die sie und Tom danach trafen, darunter dem Anwalt, der für William Hesse die Wiedergutmachungsforderungen bearbeitet hatte. Eva wollte so schnell wie möglich weg aus der Stadt, sie fühlte sich ihr nicht gewachsen. Tom überredete sie, noch zwei Tage zu bleiben. Hamburg habe doch mehr zu bieten als die gemeinen Deutschen aus der Isestraße. Sie schauten sich Max-Beckmann- und Ernst-Barlach-Ausstellungen an, eine nach Evas Meinung schlechte Verfilmung von Thomas Manns »Tonio Kröger«, die berühmt-verruchte Reeperbahn – allerdings am Tag, wo sie nur trist aussah und dreckig –, fuhren dann zurück. Zwar nett, aber unerträglich ordentlich seien ihre Hamburger Gastgeber gewesen, berichtete Tom Doyle, und seine Frau notierte, dass sie beim Einkaufen genau 596 Mark ausgegeben habe und damit einen großen Teil ihres durch den Verkauf der Zeichnungen erzielten Honorars.

Danach unternehmen sie noch eine letzte Reise zu einem der Leuchttürme der europäischen Kunstgeschichte, nach Colmar zum Isenheimer Altar von Matthias Grünewald, wo sie zufällig einen jungen Maler kennenlernen, der heißt Sigmar Polke. Den kannte damals noch keiner, war erst vierundzwanzig Jahre alt. Später so berühmt wie Gerhard Richter, mit dem gemeinsam er eine ironisch »Kapitalistischer Realismus« benannte Kunstrichtung kreierte. Wie die Skulpturen seiner Zufallsbekanntschaft Eva Hesse sind seine Gemälde heute in allen großen Museen der Welt zu finden.

Dann beginnen bereits hektische Vorbereitungen für jene bereits erwähnte Vernissage am 5. August. Eva Hesse schreibt an Sol LeWitt: »Ja, lieber Sol, wir kommen nach Hause. Vorher noch eine Ausstellung von Toms Skulpturen in Düsseldorf.

Ich zeige meine Arbeiten in der Abteilung für Grafiker und Zeichner. Auch ein paar neue Reliefs. Sechs habe ich fertig und zwei fast fertig, arbeite täglich acht Stunden, Du würdest mich nicht wiedererkennen. Nach dieser letzten Show wird aufgeräumt, saubergemacht, gepackt, Abschied genommen und dann ab nach England und nach Irland. Ein Freund von Tom aus Ohio wird uns begleiten, und, neueste Nachricht: Auch Barbara kommt mit. Danke für Deine Bemühungen, den Termin für die Steuererklärung zu verschieben, um uns den Knast zu ersparen. Sie haben völlig unverständliches Zeug geschickt. Vielleicht sollten die zunächst die englische Sprache lernen und nicht irgendeinen Dialekt aus Südvietnam? Tom will nichts mitbringen nach New York, er will alles hier verkaufen, falls möglich. Wenn es sich nicht verkaufen lässt, will er dennoch alles hier lassen, um den guten Europäern eine letzte Chance zu bieten, er will wieder Unterricht geben, in Brooklyn auf dem College.«

Kleine Abschiedstournee in Kettwig und Umgebung. Dore und Werner bekommen Material, das Eva und Tom nicht mitnehmen nach New York. Dore O.: »Zum letzten Mal habe ich sie gesehen, als sie wegging. Sie brachte uns Farben, die sie nicht mehr brauchte, Ölfarben, war ja sehr teuer bei uns. Für jeden von uns einen Karton. Stand in der Tür mit dem Karton. Pinsel und Leinwand waren auch dabei.« Letztes feierliches Abendessen bei den Scheidts. Eine Ansprache. Eine Dankesrede. Was soll mit ihren Arbeiten geschehen? Wird alles trocken gelagert, keine Sorge, irgendwann wird dann ein Transport nach New York organisiert.

Am 10. August fliegen sie, begleitet von Werner Nekes, der sich das Geld für Flug und Reise zusammengespart hat, nach London, Tom will seine Vergangenheit aufsuchen, so wie Eva die ihre. Seine liegt in Irland. Im Auto, das sie für die Fahrt auf die irische Insel mieten, sitzen hinten Werner und Barbara und Eva, vorne Tom und Andy Klimko, ein Freund von Tom aus der Highschool-Zeit in Ohio. Auch ein Maler. Er fuhr. Die anderen konnten entweder nicht fahren oder fürchteten den Linksverkehr. Die Eintragungen von Eva Hesse lesen sich wie die aus einem normalen Reisetagebuch, in dem sie Route und Sehenswürdigkeiten aufzählt: »Swords. Runder Turm. Strand von Balbriggan. Newgrange. Ganggräber. Donegal. Connemara. Balline Moyne Abbey. Limerick. Galway – kaufte einen Hut. Killarney. Tipperary. Tanz.« Barbara Brown hat das Wesentliche in Erinnerung behalten: »Wir waren der Hit in allen Pubs. Unser einziges Problem, wenn wir da sangen, war, dass keiner von uns mehr wusste als immer nur die erste Zeile eines Liedes.« Zum Beispiel »I've been a wild rover for many a year«, und der Rest ging unter im allgemeinen Gestampfe und Gejohle.

Um zu erklären, warum Eva litt und selten mitsang, wenn die anderen trunken sangen, bemüht Barbara einen Vergleich. Erzählt von Truffauts »Jules und Jim«, in dem zwei Freunde dieselbe Frau lieben. Im Film ist es Catherine, gespielt von Jeanne Moreau. Ihre beiden Liebhaber Jules und Jim spielen Oskar Werner und Henri Serre. Eine Liebe unter dreien, eine *ménage à trois*: »In unserem Fall war Tom die Catherine und Eva und ich die Freundinnen, wir waren Jules und Jim.« Womit sie auf diskrete Weise bestätigt, was Eva so großen Kummer machte. Barbaras Verhältnis mit Tom war nicht mehr zu übersehen, und er hat es auch nicht zu verheimlichen versucht. Werner Nekes: »In Dublin sind die alle auf Sauftour gegangen. Ich nicht. Irgendwann spät in der Nacht kam Eva auf mein Zimmer und hat sich ausgeweint. Fühlte sich total verlassen. Ich konnte ihr nur mein Mitgefühl anbieten und sie in den Arm nehmen, mehr traute ich mich nicht. Aber das war ihr Trost genug, um dann irgendwann in ihr Zimmer zurückzugehen und Schlaf zu finden.«

Als die vier Amerikaner von Shannon aus zurückfliegen nach New York, hat das Ehepaar im Gepäck Fotos von seinen in Kettwig zurückgelassenen Arbeiten und im Handkoffer ganz unten die Reste einer großen Liebe. Eva trägt in ihr Tagebuch ein, dass ihr wohl nichts anderes übrig bleibe, als zu akzeptieren, dass sie ein seelischer Krüppel sei und wie ein Diabetiker täglich eine Spritze mit Insulin benötige: »Ich brauche emotionales Insulin. Da ich mir das selbst nicht spritzen kann, muss ich zum Doktor gehen. Ich verlange einfach zu viel von mir. Und von Tom.«

Der wird sich bald für immer von ihr verabschieden und in der Bowery auf die andere Straßenseite ziehen.

Sie behält ihn aber im Blick.

8. KAPITEL

1965–1969

»Ich nehme viele Pillen. Ich trinke. Ich habe Panikattacken«

Sie ist noch nicht mal dreißig. Aber sie klagt über die Jahre, die bereits auf ihr liegen, und empfindet die als Last. Sie fühlt sich alt, als habe sie schon alles erlebt. Die andere Frau, die sie bald beim Blick über die Straße sehen wird, ist zehn Jahre jünger als sie. Eva Hesse raucht zu viel, trinkt zu viel, schluckt zu viele rosarote und zu viele grüne Pillen, Librium und Optalidon – »I tk. many pills. I drink. I panic inside.« Sie lässt sich fallen in Depressionen. Die vertraute Verlustangst lähmt sie. Solche seelischen Tiefs sind die üblichen Entzugserscheinungen bei Liebeskummer, wie sie jeder und jedem widerfahren, aber Eva Hesse betrachtet sie als Symptome einer nur sie betreffenden seltenen Krankheit. Bei ihr ist es die ganze Welt, die sich gegen sie verschworen hat.

Weil sie das so sieht, unbeeindruckt bleibt von den Empfehlungen ihres Psychiaters Samuel Dunkell, der sie mit seinen Methoden zu stabilisieren versucht, fühlt sich Eva Hesse von allen verlassen. Dabei ist es nur ihr Ehemann Tom Doyle, der sie verlässt. Es ist ja nichts weltbewegend Neues, dass die Ehen von Künstlerpaaren häufiger scheitern als andere, weil sie dem Konkurrenzdruck untereinander nicht standhalten. So auch geschehen beim Ehepaar Eva und Tom Doyle. Bisher war er dominierend, bald wird nur noch von ihr gesprochen.

Dass ihre Ehe aber in jeder Beziehung zerrüttet ist, weiß sie ja schon lange. Vor ihrer Familie allerdings hatte sie das bisher verheimlichen können. Evas Schwester Helen Charash: »Ich wusste weder, was sie in Germany künstlerisch gemacht hat, noch, was da sonst alles passiert war. Sie korrespondierte mit meinem Vater und mit uns nur ab und zu.«

Eva Hesse und Tom Doyle lebten nach der Rückkehr Ende August 1965 noch einige Monate miteinander, aber sie gingen einander aus dem Weg, schliefen zumeist voneinander getrennt, setzten sich nicht mehr mit ihren Problemen auseinander, um sie zu klären und vielleicht danach doch noch eine Lösung zu finden. Die Liebe war bereits ausgezogen und hatte keine neue Adresse hinterlassen. Ein paar eheliche Pflichten verbanden sie noch, die gemeinsames Handeln erforderten. So musste die leidige Steuersache erledigt werden, um die sich Sol während ihrer Abwesenheit gekümmert hatte, so musste dringend Geld herangeschafft werden für Miete, Lebensmittel, Arbeitsmaterial. In Kettwig brauchten sie sich dank Arnhard Scheidt darum keine Sorgen zu machen, aber in der Bowery gab es keine Mäzene.

Dass sie bei solchen Spannungen und Belastungen fast täglich Kopfschmerzen hatte und Optalidon schluckte, schien Eva Hesse deshalb normal zu sein. Eva und Tom verschluckten, sie auf ihre und er auf seine Art, ihre Gefühle, statt sie auszuspucken. Ihr Mann schluckte anderes runter, am liebsten in der »Cedar Tavern«, dem von allen Künstlern im East Village bevorzugten Lokal. Als ihre liebste Tränke ist die Tavern einst entdeckt worden von den Abstrakten Expressionisten, es war auch mal die Stammkneipe von Willem de Kooning und Jackson Pollock, die dort Hof hielten.

Auf Zufallskäufer zu hoffen schien kaum erfolgversprechend, sie waren zu lange weg gewesen und mussten erst mal wieder was von ihrer Kunst zeigen. Sie brauchten deshalb vorübergehend im Alltag feste Verhältnisse statt künstlerischer Freiheit. Also begann die Suche nach Alternativen, zumal da Doyle sich selbst dann nicht ums Geld groß kümmerte, wenn sich tatsächlich eine Chance auf Verdienst bot. In einer Versteigerung zum Beispiel sollten ein paar seiner Skulpturen angeboten werden. Er vergaß den Termin und schickte nichts von sich hin. Als der Auktionator telefonisch nachfragte, erreichte er nur Eva Hesse. Ihr Mann war nicht zu Hause, und als er endlich kam, war die Versteigerung bereits gelaufen, und entsprechend gereizt war die Stimmung seiner Frau.

Feste Verhältnisse: Sie bewarb sich als Zeichenlehrerin für Kinder in der Gemeinde Scarsdale im Staat New York, die per Vorortzug erreichbar war, und wurde als Teilzeitkraft angenommen. Tom Doyle bekam einen Job als Dozent in der Brooklyn Museum Art School, wohin er per U-Bahn fahren konnte. Freundin Ethelyn gab beiden zu Ehren am 25. September 1965, vier Wochen nach ihrer Rückkehr aus Deutschland, eine Party im Hause Honig. Sie traten noch als Paar auf, obwohl die engeren Freunde wie die Gastgeberin Ethelyn um den fragilen Zustand ihrer Ehe wussten.

Eva ahnte natürlich, warum Tom es tunlichst vermied, mit ihr allein zu sein, warum er beispielsweise nie mit ihr in einen Film, nie mit ihr zum Essen, nie mit ihr ins Museum ging: »He never takes me out, a movie – nothing«, nie führe er sie aus, nicht mal ins Kino. Es sollten immer möglichst viele Menschen um sie herum sein, ob bei *opening parties* wie den üblichen am Dienstag, bei Vernissagen, bei Künstlerfesten oder bei Ausstellungen in Museen. Toms Lebensrhythmus war eh ein anderer als der ihre. Nach dem Frühstück ging er über die Straße in sein Atelier, während sie sich um den Haushalt kümmern musste und erst arbeiten konnte, wenn sie damit fertig war. Abends kam er zurück in die gemeinsame Wohnung, aß schnell was und zog dann wieder los. Entweder um die Häuser in die »Cedar Tavern« oder rüber in sein Studio, wo ein paar Kumpel auf ihn warteten. Gern auch zu *football games* der New York Giants ins Stadion.

Alltagskram blieb an ihr hängen. Er interessierte sich in dem Moment nicht mehr dafür, wenn er die Wohnung verließ. Das war auch ein Grund, weshalb es häufig zu lautem Streit kam und sie ihn schon anbrüllte, sobald er zur Tür hereinkam. Was wiederum ihn so nervte, dass er sich am liebsten sofort wieder auf dem Absatz umgedreht hätte. Andererseits beneidete sie ihn darum, wie leicht er alles abschütteln konnte, was ihr Sorgen machte – zum Beispiel die leere Haushaltskasse und die mühselige Pflicht, im Chaos einigermaßen Ordnung zu schaffen. Chaos und Ordnung waren feindliche Brüder, die sie leichthändig in ihrer Kunst zu ihrer Form verband, aber in einem Haushalt schlossen sie einander aus. Er dagegen konnte leichten Herzens locker trennen zwischen Kunst und Leben und nahm beide nicht ganz so ernst. Doyle: »Ich lebe gern und lache gern und hatte es gern, wenn was los war.«

Am liebsten in Gesellschaft, wie in Kettwig umgeben von den Schönen der Nacht, und am liebsten in deren greifbarer Nähe. Es hatte sich also in dieser Beziehung nichts geändert. Barbara Brown, die von Eva seit der Irlandreise kaum noch geliebte Dritte im Bunde, ist es allerdings nicht mehr, nach der Tom Doyle greifen konnte. Sie reiste für ihre Aufträge als Fotografin durch die Welt, und falls sie in New York war, teilte sie ihre freie Zeit mit einem jungen, gut aussehenden deutschen Kunstmanager. Kasper König: »Ich lebte mit Barbara dann am East Broadway, es wurde viel inszeniert mit Objekten. Auch Eva sollte mitmachen, sie wollte aber nicht. Es war ja ein höchst kompliziertes Verhältnis zwischen Barbara und Eva.« Was seine damalige Geliebte bestätigt: »Wir hatten wunderbare Zeiten und viel Liebe erlebt, aber ich wollte mich nicht plötzlich bei den ausbrechenden Konflikten zwischen Eva und Tom mittendrin wiederfinden.« Barbara belässt es bei der dezenten Umschreibung »wunderbare Zeiten und viel Liebe« und überlässt den Rest der Phantasie.

Weil sie sich tagsüber nicht auf die Nerven fielen wie noch in Kettwig, denn die eine arbeitete hier und der andere gegenüber, weil sie sich auch sonst nicht miteinander beschäftigen mussten, sondern andere beschäftigen konnten, sie die Schüler, er die Studenten, waren sie oft einfach zu erschöpft, um zu streiten, trafen sich stattdessen mit anderen Künstlern wie früher und diskutierten mit denen über Kunst statt unter vier Augen über ihr Leben. »Zwar wohnten wir noch unter einem Dach«, erzählt Tom Doyle, »aber es war over, es war nichts mehr zu retten.« Grace Bakst Wapner ergänzt: »Auf der einen Seite brauchten sie einander, und auf der anderen Seite wollte jeder seinen eigenen Weg gehen. Eine höchst komplizierte Geschichte. Sie hatte das Gefühl, dass die Ehe bereits kaputt war, bevor sie nach Deutschland gingen.« Rosalyn Goldman, die den lebensfrohen Tom trotz seiner Eskapaden mochte und ihn bis heute mag, sieht die eigentlichen Ursachen für die Konflikte in der Vergangenheit: »Sie kamen beide aus der Hölle kaputter Familien.«

So hat sie es oft und oft von Eva gehört, so hat die es ja auch oft und oft in ihre Tagebücher geschrieben, und Tom Doyle hat ebenfalls nie bestritten, dass er es in seiner Kindheit schwer gehabt hatte und oft die großen Jungs habe zur Ordnung prügeln müssen, weil die über seine Mutter hergezogen waren. Seine Schlagkraft hatte er sich bewahrt, wie seine Frau und Bernd Völkle vor ein paar Monaten in der Schweiz erleben durften.

Eva Hesse versuchte, sich von ihren sie störenden privaten Gefühlen zu befreien und beruflich als Künstlerin dort weiterzumachen, wo sie mit ihren Reliefs in Deutschland begonnen hatte. Da alle in Kettwig verblieben waren, konnte sie ihren Freunden in SoHo nur einen vagen Eindruck von ihren neuen Objekten vermitteln, mehr nicht. Ihre dritte Dimension hatte sie übertragen auf das Flächige, auf transparenten Bögen Formen und Farben der vierzehn Reliefs aufgezeichnet. Freundin Rosie sah *Ringaround Arosie* in allen leuchtenden Farben, jedoch ohne die gewölbten Kreise, die Brust und Bauch darstellen sollten. Sehr beeindruckt sei sie aber nicht gewesen, wie sie sich zu erinnern glaubt. Aber es dürfte daran gelegen haben, dass sie sich um ihren gerade geborenen Sohn kümmern musste, vor allem um ihren eigenen labilen Seelenzustand und für nichts anderes offen war.

So erging es Eva aus anderen Gründen auch. Alle ihre Eier habe sie in einen Korb gelegt. Sie gebrauchte diesen ihr fremden Begriff aus einer ihr fremden Welt. Sie habe alles auf eine Karte gesetzt, auf die Karte Kunst. Wenn sie diesen Einsatz verlieren würde, dann allerdings bliebe ihr nichts mehr: »Dann hätte ich alles verloren.« Auch sich selbst.

Was übertrieben war, denn es gab ja um sie herum vertraute Freunde, schützend und liebend und behütend, Sol LeWitt und Rosie Goldman und Florette Lynn und Ruth Vollmer und Ethelyn Honig und Grace Bakst Wapner. Sie knüpfte neue Beziehungen wie die zu Mel Bochner und zu Carl André und zu Lucy Lippard und sich selbst damit ein eigenes, von Tom unabhängiges Netzwerk.

Carl André war laut Auskunft von Rosie nur »als Künstler für sie wichtig, aber nicht als Freund«. In Eva Hesses Tagebüchern liest sich das allerdings anders. Er vertrat die Minimal Art, die Sol LeWitt bald in einem Manifest im Magazin »Artforum« grundsätzlich in Frage stellte und stattdessen Concept Art propagierte, die Kunst, in der Konzept und Idee wesentlicher waren als Ausdruck und Form. Die Arbeiten von Carl André und Eva Hesse sind 1969 mit denen anderer Künstler in einer Ausstellung gezeigt worden, die als eine Leistungsshow der damals Besten in der zeitgenössischen Kunst berühmt wurde – »When Attitudes Become Form« von Harald Szeemann in Bern. André benutzte vorgefertigte Stücke aus Metall und Holz, die er zu verschiedenen geometrischen Formen zusammenbaute. Begonnen hatte er als Assistent von Frank Stella, und er hatte sein künftiges Handwerk täglich bei der Pennsylvania Railroad vor Augen gehabt, die ihn vier Jahre lang als Rangierer beschäftigte. Seit 1964 lebte er in SoHo.

Als Eva Hesse davon sprach, dass manche von Andrés Arbeiten sie an die »Duschen« in den Gaskammern der Nazis erinnerten, aus denen das tödliche Zyklon B strömte, war er »not so amused«, wie Freunde erzählten, doch dass er diese Äußerung von ihr als »abstoßend empfinden könnte«, war ihr egal. Sie blieb sich bis zum Schluss treu, sowohl selbstkritisch über ihre eigene Kunst als auch kritisch über die Kunst anderer Klartext zu reden, und dass sie die Bemerkung über Andrés Objekte anerkennend gemeint hatte, schien ihr ebenso klar zu sein. Schließlich gehörte er zu den Künstlern wie Claes Oldenburg oder Andy Warhol, von denen sie am Ende ihres Lebens sagte, dass die etwas ganz Bestimmtes in ihr auslösten, dass sie ihren Werken »emotional verbunden« war.

Mel Bochner, knapp über Mitte zwanzig, war mehr Freund als Experte, und ihm war sie auch über die Kunst hinaus emotional verbunden. Mit ihm erlebte sie glückliche Momente, wenn sie gemeinsam Ausstellungen besuchten. Das Leben war ernst genug, also gaben sie sich der Kunst heiteren Gemüts hin. In seinen Erinnerungen an Eva Hesse hat er immer wieder betont, wie lustig sie habe sein können, wie witzig und gelöst. Wäre sie nur so gewesen, wie andere sie beschrieben haben – ängstlich, depressiv, verbissen –, hätte sie wohl kaum eine so große erotische Ausstrahlung gehabt.

Bochner begann, wie viele Künstler, als Kritiker. Heute gilt er als einer der wesentlichen Vertreter der Konzeptkunst. Er lehrte an der Yale School of Art and Architecture, an der Eva Hesse mal studiert hatte. Freund Mel schenkte ihr mit feinem Gespür fürs jetzt Nötige einen Thesaurus, das berühmte Wörterbuch, in dem Wörter nicht nur in einer einzigen simplen Bedeutung erfasst, sondern mögliche weitere Deutungen genannt werden. In dem suchte sie nach dann oft absurd oder esoterisch anmutenden Titeln für ihre Arbeiten, wickelte in ein Wort viele andere Wörter. Das witzige lebende Lexikon Tom Doyle, sesshaft gegenüber, fiel ja aus.

Und Bochner widmete ihr 1966 eine seiner ersten dadaistischen Arbeiten, ein Porträt aus Begriffen, *Wrap: Portrait of Eva* betitelt, in der er aus fünfundsiebzig Wörtern wie »secrete«, »cloak«, »bury«, »gird«, »skin«, »lace«, »rope« usw., die er alle im Thesaurus nach möglichen Bedeutungen abgeklopft hatte, einen Ball zeichnete, der aus Wörtern bestand – verbergen, verhüllen, vergraben, verschwinden, verstecken, verheimlichen, verschleiern, beschränken, beisetzen, Haut, Kruste, Schnur, Seil, Tau, Kette usw. –, und so zu einem begrifflichen Porträt Evas zusammenfügte mit Eigenheiten und Eigenschaften, die er in ihr sah oder zu sehen glaubte. Ein Porträt, wie es nur einem Intellektuellen einfallen konnte, aber ein solcher war und ist Mel Bochner schließlich ja.

Auch Eva Hesse war eine leidenschaftliche Wrapperin. Sie umwickelte Ballons mit gefärbten Schnüren, half Sol LeWitt beim Einhüllen seiner Objekte – »I went to Sol wrap his work« –, machte sich darüber lustig, dass sie sogar beim Einhüllen eine ihre Eigenheiten enthüllende Konkurrenzsituation aufbaute: »Ich habe nun mal diese schreckliche Eigenschaft, mich mit männlichen Künstlern zu messen, also mit fast allen in der Kunstszene. Und als ob das noch nicht reichen würde, nicht schon mühsam genug wäre, konkurriere ich auch noch als Frau mit den wenigen Künstlerinnen in der weiblichen Arena.«

Bochner war stolz darauf, dass er die Idee mit dem Thesaurus gehabt hatte, denn Eva machte was daraus. Zum Beispiel eine Liste mit verrückt klingenden Titeln künftiger Werke. Da erscheinen dann schon vor ihrer Geburt im Atelier die noch ungeborenen Kinder Evas mit Namen wie *Augment*, *Sans*, *Stratum*, *Compart*, *Sequel*, *Aught*, *Addendum*, die dann bildlich und plastisch ausdrückten, was sie damit aussagen wollte – auf Deutsch entsprechend: »erweitern«, »ohne«, »Schicht«, »Unterteiltes«, »Fortführung«, »irgendetwas«, »Nachtrag«.

Lucy Lippard, die mit ihrem Mann, dem Maler Robert

Ryman, ein paar Straßen entfernt von Eva und Tom wohnte, kannte sie zwar schon lange, doch außer wenigen zufälligen Begegnungen hatten sie bislang keinen engeren Kontakt. Sie hielt Eva Hesse anfangs bekanntlich für ein »verwöhntes kleines Mädchen«, wie sie in ihrer 1976 erschienenen Hommage auch zugab. Ihre Zeichnungen kamen ihr damals ganz nett, aber zu düster vor, schienen ihr nicht erwähnenswert. Lippard hatte auf Tom Doyle gesetzt und ihm deshalb dieses hymnische Vorwort für seine Ausstellung in Düsseldorf gewidmet, und wie gut es sei, dass er dem New Yorker Leben wiedergeben werde, was vor allem fehle: romantische Ausdrucksformen.

Jetzt, nach der Rückkehr aus Deutschland, befreundeten sich die beiden Frauen, und aus der kritischen Lucy wurde eine Bewunderin von Evas Kunst. Es blieb nicht bei der verbalen Anerkennung. Lucy Lippard stellte ein Jahr später, im Herbst 1966, in der von ihr arrangierten Show »Eccentric Abstraction« Eva Hesses Werke *Several*, *Ingeminate* und *Metronomic Irregularity II* aus. In den Titeln der Objekte, die dann bei Fischbach gezeigt wurden, schlug sich die Lektüre von Mels Geschenk nieder, auch schon in denen, die im Atelier noch auf den letzten Schliff warteten.

Dass sich manche Namen wiederholten, aber mit römischen Zahlen gekennzeichnet wurden, um mögliche Verwechslungen zu vermeiden, gehörte ab jetzt auch zur Kunst Eva Hesses. Von *Repetition Nineteen* gab es drei Varianten, was absurd witzig war, weil im eigentlichen Titel die Wiederholung bereits steckte – allerdings vereint die Nummer II der Repetitionen nur eine lose Sammlung von Teststücken –, von *Accession* später gar fünf, zwei von *Vinculum*, drei von *Sans*.

So allein, wie sie sich vorkam, war Eva Hesse also nicht. Typisch jedoch, dass sie Kunst und Leben, die sie als Einheit sah, gleichermaßen in Frage stellte. Zwar war sie überzeugt, eine Künstlerin und sogar »eine der besten« zu sein, was sie in den kommenden Jahren tatsächlich beweisen sollte, aber ähnlich fest überzeugt war sie auch gewesen, als sie Tom kennenlernte, dass er ihre große Liebe sei und umgekehrt sie für ihn. Dass sie sich in diesem Gefühl getäuscht hatte, war ihr jetzt klar. Also könnte es ja – so der ihr logisch scheinende Kurzschluss – mit ihrer Kunst ähnlich sein. Alles nur Illusion. Alles nur Täuschung.

Dem widersprach sie am besten selbst, indem sie arbeitete und indem sie gegen dunkle Stimmungen ihre ungebrochene Ambition stellte, zu den Sternen zu reisen. »Try to see me as others see me«, macht sie sich Mut. Grace Bakst Wapner: »Sie war sehr ehrgeizig, ohne Zweifel. Sie wollte es nicht nur den Männern zeigen, ihr Ehrgeiz war es, überhaupt große Kunst zu schaffen. Das trieb sie an. Sie hatte das Gefühl, sie wäre besser als andere. Bevor sie diese wunderbaren Sachen tatsächlich mal machte, wusste sie, dass sie es tun würde.«

So definiert sie im Rückblick Evas Ehrgeiz als die eigentliche treibende Kraft ihrer Freundin. Aber es war kein blinder Ehrgeiz, um jeden Preis Karriere zu machen, ein Ehrgeiz, wie er in der Wirtschaft oder der Politik zum Anforderungsprofil gehörte. Es ist die Suche nach der Blauen Blume, die sie antrieb. Es ist die Sehnsucht, mit ihrer Kunst einzigartig zu werden. Während Grace von Eva erzählt, sitzt sie auf einer Couch in ihrem Haus in Woodstock. Ihre Füße sind wie verankert im Teppich, wirken verwurzelt in der Erde und halten sie fest, falls die Erinnerungen sie wegzuschwemmen drohen. Nie hat sie vergessen, wie Eva das, was sie, Grace, damals machte, voller Enthusiasmus unterstützte und Galeristen bedrängte, die Arbeiten ihrer Freundin auszustellen.

Grace ging einen anderen Weg. Erst als ihre Kinder erwachsen waren, begann sie wieder, die Sehnsucht ihrer frühen Jahre auszuleben. Ihr Atelier gehört zum Haus, in dem sie noch heute wohnt, in dem Eva Hesse oft zu Gast war. Da hängen jetzt gar wundersame Arbeiten, auf denen jeweils ein Buchstabe des Alphabets im Vordergrund steht, um den herum sie gezeichnet hat, was nur sie im Inneren von A oder B oder F sieht und welche Assoziationen nur sie damit verbindet. Eva hätte es gefallen. Das sagt Grace Bakst Wapner aber nicht. Sie käme nie auf die Idee, sich so in den Vordergrund zu spielen wie ihre verspielten Buchstaben.

Ende 1965 vollendet Eva Hesse eine frei stehende Skulptur aus dem Material, das sie in einem Geschäft um die Ecke ent-

»Sie war besser als andere«: Grace Bakst Wapner in ihrem Haus in Woodstock.

deckt hatte und im Abfall, der hier auf der Straße lag wie vor ein paar Monaten die Reste der Webmaschinen drüben auf dem Fabrikhof in Kettwig oder die nicht mehr benötigten Spindeln in der ehemaligen Scheidt'schen Werkshalle unter ihrem Atelier. Auch das Drahtgitter, durch das sie Gipsschnüre zog, hatte sie dort gefunden und aus Gittern, mit dem sich die Arbeiter an den Maschinen schützten vor eventuell abspringenden Teilen, ihr erstes Relief gemacht. Scheinbar zufällig entdeckt sie jetzt für sich eine ähnlich neue Kunstform. Sie umwickelt Ballons oder aufblasbare Wasserbälle mit Schnüren, hüllt schweres Material in Cellophan und hängt es in ein Netz.

Fertig wird *Long Life*, um einen Ball gewickelte schwarze Kordeln, nach oben strebend in einem ebenfalls mit Schnüren umwickelten Rohrstück. Es wird fertig *Ishtar*, die Reminiszenz an die Reise mit Tom Doyle nach Berlin, an den Besuch im Pergamon-Museum, jenes Werk, das sich dann die Lynns per Ratenzahlung leisteten.

Um Weihnachten herum fällt der letzte Vorhang im Ehedrama Hesse/Doyle. Seine Studenten in Brooklyn hatten Tom Doyle eine Freude machen wollen und für ein *Christmas gift* gesammelt. 35 Dollar kamen zusammen. Überreicht wurden sie ihm von Jane, der Tochter des berühmten Dichters Arthur Miller, neunzehn Jahre jung und Studentin in der Art School, an der er unterrichtete. 35 Dollar war damals verdammt viel Geld, mehr jedenfalls, als die monatliche Miete in der Bowery Nummer 134/135 ausmachte. Die betrug 25 Dollar. Tom kaufte sich auf dem Heimweg für die 35 Dollar eine Pfeife, eine handgemachte, ein Schmuckstück.

Zu Hause wartete seine Frau. »Ich sagte zu ihr, schau dir die tolle Pfeife an, Eva. Und sie sagte, wie viel hast du bezahlt dafür? Und ich sagte, 35 Dollar, und sie sagte, get out of here, hau ab.« Tom Doyle, der jetzt alte Mann mit Hut, lacht sich jung: »Darauf hatte ich gewartet, genau darauf. Das wollte ich hören, genau das. Ich ging sofort.« Er drehte sich um, verließ die Wohnung, überquerte die Straße, nahm den Lift hinauf in sein Atelier, trank einen Whiskey auf das Ende ihrer Ehe. Die Frau, die ihn von da an immer öfters besuchte und bald auch über Nacht blieb, das war die junge Studentin. Das war Jane Miller.

Heute kann Doyle darüber lachen, wie das Ende einer mal im Himmel geschlossenen Liebe auf Erden ausgerechnet an einer Tabakpfeife festzumachen ist. Aber in ihrer damaligen finanziellen Situation war sein spontaner Entschluss, sich eine schöne Pfeife zu kaufen, statt das Geld bei seiner Frau abzuliefern, für Eva alles andere als komisch. Außer den mageren

Honoraren für ihren Unterricht in Scarsdale und seinen in Brooklyn hatten sie keine Einnahmen. Die Rechnungen ihres Psychiaters konnte sie auch nicht bezahlen. Wie wenig der sich um sie scherte, glaubte sie daran zu erkennen, dass er es abgelehnt hatte, anstatt des ausstehenden Honorars ein paar Zeichnungen von ihr zu akzeptieren. »Wenn er sich wirklich um mich sorgen würde, würde er nicht auf cash bestehen«, würde er ihr nicht das wenige abnehmen, was sie an eiserner Reserve gespart hatte.

Natürlich gab sie es nicht zu, natürlich bestritt sie es ihren Freundinnen gegenüber, aber natürlich hoffte sie noch darauf, dass Tom nach ein paar aushäusigen Nächten wieder zurückkommen würde. Er kam nicht. Nur in ihren Träumen taucht er neben ihr im Bett auf: »Ich will ihn zurückhaben«, schreibt sie dann wach in ihr Tagebuch und wartet sehnsüchtig darauf, dass er so plötzlich wie in ihren Träumen tatsächlich wieder da ist. Darin täuschte sie sich. Er war in die andere verliebt. Die bewunderte ihn und stellte seine männlichen Eigenarten nicht in Frage.

Dass Eva und er dennoch in den ersten Wochen nach der Trennung mehr als nur böse Blicke ausgetauscht haben müssen, dass er doch nicht nur in ihren Träumen neben ihr lag, könnte allerdings auch stimmen. Wütend beschimpfte sie ihn am Telefon, warum er sie nicht vor einer möglichen Gefahr gewarnt habe, »he could not think of me enough to warn me of disease«. Von da an hütete sie sich vor einer so nahen Berührung. Beobachtete aber aus der Nähe genau, was auf der anderen Straßenseite vor sich ging. Dass er den Müll runterbrachte, was er bei ihr nie getan hatte. Dass er in bestimmter weiblicher Begleitung ausging. Dass er die Rivalin ungeniert vor der Haustür drüben küsste.

Zwar hatte sie noch einen Schlüssel für sein Atelier, und Tom hatte ihr gesagt, sie könne jederzeit auch ohne vorherige Anmeldung kommen, aber sie benutzte den Schlüssel nie.

Denn als sie davon Dunkell erzählte, warnte der sie davor, sich falsche Hoffnungen zu machen, nur weil Tom ihr angeboten hatte, ihn zu besuchen, wann immer ihr danach war. Dass es ihm gleichgültig war, bedeute nämlich übersetzt eins: Es ist aus. Es ist ihm egal, ob sie ihn allein antrifft oder mit einer anderen. Ihr Psychiater wollte dadurch nicht etwa ihre Depressionen verstärken, sondern ganz im Gegenteil ihre Empörung, ihre Wut anstacheln, damit sie sich wehrte und sich auf ihre Stärke besann, ihre Stärke als Künstlerin.

So widmete sie sich ihrer anderen, ihrer eigentlichen großen Liebe und machte sich auf den Weg durch alle Galerien und Ateliers in New York. Eva Hesse war das, was Freund Mel Bochner als »artlover« bezeichnet, als jemand, der die Kunst an sich liebte und nicht nur in die eigene verliebt war. Deshalb wollte sie genau wissen, was die anderen machten, die in ihrer Nachbarschaft arbeiteten. Und sie war neugierig im wahrsten Sinn des Wortes. Wenn sie etwas Neues sah, das aus dem Rahmen des Üblichen fiel, stürzte sie sich gierig darauf und verschlang es hungrigen Auges. Da sie eine kluge Frau war und wahre Kunst nicht für ein zufälliges Aufbrechen vergrabener Talente hielt, sondern für einen Baum mit unendlich vielen Wurzeln, grub sie die theoretisch und dann erst praktisch aus. Stieß dabei sowohl auf Jasper Johns als auch auf Arshile Gorky, stieß auf Louise Bourgeois und Lee Bontecou, auf Adolph Gottlieb und dessen Kästchen, in denen symbolische Zeichen wohnten, stieß natürlich immer wieder auf Sol LeWitt, ihren Lebensmann.

Was sie dabei für sich entdeckte, widersprach dem frühen Diktum des einflussreichsten Kritikers, Clement Greenberg, dessen Worte in der amerikanischen Kunstwelt so aufgenommen wurden wie die des Heiligen Vaters unter gläubigen Katholiken. Kunstpapst Greenberg hatte Anfang der sechziger Jahre verkündet, man könne entweder Maler sein oder Bildhauer, beides zusammen gehe nicht. Eva Hesse sah das schon damals anders. Jetzt ging es nur noch schlicht darum, ob ein Kunstwerk gut war oder schlecht.

Wie alle wirklich guten Künstler machte sie nicht irgendwas nach, sondern sie machte etwas Eigenes. Immer geplagt von Selbstzweifeln – doch wer hatte die nicht? War Michelangelo immer überzeugt von Michelangelo? –, aber immer wieder getrieben von dem, was Grace ihren großen Ehrgeiz nannte und Mel ihre eigentliche Stärke, die sie von fast allen anderen Frauen in der Kunstszene unterschied. Später fand sie eine eigene lakonische Antwort: »The best way to beat discrimination in art is by art. Excellence has no sex.« Die beste Art, Diskriminierung in der Kunst zu besiegen, ist die, bessere Kunst zu machen als die Männer, denn herausragende Kunst ist unabhängig vom Geschlecht.

Sie war unzufrieden, wenn etwas nur schön anzusehen war, zufrieden erst, wenn sowohl das Schöne als auch das Hässliche zum Ausdruck kamen, was Jean-Paul Sartre oder Albert Camus die Absurdität des Lebens nannten und was sie zudem mit einem Zitat ihres Lieblingsautors Samuel Beckett belegen konnte: »Man hat so lange das Schlimmste vor sich, bis es einen zum Lachen bringt.«

Das führte postum zu abstrusen und nicht nur absurd anmutenden Definitionen von Kritikern und Sinndeutern des angeblich von ihr gebrauchten Begriffs *»yuck«*, mit dem sie ihre Skulpturen als Mischung von Hässlichem und Schönem einordnete. Authentisch sind nur drei Interpretationen: die von Sol LeWitt, die von Mel Bochner und die von Bill Barrette, weil alle drei, der eine früher, der andere später, der dritte am Ende ihres Lebens als ihr Assistent, Eva Hesses Art kannten und ihre Eigenarten gleichfalls.

Sol LeWitt führte die Fehldeutungen auf einen Hörfehler zurück, denn Eva habe nicht das Wort *»yuck«* verwendet, was unter Kindern für alles benutzt wurde, was irgendwie eklig aussah oder roch oder schmeckte. Sie habe das absurde Kunstwort *»ick«* erfunden und damit umschrieben, was weder schön noch hässlich, weder rein noch schmutzig war in ihren Arbeiten. Mel Bochner wiederum tippte auf ein abgekürztes *»uck«* und sah darin die andere Seite seiner Freundin, nämlich die heitere, womit sie sich lustig machte über alle anderen Definitionen. Bill Barrette hielt das alles für kaum überzeugend, seiner Meinung nach hatte sie immer dann, wenn sie etwas scheinbar nur Schönes herstellte, anschließend etwas nur Hässliches gemacht. »Sie wollte allerdings, dass auch das Hässliche in einer Skulptur als schöne Kunst akzeptiert wurde.« Sie selbst gab zu Protokoll, dass sie immer versucht habe, wenn ihr etwas besonders gut gelungen war, einen kleinen Fehler einzubauen, eine kleine Hässlichkeit, einen kleinen Bruch.

Ihre wichtigste künstlerische Aussage in dieser Umbruchzeit im Winter 1965/66 bestand aus Acryl, Stoff, Holz, Stahl, einer Schnur und hieß *Hang Up*. Ausgerechnet *Hang Up*. Was sie zwar im Rückblick einen ziemlich blöden Namen für ein Kunstwerk nannte, aber das war nur die halbe Wahrheit. *Hang Up* passte nämlich doch. Denn *hangup* bezeichnet ja nicht nur in der Umgangssprache, dass jemand einen Tick hat oder leicht verwirrt ist, *hang up* ist ja nicht nur die Aufforderung bei der Vorbereitung einer Ausstellung, dies oder jenes aufzuhängen, *hangup* steht auch für den seelischen Durchhänger, ähnlich wie Bruder *hangover* für den Katzenjammer nach einer durchzechten Nacht.

Eva Hesse hatte in der Tat einen Durchhänger in ihrem Leben, und obwohl sie stets betonte, ihr Hang zum Absurden sei entscheidend gewesen bei dieser Arbeit, so war der Titel *Hang Up* auch ein Ausdruck für die sie beherrschenden Gefühle. Verbunden allerdings mit der festen Absicht, sich nicht länger im Kreis zu drehen, nicht mehr zu weinen – »I no longer want to cry, and go in circles« –, und wer an ihren Durchhängern schuld ist, von wem die abhängen, das weiß sie auch: »I think my hangups now are almost all related to Tom.«

Hang Up besteht aus einem mit Stoff umwickelten Bilderrahmen, der an der Wand hängt, ein leerer Rahmen ohne Inhalt, aus dessen oberer Leiste ein dünnes Stahlseil springt, umwickelt von einer Schnur. Das Seil liegt wie zufällig auf dem Boden in einer Schlaufe und kehrt dann, ebenso zufällig, vom Boden in einer Schlaufe zurück in den Rahmen, in dessen untere rechte Leiste. Verwirrend auf den ersten Blick, aber von großer Anziehungskraft bei Betrachtern, denn viele möchten am liebsten in die Schlaufe treten, selbst Teil des Kunstwerk werden. *Hang Up* kommt quasi aus dem Nichts, endet im Nichts und ist doch auf absurde Weise durch den Rahmen in sich geschlossen wie ein an der Wand hängendes Gemälde, auf dem wiederum nichts zu sehen ist. Der Künstler scheint aus dem Rahmen gesprungen zu sein und sich unter die Betrachter von *Hang Up* gemischt zu haben.

Überhaupt fiel ihr auf, wenn sie sich bei Ausstellungen eigener Werke zu Besuchern stellte, die ja nicht wussten, wer die Künstlerin war, deren Kunst sie betrachteten, dass viele von denen versuchten zu berühren, was sie vor sich sahen. Das Haptische ihrer Kunst war spürbar. Es entstand während der Arbeit, wie sie immer wieder betonte, folgte keinem Plan. Das Einzige, was sie plante und überlegte, bevor sie mit einem neuen Objekt begann, war nicht »irgendein abstrakter ästhetischer Gesichtspunkt«. Sie konzentrierte sich auf Form, Größe, Material und darauf, ob das Neue am Ende von der Decke oder an der Wand hängen oder auf dem Boden liegen sollte.

Weil ihr der Umgang mit dem jetzt benutzten Material noch ein wenig schwer von der Hand ging, brauchte sie Hilfe. Sol zu bitten lag nahe, aber auch auf Tom konnte sie nicht verzichten. Beide halfen ihr, *Hang Up* in die von ihr gewünschte Form zu bringen. Gezeigt wurde das umrandete Nichts zusammen mit *Ishtar* und *Long Life* im März 1966 in einer Ausstellung der Graham Gallery unter dem Titel »Abstract Inflationism and Stuffed Expression«.

Die Kritiker fragten in ihren Rezensionen sich und ihre Leser, was die bei Graham gezeigten Künstler mit ihren Werken eigentlich sagen wollten, vor allem *Hang up* galt den meisten als stilistisch unausgewogen, es sehe aus wie irgendwas nicht Erkennbares, das halt an der Wand hing. Einer verglich *Long Life* reichlich verstiegen mit einer »anarchistischen Bombe, die von einem farbenblinden Zwangsneurotiker entwickelt worden ist«. Lucy Lippard erkannte, dass aus Eva Hesse eine Große zu werden versprach. Eine Künstlerin, die bisher Unvereinbares in ihren Objekten vereinte: Freiheit und Einschränkung, Unterdrückung und Befreiung, Pathos und Humor, anthropomorphe und geometrische Formen. Genau diese Kunst der Eva Hesse wollte Lucy Lippard für die nächste Ausstellung haben, für »Eccentric Abstraction«.

Die mit Eva befreundeten Künstler lobten sie zwar. Aber selbst deren Lob war ihr eine ironische Bemerkung wert, denn eigentlich lobten die Männer, wie sie notierte, nur ihresgleichen und selten eine Frau, die zudem noch relativ unbekannt war. »Forget it«, riet ihr Sol, mach dir nichts daraus. Immer wieder war er es, der sie aufbaute, der sie bestärkte, der ihr versicherte, dass sie auf dem richtigen Weg sei. »He was a mentsch«, so charakterisiert Florette Lynn Evas Künstlerfreund Sol LeWitt, was im Jiddischen größtmögliche Anerkennung bedeutet.

Nach einem Abendessen mit der nur fünf Jahre älteren, aber schon ziemlich bekannten Lee Bontecou fühlte sich Eva Hesse auch nicht mehr ganz so allein unter Männern. »Ich bin verblüfft, was diese Frau alles kann. Beeindruckend vor allem das Material, mit dem sie arbeitet. Die Kunst, die daraus entsteht. Es ist geradezu eine Offenbarung für mich, was man alles machen kann, was ich lernen muss … was zu tun ist. Die Vielschichtigkeit ihrer Strukturen … das alles haut mich einfach um.« Die Bildhauerin, heute fünfundsiebzig Jahre alt und von der Generation ihrer Enkel neu entdeckt, hatte für ihre Skulpturen eine spezielle Mischung von organischen und mechanisch anmutenden Formen gefunden, in denen sie alles zeigen konnte, was die Menschheit bewegte – Schrecken und Glück, Schönheit und Hässlichkeit.

Lee Bontecou war eine Ausnahmeerscheinung in der damaligen Männerwelt Kunst. Donald Judd, auch ein Freund von Eva und später ein weltberühmter Künstler, zu dem dann Sammler und Museumsdirektoren und Kunstbegeisterte aus der ganzen Welt nach Texas pilgerten, wo er bis zu seinem Tod lebte und für junge Künstler eine Art Bauhaus auferstehen ließ, hatte Lee Bontecou mit seinem Artikel im »Arts Magazine« entdeckt und vorgestellt. Kaum war sie bekannt, zog sie sich mit ihrem Mann, der mit Tom Doyle befreundet war, aufs Land zurück und widmete sich fast ausschließlich ihrer Familie, stellte erst vor einigen Jahren wieder aus.

»Die Vielschichtigkeit ihrer Strukturen fasziniert mich«, trug Eva Hesse damals in ihr Tagebuch ein. Aber solche Momente der Begeisterung, der Ermutigung durch das Vorbild anderer hielten nicht lange vor, von denen konnte sie nicht leben. Der Alltag war stärker. Bitterliche Beschwerden, dass sie zwanzig-, dreißigmal das Telefon bei ihm drüben habe läuten lassen, aber er einfach nicht rangegangen sei. Dabei hatte sie gesehen, dass Tom zu Hause war. Hätte doch auch was Wichtiges sein können, ein Notfall, aber für ihn sei sie allenfalls noch ein Ventil, das er mitunter benutze, um Dampf abzulassen – »he wants me as a safety valve«. Was man auch anders übersetzen könnte, denn bei manchen Eintragungen in ihr Tagebuch phantasiert sie davon, einfach über die Straße zu gehen und ihn zu verführen. Obwohl sie weiß, dass er »es« zwar machen würde mit ihr, aber sich weiter nichts daraus machen, denn ein paar Seiten später findet es sie geradezu armselig, dass sein Alltag hauptsächlich daraus bestehe, Corned Beef zu essen, die »New York Times« zu lesen – und zu vögeln. »Pathetic.«

Warum ruft sie denn überhaupt noch an, statt sich fernzuhalten von ihm? Sol LeWitt: »Sie schaute nicht nur, wann er nach Hause kam, sondern vor allem, mit wem.« Tom Doyle versichert heute, er habe nie erfahren, dass er beobachtet worden sei von ihr. Und wenn sie ihn dann tatsächlich mal zufällig traf, wenn sie beide sich auf der Treppe begegneten auf dem Weg zu einem Konzert, vergisst sie alle guten Vorsätze und schmachtet ihn an. Ob er sie nicht doch noch liebt?

Eher nicht.

Die Freundin ihres Ehemannes hieß Jane Miller. Für Eva war sie »total zero«, ein Begriff aus der New Yorker Straßensprache, die Eva Hesse beherrschte, der aber eigentlich nicht druckreif ist und mit dem ganz allgemein das bezeichnet wird, was läufige Männer nach landläufiger Meinung an Frauen hauptsächlich schätzen. Wie konnte es geschehen, dass er eine solche Null liebte? Sie verstieg sich sogar zu der Vermutung, dieses totale Null sei es auch gewesen, was Janes Vater Arthur Miller so an Marilyn Monroe fasziniert habe, um dann resigniert festzustellen, dass es Millionen von Marilyns geben müsse.

Dann geht sie wieder ans Werk. Steht in ihrem Atelier, lachend und glücklich, weil sie gerade tut, was sie am liebsten tut: »Heute Nacht gearbeitet. Heizung an, Radio an und auch einige Schnäpse gekippt. Ha!« Hinter ihr eine Truhe, auf der in Konservendosen und Aluminiumbechern Spachteln und Stifte und Pinsel stecken, von der Decke baumelt birnenförmig, hodenförmig ein noch nicht fertiges Etwas aus Papiermaché und Kautschuk, auf dem Tisch vor ihr Farben, Spraydosen, mit Zeitungspapier umwickelte Rohrstücke, wofür auch immer gedacht. Die Künstlerin selbst trägt dicke weiße Socken, weil es kalt ist im Atelier, und hat sich mit einem langen schmalen Stofffetzen drapiert.

Für die laufenden Kosten nach Toms plötzlichem Abgang hat Frau Doyle zunächst noch Ethelyn Honig, die das Studio mit ihr teilt. In die Wohnung darüber zieht zu ihr eine Freundin, die sich gerade scheiden lässt und vorübergehend eine Unterkunft braucht. Was Eva Hesse sechs Wochen nach Toms

Auszug hier und Janes Einzug drüben vollendet, nennt sie *Total Zero*. Der innere Schlauch eines Gummireifens war durch Papiermaché so in seinem Gleichgewicht verändert worden, dass er schräg nach einer Seite schwankte. Danach hatte sie ihn mit schwarzer glänzender Farbe angemalt. Aus einer Ausbuchtung, dem Ventil, wuchs ein biegsames, umwickeltes Metallrohr, das

»Heute Nacht gearbeitet, Radio an«: Eva Hesse nach dem Auszug von Tom Doyle in ihrem Atelier in der Bowery 1966.

sich nach einem Looping in der Mitte des Reifens durch die Umrandung schlängelte und in einem absurden Schnörkel frei im Raum endete. Der Reifen hing an einer Kette.

Wer den privaten Hintergrund nicht kannte, vor dem *Total Zero* entstanden war, also die Situation der Künstlerin als einer verlassenen Frau, die voller Eifersucht der Neuen alles Schlechte wünschte, verstand nichts. Enge Freunde verstanden alles und rieten ihr dringend, das seltsame und ihrer Meinung nach total missglückte Ding nie auszustellen, am besten gar es wieder zu vernichten. Sie sei doch schon viel weiter, könne doch souverän reagieren, habe als Künstlerin ihren Schattenmann doch längst in den Schatten gestellt. Eva Hesse behauptete, Sol habe die Idee gehabt, die Geliebte ihres Mannes »total zero« zu nennen, und daraufhin habe sie beschlossen, den Reifen als »Hommage an die Leere« mit diesem Titel zu versehen. Kurz vor ihrem Tod aber bat sie ihren Assistenten Bill Barrette, *Total Zero* zu zerstören.

Nur mühsam konnte Rosalyn Goldman im Frühling 1966 ihre Freundin Eva davon abbringen, durch stetige nächtliche Anrufe das ihr sichtbare junge Glück drüben zu stören. »Schau doch verdammt noch mal nicht hin, und, vor allem, lass die Hände vom Telefon.« Und was machen die da drüben, wenn das Licht ausgeht? Ja, was werden sie wohl machen, Eva …

In ihr Tagebuch trägt sie, die selbst einen Psychiater braucht, voller Häme ein, dass Jane dreimal pro Woche einen Psychiater aufsuche: »His girl Jane sees a shrink 3x a week. Too bad.« Sie beschreibt ihren verletzten Stolz, dass eine blöde Neunzehnjährige, »a stupid little dumb 19 yr. old«, ihrem Mann wichtiger sei als sie, die erwachsene Frau. »Ich bin traurig, sehr traurig, kann nicht arbeiten, nur ein bisschen. Habe außerdem eine schwere Erkältung.«

Ethelyn Honig, die ja beide gut kannte, Eva wie Tom, traf öfters Doyle, der sich bei ihr nach Evas Befinden erkundigte, und natürlich hat sie als gute Freundin kühl geantwortet, der gehe es gut, und sie habe einen wunderbaren Liebhaber. Woraufhin Tom ihr erzählte, wie wunderbar es mit Jane sei, bis Ethelyn beide bei nächster Gelegenheit aufforderte, sie künftig mit ihren jeweiligen Mitteilungen zu verschonen, entweder zu schweigen oder sich, falls nötig, direkt zu unterhalten, brauchten ja nur die Fenster zu öffnen und sich über die Straße hin anzuschreien. Sie jedenfalls habe es satt, als Zwischenträgerin benutzt zu werden für versteckte Botschaften und hämische Spitzen.

Eva beklagt nicht nur die durch die Verhältnisse erzwungene Nähe, sie beklagt auch, dass Tom seine neue Freundin, die sie nur »TZ« nennt, zu allen *opening parties* am Dienstag mitbringt – die sie daraufhin meidet – und dass er Jane sogar ihren Freunden vorstellt. Trägt ein: »Würde zu gern auch zum Opening gehen, habe aber Angst, auf Tom zu treffen«, der ja nicht allein da sein wird. Sol versuchte sie mental aufzubauen. Tom habe sie nicht verlassen, weil er sie nicht mehr als Frau begehrte, sondern weil er die Konkurrenz der Künstlerin Eva Hesse gefürchtet und nicht mehr ausgehalten habe, dass sie immer besser wurde, während er mit seinen Skulpturen formal stagnierte.

Insgeheim mag er gehofft haben, sich doch noch als Liebhaber in ihr Herz schleichen zu können. Helen Charash: »Sol liebte sie, aber sie wollte ihn nicht. Und als sie ihn dann doch wollte, wollte er nicht mehr.« Das stimmt. In einem Brief an Sol, geschrieben im November 1969, bekannte Eva, ihn oft nicht gut behandelt zu haben, so wie er es verdient hatte, und ihm nie gegeben zu haben, was er von ihr wollte. Jetzt endlich sei sie bereit, möchte mit »Dir zusammen sein – falls Du willst – am Morgen, am Nachmittag, am Abend, in der Nacht. Love, Eva.«

Dunkell gab ihr als Hausaufgabe für die nächste Sitzung mit, genau aufzuschreiben, was vor Toms Auszug war, was geblieben ist und was sich jetzt, nach Toms Auszug, geändert hat. Sie macht es. Links steht, was war, rechts steht, was ist. »Tom tanzt gern. Ich nicht. Tom ist nur losgezogen und hat sich betrunken, und ich habe es gehasst. Nun mache ich es genauso. Ich konnte nie in Ruhe arbeiten. Jetzt kann ich immer arbeiten. Ich war frustriert von den Ergebnissen meiner Arbeit. Gibt es jetzt nicht mehr. Ich war bisher nicht angewiesen auf Toms handwerkliches Können. Jetzt könnte ich viel von ihm lernen.

Ich mochte weder das Haus noch das Atelier. Jetzt mag ich es.«

Als ihr Mann sie dann aber bat, in die Scheidung einzuwilligen, lehnte sie kategorisch ab. Er versuchte es ein weiteres Mal, doch sie blieb immer noch stur, nein, das kam nicht in Frage. »In sickness & in health till death us part«, trägt sie triumphierend in ihr Tagebuch ein, zusammenbleiben in guten wie in schlechten Zeiten, bis dass der Tod sie scheide. Dass die andere seine Geliebte war, konnte sie nicht ändern, aber sie würde verhindern, dass er die heiraten könnte.

Tom Doyle mustert misstrauisch einen Kellner, der ihn betrachtet, bevor er weiter in seiner Erinnerung sucht, und hält dann seinen Hut zur Sicherheit mit beiden Händen fest: »Ich wollte mit ihr einfach mal reden, wenn wir uns zufällig auf der Straße trafen, aber sie schaute weg, und ja, richtig, einer Scheidung stimmte sie nicht zu.«

Eva beginnt eine neue Beziehung. Der Mann heißt Michael Todd, trägt eine getönte Brille, hat einen Schnauzbart wie Tom, wohnt ein paar Straßen weiter und ist auch Bildhauer. Getroffen hat sie ihn bei einer Vernissage. Sie sorgt dafür, dass alle von ihrem Geliebten erfahren, vor allem einer, der geliebte untreue Tom. Doch dieser uralte Trick, einen abtrünnigen Partner eifersüchtig zu machen, funktioniert nicht. Es ist Tom Doyle offensichtlich egal, wer mit seiner Frau schläft. Eva wiederum merkt bald, dass sie mit Mike Todd wieder mal ein Problem am Leib hat, weil der sie zu sehr liebt und exklusiv bei ihr sein möchte. Immer dann, wenn sie sich eingeengt fühlt, weil ein Mann, den sie kurzfristig begehrt, mehr als nur eine Nacht mit ihr verbringen will, zieht sie sich zurück. »Relationship with Mike repeating old pattern. Ugly. I reject as soon as I'm adored. The more I am loved I reject.« Dennoch bleibt sie an Mikes Seite, weil auf der anderen Straßenseite der, den sie immer noch will, auch nicht allein ist und sie den nicht haben kann, den sie eigentlich begehrt.

Ihre Schwester Helen meint, dass Tom und Eva ihre beste Zeit hatten, bevor sie verheiratet waren. »Danach begannen schon die Schwierigkeiten. Sie wollte Künstler sein wie er und musste dennoch auch noch den ganzen Haushalt machen. Ich verstand ihre Kunst nicht, ich wusste nichts von ihrer Welt, aber ich war stolz auf sie. Ich verbrachte viel Zeit mit ihr, nachdem Tom ausgezogen war, denn das war hart für sie, sehr

Gruppenbild mit Liebespaar: Eva Hesse und Mike Todd (untere Reihe, links) unter Künstlerkollegen aus SoHo, aufgenommen von Peter Hujar.

hart. Wir waren uns nahe und doch fern, denn sie war tief in der art world, richtig tief drin, das interessierte sie immer noch mehr als alles andere.«

Die Zeichnungen, mit denen ihre Schwester im Sommer 1966 begann, nach der »Abstract Inflationism«-Show im März und vor der nächsten Ausstellung ihrer Skulpturen im September, gehören zu den Arbeiten Eva Hesses, die Helen als ihre liebsten bezeichnet. Es sind die so genannten *Circle Drawings*, Tuschzeichnungen auf Papier, alle ohne eigenen Titel, alle mit klaren Strukturen, voller Kreise und Kreuze und Kugeln und Halbkugeln, die formal alle wieder auftauchen, dann greifbar rund, in ihren Skulpturen, eigenständig sind, aber nicht einzigartig für diese Phase. Eva sagte es lakonischer: »Ich drehe mich derzeit dauernd im Kreis, wahrscheinlich deshalb diese Zeichnungen.«

Das Überlebensmittel Kunst hatte immerhin spürbar heilende Wirkung. Sie stand nicht mehr jede Nacht am Fenster, um zu sehen, wann drüben das Licht ausging und welche nächtlichen Schatten sich dort bewegten. Sie ging stattdessen mit ihrem Geliebten Michael Todd oder mit dem geliebten Sol LeWitt ins Kino, schwärmte von »Achteinhalb« und von »Außer Atem«, bewunderte im Whitney Museum die Neuerwerbungen von Al Held und Jasper Johns und Robert Morris und Donald Judd, lehnte es anschließend ab, Sol zu einer Vernissage in der Dwan Gallery zu begleiten, denn die war Tom Doyle gewidmet, schaute sich lieber im MoMA die Turner-Ausstellung an, die sie faszinierte, weil sie voller Verblüffung feststellte, wie viele Stilelemente des Abstrakten Expressionismus bereits in Turners Gemälden aus dem Jahre 1830 enthalten waren.

Findet sich lächerlich blöd, dass sie immer dann, wenn sie mit Mel allein ist im Atelier oder auf einem Spaziergang im Central Park, den Altersunterschied spürt, der erstens nur vier Jahre beträgt und zweitens eigentlich kein Hinderungsgrund sein sollte. Deshalb trägt sie in ihr Tagebuch ein, dass sie mit ihrem Doktor dringend mal über ihr Problem reden müsse, Frau zu sein und sonst gar nichts. Das passt zwar nicht zu ihrer intellektuell erkannten Rolle als allenfalls geduldete Außenseiterin in der männerbeherrschten Kunstwelt, aber sie hätte es jetzt gern mal unkomplizierter und wäre gern souveräner, statt nur trotzig zu behaupten: »Shit, I am 30 and I do have a right to have sex if I want.« Mit wem auch immer und wie alt auch immer ihr Partner sein mag, in ihrem Alter habe sie das Recht, ihre sexuellen Bedürfnisse zu befriedigen, wann immer sie will.

Mit Mike fährt sie im Sommer für eine Woche nach Long Island an den Strand von East Hampton, und woran es liegt, dass sie da kaum dazu kommt, den neuesten Saul Bellow zu lesen oder den neuesten Alain Robbe-Grillet, und an Arbeit erst recht nicht zu denken ist, schreibt sie nicht auf. Freunde schlagen ihr vor, den Sommer über zu bleiben, aber sie kann sich nicht vorstellen, drei Monate lang ohne ihr Atelier in der Bowery auszukommen, ohne ihre Kunst, obwohl es aus »emotionalen Gründen«, wegen des Blicks nach drüben, wünschenswert wäre, obwohl sie weiß: »I realize how hung up I am.« Also kehrte sie zurück, ließ an einer weißen Wand alles aufhängen und aufstellen, was sie in den letzten Monaten produziert hatte, denn die Fotografin Gretchen Lambert sollte Eva Hesse und ihr Atelier und ihre Arbeiten aufnehmen für den Katalog der kommenden Herbstausstellung in der Galerie Fischbach. Fällige Reparaturarbeiten in der ehemaligen Fabrik nervten sie, die Handwerker machten Lärm und Dreck, und sie stand mitten unter ihnen und musste ihr besonderes Handwerk betreiben.

Ist plötzlich alles unwichtig. Denn aus der Schweiz, wo sie mit Evas Vater Urlaub machte, ruft am 16. August Big Eva an, die Stiefmutter. William Hesse ist tot. Eintrag seiner Tochter einen Tag später: »My daddy is gone. I will never see him again. I cannot much longer stand being alone.« Das letzte Foto der beiden ist aufgenommen worden bei der Vernissage von »Abstract Inflationism and Stuffed Expression« im März. Es zeigt Eva strahlend im Gespräch mit einem Kritiker, Haare offen. Sie trägt ein helles, heiter wirkendes Kleid. Ihr Vater, Krückstock in der rechten Hand, ist nicht viel größer als seine kleine Tochter, blickt voller Stolz auf sie.

Bis zur Beerdigung bewahrte sie Haltung, nahm sich zusammen. Sie war erstarrt im Schmerz, der sie wie ein Korsett stützte, unfähig zu trauern. Mel und Lucy blieben nachts bei ihr, mit Sol ging sie tagsüber auf lange Spaziergänge durch New York. Es dauerte einige Tage, bis der Leichnam ihres Vaters aus der Schweiz überführt werden konnte, denn am Flughafen wurde gestreikt. Als er endlich ankam, war Sabbat, die Familie musste bis Sonntag warten, um den Sarg abzuholen,

Allen memorial Art Museum, Oberlin College, Ohio

»So werde ich ihn nie mehr sehen«: William Hesse und seine Tochter Eva inmitten von Bewunderern nach der Vernissage von »Abstract Inflationism« im März 1966.

der mit Sackleinen umhüllt war. Wie sie später ihrem Freund Sol erzählte, sah er aus »wie ein Christo-Objekt ohne Seile«.

Weil der Sarg aus der Schweiz vernagelt ist und weil die Vorschriften ihrer orthodoxen jüdischen Religion verlangen, dass Tote in einem ausschließlich aus Holz bestehenden Sarg zu liegen haben, besorgt man einen neuen Sarg, bettet William Hesse um. Noch am selben Tag wird er beerdigt. Eva steht neben ihrer Schwester, und sie hält sich aufrecht, ist nicht mehr das »kleine ängstliche, hilflose Kind«, wie sie sich selbst anschließend lobt. Innerlich sei sie stark und groß gewesen.

In einem Brief an den Toten trauerte sie auf ihre Art, wie schön es doch gewesen wäre, wenn er noch Ausstellungen von ihr hätte sehen können und Kritiken über sie hätte lesen dürfen. Wie stolz er gewesen wäre auf seine Jüngste und dass er sich dann weniger Sorgen um ihre Zukunft gemacht hätte. »Wir beide waren immer so ängstlich, Du und ich. Sogar diese Ängste haben wir geteilt.« Sie versprach ihm, ihre Ängste zu bekämpfen und ihm zuliebe mutig zu sein. Jetzt müsse sie doppelt stark sein, um den großen Durchbruch zu schaffen. Und die vielen Tagebücher, die er für sie geschrieben hatte, würden ihr dabei helfen.

Ihre Schwester Helen lässt den Blick wandern aus dem Fenster des Appartements in Manhattan nach New Jersey, wo sie damals mit ihrer Familie lebte, und fängt Bilder aus jener Zeit ein: »Nach dem Tod meines Vaters war sie ein paar Tage bei uns, doch dann musste sie raus, hin zu ihren Freunden, zurück in ihre Welt. Kunst war halt ihr Leben, und alles, was dazugehörte.«

Kunst war ihre beste Waffe. So schrieb sie es wörtlich auf. Die beste Waffe gegen den doppelten Verlust in diesem verdammten Jahr. Erst der Verlust des geliebten Mannes, dann der Verlust des geliebten Vaters. »Es ist ein schwieriges Jahr für mich, ein entscheidendes.« Und entscheidend für ihre Karriere, das wusste sie, entscheidend dafür, endlich nicht mehr als die schöne junge Frau mit diesen seltsamen Sachen wahrgenommen zu werden, würde die nächste Ausstellung sein.

Die Generalprobe missglückt. Mühsam haben sie und Sol und Mel ihre Skulptur mit dem verwirrenden Titel *Metronomic Irregularity II* aufgehängt, fünf Tage vor der Ausstellungseröffnung bei Fischbach. Kaum hängt sie endlich, kracht sie zu

Boden, die Nägel in der Wand waren zu schwach. Eva Hesse bekommt einen hysterischen Anfall und schreit nur noch. Schluckt Librium und ist davon wie betäubt. Kann es einfach nicht glauben, dass sie so viel Pech hat. Warum denn immer nur sie? Welchen Fehler hat sie gemacht? Keinen, versichern ihr die beiden Freunde und bekennen sich schuldig. Ein Drink von Donald Droll, dem Geschäftsführer der Galerie, baut sie auf und danach erst recht, dass er sie für die Fischbach Gallery unter Vertrag nimmt, was wiederum wesentlich ist für ihre Akzeptanz in der Szene, denn wer von Fischbach vertreten wird, gilt da als feste Größe.

In Tag-und-Nacht-Arbeit reparieren sie die Schäden, achten darauf, dass es bei der Aufhängung doppelt gesichert wird. *Metronomic Irregularity* sieht verwundbar und zugleich verwunschen aus: drei schwarz bemalte Hartfaserobjekte, verbunden durch silbrig schimmernde dünne Drähte, die von Eva Hesse höchstpersönlich in die vielen Löcher der aufgesetzten Raster eingefädelt worden waren. Außerdem stellt sie noch vor: *Several* und *Ingeminate*. Ein Kritiker preist sie, weil sie es geschafft habe, in scheinbarem Chaos eine klare Struktur darzustellen. Geschrieben hat diese Kritik Mel Bochner, der Freund. Donald Droll kauft ihr am Ende der Ausstellung *Several* ab.

Weil sie, gelobt und anerkannt, gute Laune hat, versuchen ihre Freunde, die heitere Stimmung auszunutzen, und schlagen Eva vor, wegzuziehen aus der Bowery 134/135, wenigstens ein paar Straßen weiter, weg aus dem Loft, weg vom Blick auf Tom.

Sie soll ihre Vergangenheit hinter sich lassen.

Sie entschließt sich zu bleiben.

Wohnung und Studio sind frisch gestrichen, die tropfenden Wasserleitungen repariert, die Miete zwar auf 135 Dollar erhöht, aber ihren Anteil daran kann sie erübrigen, denn auch Tom Doyle muss sich weiterhin beteiligen, sein Atelier gehört schließlich dazu. Sie hat immer noch den Job in Scarsdale, sie hatte was verkauft, sie soll bald an der School of Visual Arts unterrichten, die Ende Dezember auch einige ihrer Zeichnungen in einer von Mel Bochner inszenierten Gesamtshow zeigen wird, zu der auch Donald Judd und Carl André und Sol LeWitt mit ihren Arbeiten beitragen. Ja, sogar der Fußboden im Atelier ist getüncht, und wenn sie ihre Arbeiten dort auslegt, zieht sie vorher die Schuhe aus. Sie will auch da Ordnung im Chaos. Kasper König: »Der Fußboden war weiß lackiert, sah aus nicht wie eine Werkstatt, sondern schon wie ein showroom. Sie war sehr formell, man könnte sagen, hanseatisch bürgerlich, denn ich musste mich anmelden, wenn ich ihre Arbeiten sehen wollte.«

Und es gab viel zu sehen, denn Eva Hesse setzte ihre Vorsätze in die Tat um, sich durch Arbeit aus ihren Depressionen zu befreien. An den Farben der Zeichnungen, alles in Grau oder Schwarz oder Grauschwarz, hätte sich erkennen lassen, wie es in ihrem Inneren aussah, doch dieser Eindruck war falsch. Sie benutzte sie deshalb, weil dadurch die Formen, mit denen sie spielte, klarer und unmissverständlicher zum Ausdruck kamen. »Ich komme gut voran und will immer mehr schaffen«, viele kleine neue Stücke, und dass dies stimmt, zeigt sich bald auch in ihren Tagebüchern. Immer weniger trägt sie ein, wie es ihr geht. Immer mehr, worum es ihr geht. »A Boy is a boy, a tube a tube, art is what is tension and freedom.« Kunst als Spannung und Befreiung, ja, das ist es.

Dass sie ein Jahr nach der Trennung endlich den Ehering weggeworfen hat, ist ihr allerdings schon noch eine sich selbst lobende Bemerkung wert, und sie nennt das »my progress«, ihren ganz persönlichen Fortschritt. Sie ist geradezu begeistert, wie viel sie jetzt zu schaffen vermag, und wenn sie wieder mal Kopfschmerzen hat, schiebt sie es auf diese anstrengende Arbeit.

Die Warnungen, sich nicht zu viel aufzuladen, schlägt sie in den Wind. An ihre Kopfschmerzen habe sie sich gewöhnt, wehrt sie ab. Die Ratschläge von Ruth Vollmer, mit der sie sich auf Deutsch unterhält, hört sie sich an, doch auf dem Heimweg hat sie schon wieder vergessen, was sie ihr versprochen hat. Im Sommer verbringt sie mit Mike Todd und Donald Droll und Lucy Lippard einige Zeit auf dem Land in Maine, fährt dann zu Ruth Vollmer nach Long Island, anschließend zurück ins Atelier.

Absurdes wird jetzt dort sichtbar. Von Halbkugeln aus harter Modelliermasse, die auf einer Holzleiste angebracht sind, hängen Seile bis zum Boden. Das Werk heißt *Addendum*, was eine Sache bedeutet, die einer anderen hinzugefügt werden muss. Oder *Compart*, zu übersetzen etwa mit einem Objekt, das in Teilstücke zertrennt ist und bei ihr aus vier voneinander getrennten Hartfaserplatten, grauschwarz angemalt, aus Schnüren und Kordeln geformten Kreisen besteht.

Und sie entdeckt ein neues Material, das sie wegen seiner Biegsamkeit und seiner Formbarkeit begeistert: Latex, Naturkautschuk. Flüssiges Latex erlaubt malerischen Umgang, mit dem Pinsel aufgetragen, Schicht für Schicht, auf festem Untergrund, unwägbar im endgültigen Ausdruck, aber gewollt von ihr. Wieder mal überschreitet sie Grenzen und betritt künstlerisches Neuland. Latex nimmt zwar letztlich feste Formen an, reagiert aber zuvor auch auf jede Berührung mit einer anderen Form. Latex macht auch ganz einfach Spaß, weil es zumindest zeitweise ganz besondere Farben enthält und zeigt. Eva Hesse notiert sich alles zum Thema wie auf einer Merkliste für Anfänger: Latex = flüssig. Farbloses Gummi. Wird fest nach vierundzwanzig Stunden. Im flüssigen Zustand kann Farbe beigemischt werden.

Sie benutzt es in Kugelformen, und sie benutzt es als Überzug für Leinentücher, sie benutzt es hängend und liegend und fest, je nach Lust und Laune und Einfall. Erst in Teststücken, dann bei großen Objekten wie *Schema* und *Sequel*. Dass Latex bei der natürlichen Alterung seine Elastizität verliert und sich farblich verändert, brüchig und hart wird, weiß sie ja. Das stört sie nicht weiter. Das Jetzt ist ihr wichtig. Was irgendwann passiert, ist ihr egal. Das Naturprodukt zeigt unterschiedliche Formen und optische Veränderungen im Alter und gleicht insofern einem anderen Naturprodukt im Alter, dem Menschen. Im Laufe des Jahres 1967, in dem sie sich neu erfindet und zum äußeren Zeichen die langen Haare abschneidet, als sei eine ganz andere als die bisher erlebte Eva Hesse bereit zum Kampf gegen Männer und gegen alle Regeln der Kunst, experimentiert sie ausgelassen mit dem neuen Stoff. Bald würden es alle sehen können.

Eine Affäre mit dem Bruder eines deutschen Galeristen dauert nicht lange. Rosie Goldman erinnert sich nur, dass er irgendwie Frederic oder so hieß. Das war sein Familienname. Sein Name war Holger Friedrich. Eva und er tun so, als wären sie einander nur zufällig begegnet, wenn Bekannte sie zusammen sehen. Kasper König: »Ich suchte was in einem der Läden auf der Bowery. War wohl Herbst 1967. Da traf ich Eva und den Bruder von Heiner Friedrich, einen Industriellen, mit dem sie ein enges Verhältnis hatte. Das sah man, aber es wurde erwartet, dass ich so tat, als würde ich es nicht wahrnehmen. Mir war das doch ganz egal.« Holger Friedrich starb anderthalb Jahre nach Eva Hesse. Er stürzte mit seinem Privatflugzeug ab.

Der Mann, der tatsächlich mal zu Eva Hesse in ihr Atelier ziehen und dort bleiben wird bis zu ihrem Tod, ist ein Niemand, als sie ihn kennenlernt. Doug Johns heißt er. Ein paar wenige Künstler in SoHo kannten ihn, weil sie ihn brauchten. Richard Serra zum Beispiel und Ruth Vollmer und Robert Morris. Der war der Erste, der mit seinen speziellen Wünschen, die in seinem Fall zunächst alle mit Blei zu tun hatten, zu einer kleinen Firma namens Aegis Reinforces Plastics draußen auf Staten Island in der ehemaligen Bethlehem-Werft gefahren war. Anstreicher, Klempner, Mechaniker hatten sich dort der leeren Hallen bemächtigt, weil die Mieten billig waren, so wie vor ein paar Jahren Maler, Bildhauer, Poeten in SoHo in die Lagerhallen gezogen waren, weil die alte Industrie, die dort mal blühte wie der Schiffsbau hier, gestorben war. Aegis galt als Spezialist für Displays, wie sie bei Kongressen gebraucht wurden, und diese Auslagen bestanden hauptsächlich aus Fiberglas.

Der Besitzer des Ladens war an seinen neuen Kunden nicht interessiert, sie versprachen zu wenig Rendite, aber sein Partner Doug Johns fand Kunst spannender als das Geschäft mit Kongressveranstaltern und machte sich, ebenfalls in der Werft, als Handwerker für Kunst Inc. selbstständig. Der gelernte Automechaniker verstand nichts von der Kunst, die er im Auftrag von Robert Morris in die von dem gewünschte Form brachte, aber er konnte allemal besser als der umgehen mit Blei und mit Fiberglas und mit Polyester. »Eines Tages«, erinnert er sich und fährt sich durch seinen grau gewordenen Pferdeschwanz, der ihm die Würde eines alt gewordenen Hippie verleiht, dessen Träume sich aber noch immer erfüllen könnten, »eines Tages brachte Bob eine junge Frau mit, die sah verdammt gut aus, und stellte sie als Eva Hesse vor. Sie wollte uns engagieren für ihre jüngste Arbeit, die sie auch schon als Skizze mitgebracht hatte.«

Damals war er erstaunt, wie *tough* und bestimmend sie auftrat, dass sie genau wusste, was sie wollte. Daran hat er sich erst gewöhnt, als er sie dann täglich in ihrem Atelier erlebte. Am liebsten wäre es ihr gewesen, wenn er am selben Tag noch mit ihrem speziellen Auftrag begonnen hätte, aber Bob Morris bestand darauf, dass zuerst seine Fiberglasreliefs fertiggestellt würden. Also fuhr sie mit der Fähre zurück nach Manhattan, Doug Johns vergaß seine Besucherin. Eva Hesse aber hatte nichts vergessen, und kaum hatte sie von ihrem Nachbarn Robert Morris erfahren, dass sein Auftrag ausgeführt war, tauchte sie wieder bei Doug Johns und Aegis auf.

Anfangs hatte sie gezögert, als ihr Ruth Vollmer bei einem

Abendessen in ihrem Künstlersalon vorschlug, für ihre größeren Objekte Hilfe zu suchen bei handwerklichen Profis und nicht alles selbst im Atelier zu machen. Ein Künstler hatte nach Evas Auffassung in seinem Studio als Solitär zu wirken, seine Ideen und seine Hände einzusetzen, vielleicht noch einen Assistenten zu beschäftigen, nun ja, das machten alle, aber nicht die Hilfe von Mechanikern, und seien die auch noch so gut, in

Handarbeit: Die kurzhaarige Eva Hesse mit ihrem Objekt *Accession I.*

Anspruch zu nehmen. Das Gegenargument ihrer mütterlichen Freundin, dass sie andererseits Zeit fürs Wesentliche gewinnen würde, für ihre Ideen und die daraus wachsende Kunst nämlich, überzeugte sie aber. Auch aus rein wirtschaftlichen Gründen. Sie allein hätte ein halbes Jahr für die Fertigstellung von dem gebraucht, was sie als nächstes großes Objekt vorhatte, und in der Zeit natürlich nichts anderes machen können. Also auch nichts verdient.

Die Adresse, die ihr Ruth Vollmer gegeben hatte, war die von Arco Metals in Manhattan, und die stellten eine Stahlbox für sie her, *Accession I* genannt, bohrten nach ihren Anweisungen in diese genau 30670 Löcher, und Eva Hesse schnitt die 15335 benötigten Stücke von Schläuchen zurecht, die sie dann durch Löcher zog. Wer seinen Kopf in die Box steckte – und das machten später viele Ausstellungsbesucher, denn die Kunst der Eva Hesse verlockte zur näheren Begegnung –, hörte nichts mehr von der Welt. Tauchte ein in eine andere Büchse der Pandora, die keinen Schrecken enthielt, sondern nur eine große Stille. Jeder Lärm blieb draußen.

Im kommenden Jahr entstand in Staten Island der Nachfolger dieses Objekts dann aus dem Material, das leichter zu bearbeiten war und eine andere Ausstrahlung hatte: Fiberglas. In die 28000 Löcher, die Doug Johns für *Accession III* in die milchige feste Masse bohrte, steckte Eva Hesse wiederum in Handarbeit 14000 abgeschnittene winzige Stücke von durchsichtigen Plastikschläuchen. Machte ihr Spaß wie beim Vorläufer in Manhattan, obwohl sie täglich über Kopfschmerzen klagte und es ihr manchmal schwindlig war. Das käme wohl, wie sie ihrem Helfer sagte, von der zwangsläufig verkrampften Haltung bei der Arbeit.

Der Skizze, die sie zu ihrem ersten Treffen mit Johns mitgebracht hatte, gab sie bereits einen Namen – *Repetition Nineteen.* Doug Johns konnte zwar mit dem Titel nichts anfangen, kapierte aber, dass der schlicht eine neunzehnfache Wiederholung ausdrückte, und erkannte bald, worauf er sich dabei eingelassen hatte: »Sie wollte neunzehn kleine zylinderförmige Eimer aus Fiberglas haben, sie hatte diese Zeichnung dabei, und das waren die einzigen Unterlagen, die wir bekamen.« Er setzte es genau so um, wie sie es aufgezeichnet hatte. Als er fertig war, rief er sie an, um sich für einen der nächsten Tage mit ihr zu verabreden. Sie kam am selben Tag mit der nächsten Fähre und fand seine Modelle einfach grauenhaft und hat ihm das auch laut gesagt. »Es war aber genau das, was auf den Zeichnungen drauf war, und natürlich konnte ich nicht nachbauen, was sie sich dabei gedacht hatte. Wie denn? Ich sagte ihr, dann gibt es nur einen Weg, Modelle aus Papiermaché, danach kann ich dann arbeiten und die in entsprechende Fiberglasobjekte verwandeln.«

Mit Papiermaché konnte Eva Hesse spielend umgehen, seit sie in Kettwig die ersten Reliefs gemacht hatte. Das war für sie Kinderkram. Sie ließ jetzt in ihrem Atelier das stehen, woran sie sich gerade wieder versucht hatte, an Schachteln und Gefäßen, die sie entweder in der klassischen »Boxes«-Form beließ oder per Handstreich eine schräge Kunstrichtung gab. Zwar arbeitete sie außerdem noch an Objekten, die wie ihre bisherigen Skulpturen an der Wand hängen sollten, aber nachdem ihr Donald Droll für Herbst 1968 eine große Einzelausstellung bei Fischbach versprochen hatte, wollte sie mehr zeigen als das, was man von ihr kannte. Stellte nebenbei so genannte *Testpieces* her aus Latex, kleine Objekte, die noch nicht ahnen ließen, was daraus mal Großes werden könnte.

Freund Sol hatte die richtige Idee, wie man die präsentieren sollte. Er besorgte aus einem der Läden in der Canal Street Vitrinen, in denen einst Bäcker ihre Kuchen und Torten ausgestellt hatten, *pastry cases*, und in denen verteilte Eva Hesse Stück um Stück dann unter Glas sichtbar ihre Objekte aus Latex, Watte, Kautschuk, Gummi, Kunstfasern, Nadeln, Wachs, Gips. *Mixed Media* in verschiedenen Formen und Farben. Selbst in diesen kleinen Modellen wirkte ihre Kunst faszinierend. Naomi Spector: »Wenn man sich ihren Schöpfungen gegenübersah, war man in einem Raum, der spürbar Kunst ausstrahlte. Da entstanden Visionen. Und: Sie war sehr bewusst in dem, was sie machte.«

Das merkte auch Doug Johns. Nach wenigen Wochen kam Eva Hesse mit neunzehn zylinderförmigen Eimern aus Papiermaché wieder rüber zu ihm in die Werft – wobei er sich noch heute wundert, wie sie die eigentlich zu ihm transportiert hat –, und nun wollte sie schnell Ergebnisse sehen. »Das dürfte Februar 1968 gewesen sein«, sagt er, aber so genau weiß er es nicht mehr. Kann auch sein, dass er Eva zum ersten Mal im Februar traf und sie dann erst Ende März mit den Papiermaché-Eimern zu ihm kam. Als die ersten Modelle zu *Repetition Nineteen* entstanden, war Doug Johns neunundzwanzig Jahre alt. Ein Foto zeigt einen großbrilligen, mageren, unscheinbaren Kerl. Er verstand sich als einfacher Arbeiter, der das tat, was man ihm auftrug, und machte sich an seinen Job.

Das Ergebnis gefiel ihr immer noch nicht, weil das fehlte, was sie eigentlich sehen wollte: das Durchsichtige, das Lichtvolle, dieses Leuchten, das von innen kommen musste. »Den ganzen Tag und die ganze Nacht haben wir gemeinsam gearbeitet, am Sonntagmorgen begonnen, Montagmittag aufgehört, um die einzelnen Objekte, neunzehn Zylinder, auch innen von Papiermaché zu säubern, damit sie diese bestimmte Leuchtkraft bekamen, die ihr vorschwebte. Wir pulten in mühsamer Arbeit alles aus den Zylindern raus, denn ich musste ja flüssiges Fiberglas über ihre Papiermaché-Modelle gießen, es gab dabei natürlich kleine Kratzer, die störten, und ich versprach ihr, eine neue Glasur zu machen.«

Das gelingt, und als er die Zylinder unter besonders helle Lampen in der Werft stellt, beginnen sie tatsächlich zu leuchten. »Es sah unglaublich schön aus.« Ebenso wenig hat er ein anderes Leuchten vergessen. Das in den Augen seiner Kundin, die endlich das erblickte, was sie sich vorgestellt hatte bei ihren ersten Skizzen. In Eva Hesse hatte sich Doug längst verliebt, aber natürlich hätte er nie gewagt, ihr das zu sagen. Er war ja im Vergleich zu ihr »ein Nichts, ein Nobody. Für mich durfte sie nie mehr als ein Buddy sein, ein Kumpel, so wie man unter Männern Buddys hat«.

Eva Hesse verlangte kategorisch, dass Doug die ursprünglichen Behälter von der nahen Verrazano Bridge in den East

River werfen sollte, niemand sollte die wertlosen Modelle sehen. Das vergaß er. Für die Nachwelt allerdings hatten sie dennoch einen Nutzwert. Maler irgendeiner Firma haben die in der Werft herumstehenden Zylinder als Eimer benutzt, um ihre Farben zu transportieren. Worüber Eva Hesse sich gewiss gefreut hätte. Kunst sei was fürs Leben und für Menschen, hat sie oft genug gesagt.

In den kommenden Monaten verlagerte sich ihre tägliche Arbeit, nur unterbrochen durch die Lehrtätigkeit, weil sie von diesen Einnahmen ihre laufenden Kosten bestreiten musste, in die Werfthalle auf Staten Island. Von ihrer Kunst allein hat sie – wie so viele andere später weltberühmte Künstler – zeitlebens nie leben können. In Scarsdale unterrichtete sie Kinder. Seit Spätherbst 1968 an der School of Visual Arts Studenten und Anfang 1969 noch an der Boston Museum School.

Neben den riesigen Kränen, mit denen einst die Schiffsschrauben hochgezogen wurden, um sie von Algen zu säubern und zu entrosten, wirkte Eva noch kleiner als sonst. Es entstanden mit Doug Johns' Hilfe *Accession III*, *Accretion* und *Sans II*, alle finanziert durch die Fischbach-Galerie und Donald Droll, denn das benötigte Material Stahl und Fiberglas und Polyester kostete Tausende, und so viel Geld hatte sie natürlich nicht.

Dougs Firma ging angesichts solcher spezieller Kunden pleite, denn von Kunst konnte man eh nicht leben und von einer einzigen Künstlerin erst recht nicht. Aber Eva Hesse brauchte ihn. Also bot sie ihm an, zu ihr ins Atelier zu ziehen. Platz genug hatte sie jetzt, mehr als Kost und Logis und gelegentlich ein wenig Taschengeld, immer dann, wenn sie etwas verkauft hatte, konnte sie ihm allerdings nicht bieten. Doug sagte zu und wurde von da an ihr Mann fürs Grobe, setzte ihre Zeichnungen und Modelle um in genau die Objekte, die ihr vorschwebten. Evas Freunde ahnten nichts vom Untermieter. Wenn sie Besuch über Nacht erwartete, gab sie ihm Fahrgeld, damit er hinüberfahren konnte nach Staten Island. »Sie hat

mich nie vorgezeigt oder etwa mal mitgenommen auf Partys.«
Er war ein unscheinbarer Schattenmann, Tom von gegenüber wusste natürlich von ihm, der sah ihn tagsüber ja oft arbeiten, und als er erfuhr, was Doug konnte, ließ er ihn auch für sich hin und wieder etwas in Form bringen. Das wiederum sagte Doug seiner Eva nicht.

Die anderen gegenüber, Tom und Jane, bekommt Eva nicht aus dem Sinn, allen Vorsätzen zum Trotz, lässt sie kaum aus den Augen. Doug Johns, der nichts ahnte von den Spannungen, erfährt nach und nach, warum sie so oft über die Straße blickt. »Ihr ganzes Leben war auf ihre Kunst konzentriert, sie sprach eigentlich nie über etwas anderes, immer nur über Kunst. Außer dann, wenn es um Tom ging. Ich erinnere mich sehr genau, dass sie nachts aus dem Fenster schaute, um zu sehen, wann er nach Hause kam. Sie war extrem eifersüchtig, obwohl sie das gar nicht nötig hatte, obwohl sie eine wunderschöne Frau war, die sich vor Männern nicht retten konnte.«

Wenn Doug von Eva Hesse spricht, leuchten seine Augen. Für ihn lebt sie, ist nie gestorben. Sie war die wichtigste Frau seines Lebens. Außerdem habe er Eva Hesse viel zu verdanken. Ohne sie könnte er nicht seinen Traum verwirklichen, die Erfindung eines Motors, der nur halb so viel Benzin braucht wie die heute üblichen. Damit er überhaupt auch nur daran denken konnte, so etwas zu versuchen, brauchte er einen extrem teuren Computer und entsprechend teure Programme. Hatte aber kein Geld. Woher auch. Fünfzehn Jahre nach Evas Tod hat Doug eher in den Tag und besonders in die Nacht gelebt wie ein »Penner aus der Bowery«, sich ernährt von Gelegenheitsjobs, als Mechaniker, als Handwerker.

Dann plötzlich wachte er auf, so Mitte der Achtziger im vergangenen Jahrhundert, und begann mit dem Material, das er beherrschte, Gebrauchskunst herzustellen, was er ohne falsche Scham auch so nennt: nackte Frauenkörper in allen möglichen Stellungen scheinbarer Verfügbarkeit, jede Menge Vaginae pur in Messing. Es gab Männer, die sich das in ihre Büros stellten und so Doug ein geregeltes Einkommen verschafften. Sein größtes Kunst-Hand-Werk ist eine riesige Nackte, für die sein damaliger Auftraggeber mit Bulldozern auf seinem Landsitz in Colorado ein zehn Meter langes Tal ausheben ließ, in dem sie wahrscheinlich heute noch liegt.

Von Eva besaß er nur eine kleine Skulptur, die sie ihm mal geschenkt hatte, denn viel mehr zu bieten hatte sie ja nicht, und als Mann hat sie den Kerl, der sie liebte, nie gesehen. Bevor er die Skulptur verkaufte, fragte er die Tote – und während er das erzählt, zeigt er kurz nach oben – um Erlaubnis. Vom Erlös wollte er sich den Computer kaufen, eben den, der jetzt vor ihm steht, in den er seine Konstruktionen von einem revolutionären Motor hackt. Sie habe ihm zugeraten, fand es gut, dass sich einer auf ein großes Ziel konzentriert und auf dem Weg dahin alles andere vergisst. So wie sie.

Im Januar 1968 war Eva Hesse mit ihrer Freundin Ruth Vollmer für eine Woche nach Mexiko gefahren, was ihr gut tat. Wie jedes Jahr verfiel sie am 8. Januar, dem Tag, an dem ihre Mutter Selbstmord begangen hatte, in Schwermut und Depressionen, weil sie nie die Angst verloren hat, so zu enden wie die. Diesmal hatte sie einen Mutterersatz bei sich, und wenn sie zu fallen drohte, fing Ruth Vollmer sie auf. Danach reiste sie für ein paar Tage in die Provinz, ans Oberlin College in Ohio. Die Leiterin des Kunstdepartments, Ellen H. Johnson, hatte unter dem Titel »Recent Drawings« eine Ausstellung arrangiert und die Künstlerin eingeladen, mit den Studenten über ihre Zeichnungen zu diskutieren. Im Allen Memorial Museum am Oberlin College sind heute viele der Tagebücher Eva Hesses archiviert.

Ann Temkin, für Malerei und Bildhauerei zuständige Kuratorin des Museum of Modern Art in New York, kann heute erklären, warum ausgerechnet ein College in Ohio, mitten im Kornfeld gelegen, von Helen Charash so üppig aus dem

Nachlass ihrer Schwester bedacht wurde: »Ellen Johnson war einfach phantastisch. Die schaffte es, Helen davon zu überzeugen, dass Oberlin der ideale Ort für Evas Nachlass war«, sagt sie. Für die junge New Yorkerin aus einer anderen Generation ist Eva Hesse eine der »herausragenden Figuren der amerikanischen Kunst des 20. Jahrhunderts. Einzigartig. Dass sie eine Frau war, ist unübersehbar in ihrer Kunst, aber nichts davon ist feministisch.« Nach Johnsons Tod übrigens sei das Oberlin, was Kunst betrifft, wieder ein College mitten in Ohio.

Bis zur Eröffnung ihrer ersten Soloausstellung als Bildhauerin bei Fischbach sollten zwar noch Monate vergehen, aber das beruhigte sie nicht, denn die vier großen Brocken, die sie unbedingt zeigen wollte, erforderten viel Zeit. Latex und Fiberglas seien zwar ein fließendes Material, trägt sie in ihr Tagebuch ein, aber genau deshalb werde sie es so nicht einsetzen. Das schien ihr zu simpel. Latex hatte sie in einem Ofen erhitzt, dann in Formen gegossen wie bei *Sequel* oder *Schema*, mit Farbe überzogen wie bei *Stratum* und *Aught*. Doug Johns half ihr, bald auch die Studentin Martha Schieve, die Eva Hesse an der School of Visual Arts aufgefallen war, und weil sie deshalb nie allein war, half ihr das auch über die üblichen Panikattacken hinweg: »Zwar komme ich mit meiner Arbeit gut zurecht, aber im richtigen Leben habe ich noch einen langen Weg vor mir.«

Die Ausstellung nannte sie »Chain Polymers«, was etwa so viel bedeutet wie eine Kette von Objekten aus Kunststofffasern. Polymere sind synthetische Substanzen. Im Titel wird Kunst als chemischer Prozess erklärt. Kettenreaktionen. Das macht sie bewusst so, um die Grenzen zwischen Wissenschaft und Kunst zu überschreiten, Unvereinbares zu vereinen. Präsentiert wurden ihre Latexarbeiten *Schema*, *Sequel*, *Stratum* und *Sans I* sowie die Fiberglasobjekte *Sans II*, *Accretion*, *Accession III* und *Repetition Nineteen III*. Dazu in Vitrinen und auf einem schmalen Tisch im hinteren Raum der Galerie ein paar Teststücke und Modelle aus Latex, außerdem Zeichnungen. Die Preisliste für ihre Objekte schrieb sie selbst. Für *Accession III* trug sie 4000 Dollar ein, für *Repetition Nineteen* 1500, für die größere Fassung von *Sans* 2500, die Gummiversion 900. Die fünfzig mannshohen Röhren von *Accretion* sollten 1500 Dollar kosten, *Sequel* und *Schema* je 1000. Die Kleinigkeiten im anderen Raum, Zeichnungen und *Testpieces*, zwischen 250 und 400 Dollar.

In der »New York Times« wird die ungewöhnlich interessante Ausstellung gelobt, und Hilton Kramer, wichtigster Kritiker der Zeitung, beschreibt seinen Eindruck von Eva Hesses Objekten als den einer »zermürbten, demoralisierten Geometrie, die knapp vor der totalen Auflösung durch eine exzentrisch anmutende Ordnung gerettet wurde«. Klingt toll, obwohl Eva Hesse nicht so ganz sicher ist, was er eigentlich damit sagen will. Von dem, was Emily Wasserman im »Artforum« schreibt, ist sie allerdings überzeugt: Mit ihren Skulpturen habe die zweiunddreißigjährige Bildhauerin Eva Hesse einen sichtbar eigenen Akzent in der Kunstszene gesetzt.

Für den Kunstsammler Victor Ganz, der sein Vermögen als Juwelier gemacht hatte, und für seine Frau Sally war jede neue Ausstellung wichtig, denn sie wollten Neues möglichst früh entdecken – und eventuell etwas kaufen. Er besaß Werke von Picasso und von Rauschenberg, von Stella und Jasper Johns. Seinen ersten Picasso mit dem Werktitel »Der Traum« erwarb er 1941 für 7000 Dollar, der Wert wird heute auf 30 Millionen Dollar geschätzt. Laut »New York Times« hatte Victor Ganz, der 1987 starb, im Laufe seines Lebens für seine Sammlung ungefähr 2 Millionen Dollar ausgegeben, und als sie bei Christie's zehn Jahre später zur Versteigerung anstand, wurde ihr Gesamtwert auf etwa 125 Millionen taxiert.

Victor und Sally Ganz hatten Ende November 1968 acht oder neun Galerien auf der Liste ihrer Besichtigungstour. Victor Ganz erinnerte sich fast zwanzig Jahre später in einem Gespräch mit Joan Simon noch an jedes Detail: »Nachmittags so gegen fünfzehn Uhr sagte meine Frau Sally, sie sei müde, ihr täten die Füße weh, sie ginge nach Hause. Ich hatte noch drei, vier Namen auf meiner Liste vor mir, und in meiner zugegeben an Besessenheit grenzenden Art wollte ich die auch abhaken. Der letzte Name war der von Eva Hesse in der Fischbach Gallery. Ich ging also hin und sah plötzlich diese Sachen vor mir und wusste auf den ersten Blick: Dies ist das Faszinierendste, das Schönste, das ich je gesehen habe.«

Er war tatsächlich begeistert, zunächst von den Objekten im großen Raum, in dem er der einzige Besucher war. Die meisten Kunstsammler aus seiner finanziellen Liga waren zu Francis Bacon in die Marlborough-Galerie gepilgert, wo es für seinen Geschmack allerdings eher zuging wie bei einer Cocktailparty. Dann schaute er sich die »Kleinigkeiten« im hinteren Raum an: »Eins sah aus wie pancakes, Pfannkuchen, aus Plastik. Irre, lustig, beautiful, gemacht aus Baumwolle und Latex. Schön verrückt.« Marilyn Fischbach, Besitzerin der Galerie, fragte ihn, ob er die Künstlerin kennenlernen wollte, die das alles gemacht hatte, und natürlich wollte Victor Ganz das, hatte zwar keine Ahnung, ob die alt war oder jung war, aber das war ja auch egal. »Eva Hesse sah sehr jung aus. Erinnerte mich an eine meiner Töchter, an Kate. Wir verstanden uns auf Anhieb sehr gut. Ich fragte, ob sie mir zwei Pfannkuchen mehr machen konnte, damit der Stapel größer würde, acht statt sechs. Denn ich liebte Pfannkuchen. Klar, sagte sie, mach ich.«

Er lud sie für die nächste Woche zu einer Künstlerparty ein und nannte auch ein paar Namen von denen, die zu ihm kommen würden. Darunter Jasper Johns. Eva strahlte, sagte spontan zu: »Wow, Jasper Johns ist mein Gott. Ich bewundere ihn.« Ganz versprach, sie rechtzeitig fürs Dinner abholen zu lassen. Dann fuhr er nach Hause, um seiner Frau zu zeigen, was er erworben hatte. So teuer war das nicht gewesen: Die »pancakes« zum Beispiel hatten 400 Dollar gekostet, andere Testobjekte pro Stück 175, die Zeichnungen weniger als 100 und *Schema* 800. Insgesamt gab er weniger als 2000 Dollar aus. Sally Ganz: »Er hatte wirklich verrückte Sachen dabei. Darunter *Schema*, das Objekt mit den braunfarbenen Gummihalbkugeln, ein wunderbares Stück.« Vor allem die Katze des Hauses konnte sich nicht davon trennen und saß gebannt davor, als Ganz es auf dem Parkett seiner Wohnung auslegte.

Abends rief er Jasper Johns an, der in Gesellschaft mitunter ein rechtes Ekel sein konnte, lud ihn für Dienstag ein, erzählte ihm von Eva und bat ihn, doch bitte recht freundlich zu ihr zu sein, weil die ihn für einen Gott hielt. Was wiederum Jasper Johns gern hörte. Als er dann an dem betreffenden Abend neben der schönen Eva saß, fühlte er sich wirklich göttlich. Und die wiederum hatte das Gefühl, in der Männerwelt Kunst nicht nur angekommen zu sein, sondern auch von einem Großen akzeptiert zu werden. Als Künstlerin.

Das Ehepaar Ganz wollte mehr von ihr und schaute sich bald in ihrem Atelier an, woran sie noch so arbeitete. Sally Ganz erinnerte sich, dass es chaotisch auf sie wirkte, überall lagen Seile und Schnüre und Material herum. Es habe ausgesehen wie Industrieabfall – was es in der Tat ja auch war. Ihr Mann tauschte die kleineren Stücke, an denen er sich satt gesehen hatte, ein Jahr später gegen ein großes Objekt, das Eva *Vinculum I* getauft hatte. Das lateinische Wort *vinculum* bedeutet so viel wie Band, Verbindung, Grundmaterial waren Gummischläuche, verbunden durch Fiberglas. Die Arbeit kostete 2500 Dollar, und da Victor Ganz bei seinem ersten Einkauf mehr ausgegeben hatte, bekam er sogar noch Geld zurück. Als *Vinculum I* 1998 versteigert wurde, erzielten seine Erben 1,2 Millionen Dollar. Heute ist es mindestens das Dreifache wert.

Eva wurde von ihren neuen Freunden oft zum Dinner nach Manhattan eingeladen. Wenn es Zeit war zu gehen, holte Victor Ganz seinen Maserati, den er an sich selten benutzte, aus der Garage und fuhr Eva nach Hause in die Bowery, wo ein solches Auto auffiel. Auch bei Eva Hesses ganz speziellem Nachbarn von gegenüber. Sie verabschiedete sich immer besonders laut und herzlich von Victor Ganz und achtete darauf, dass sie dabei gut hörbar und gut sichtbar war.

Nötig hat sie solche Demonstrationen eigentlich nicht mehr. Sie ist wer, und der andere war wer. Alle Türen stehen offen für sie. Dass dahinter nicht nur der Ruhm auf sie wartete, sondern Schrecken lauerten, die sie nicht besiegen konnte, ahnte sie nicht. In der Show »Nine at Leo Castelli« werden gezeigt *Area* und *Aught*, das aus acht paarweise übereinander gelegten Leinentüchern, überzogen mit Latex, besteht und an der Wand hängt. Sie ist die einzige Frau unter Männern. Anti-Form nennt man ihre Art. Kritiker monieren, im Vergleich zu den Männern sehe die Kunst von Eva Hesse eher konservativ aus. Sie fühlt sich verkannt. Wieder mal tröstet sie der gute Freund Sol, indem er die Kritiken zerlegt. Hätten alle nicht begriffen, dass gerade sie eine Kunst mache, die in eine neue Richtung weise. »Dennoch war sie tief verletzt von dieser offensichtlichen antifeministischen Haltung.«

Sollten doch schreiben, was sie wollten. Es gab Alternativen. Ein guter Freund aus Bern lädt Eva Hesse ein zu seiner Ausstellung »When Attitudes Become Form« im März. Eine Ehre, denn nur die Besten werden gefragt. Harald Szeemann will außer *Vinculum II* ihre Skulptur *Augment* präsentieren – neunzehn mit Latex überzogene Stoffbahnen, die auf dem Boden ausgebreitet werden. Der Transport wird von den Schweizern ebenso finanziert wie Flug und Aufenthalt für die Künstlerin. Sie ist nicht nur stolz über die Anerkennung ihrer Arbeiten ausgerechnet dort, wo vor ein paar Jahren nur Tom Doyle gezählt hatte und sie nur als schönes Beiwerk galt. Freut sich darauf, alte Bekannte wiederzusehen, ihr noch Unbekannte kennenzulernen wie zum Beispiel Joseph Beuys.

Die von einem Skandal begleitete Vernissage wird ohne sie stattfinden. Was in Bern los war, erzählten ihr viel später dann

Keith Sonnier und Bruce Nauman und Robert Morris, die alle dabei waren. Ihr nämlich hatten die Ärzte eine so weite Reise verboten.

Eva Hesse kann noch immer nicht von ihrer Kunst leben, muss immer noch nebenbei unterrichten. Obwohl man ihren Namen inzwischen nicht mehr buchstabieren musste, weil sie sich einen Namen gemacht hatte, betrug der Jahresverdienst 1969 laut Steuererklärung genau 4608 Dollar. Sie zeichnet wieder und beginnt mit einem Zyklus, *Window Drawings* betitelt. Ellen Johnson interpretierte die als Variationen des Fensters, das Eva gegenüber im Auge hat, als Blick auf die unerfüllte Sehnsucht. Deshalb wirken die Fenster wie blind, geben nie den Blick frei auf das, was dahinter liegt. Die Kunsthistorikern Anne M. Wagner, Dozentin an der University of California in Berkeley, ging in ihrer Deutung viel weiter zurück, für sie sind es traumatische Erinnerungen an Evas Kindheit, die sie ausgeblendet hatte. Aber *window* ist ein altbekanntes Motiv in der Kunstgeschichte, bei Vermeer, bei Matisse, bei Delaunay. Mag sogar sein, dass man alle Interpretationen einfach vergessen kann, dass sie spielerisch *Fresh Widow* von Marcel Duchamp variierte in den *Window Drawings* der verheirateten Witwe Eva Hesse. Aber genau deshalb sind die von ihr so gut, weil jeder und jede in ihnen etwas anderes sehen darf.

Freunde wundern sich aber, dass sie noch depressiver wirkt als früher. Noch ängstlicher. Noch zerrissener. Mike Todd ist doch da, falls sie ihn ruft, und Doug Johns, wann immer sie ihn braucht, und Sol LeWitt ist eh stets in der Nähe. Sie wird angefragt wegen kommender Ausstellungen, während von irgendwelchen neuen Arbeiten ihres Ehemanns nichts zu sehen ist. Inzwischen mied er die Partys, auf denen ihm erzählt worden wäre, welchen Erfolg Eva hatte, die ja noch seine Ehefrau war. Sie könnte also triumphieren. Aber sie tut es nicht. Fehlt ihr was? Wieder mal die alten Dämonen Angst und Liebeskummer und Verlassenheit?

Es sind neue. Zum ersten Mal wird sie von denen umarmt und dabei schon fast erdrückt am 6. April 1969. Eva Hesse bricht mit Kopfschmerzen und Brechanfällen in Donald Drolls Loft zusammen. Der herbeigerufene Arzt will wissen, ob sie Tabletten eingenommen habe, die sie nicht verträgt. Als er von ihren ständigen Begleitern erfährt, den grünen und rosaroten Pillen, vermutet er einen psychisch bedingten Zusammenbruch und schlägt vor, sie in eine entsprechende Abteilung für psychisch Kranke einzuweisen. Helen: »Wegen ihrer Geschichte – Selbstmordversuch, Trauma des Todes unserer Mutter und später die Behandlungen bei Helene Papanek und bei Samuel Dunkell – riefen sie mich an und wollten mehr darüber erfahren. Ich wusste, Eva war nie ein Fall für die Psychiatrie. Nie. Also mussten die Schmerzen organisch sein, keine eingebildeten.« Zunächst nimmt Ruth Vollmer Eva mit in ihr Haus, um sie zu pflegen. Doch ihr Zustand verbessert sich nicht.

Was, verdammt, ist los mit ihr?

Durch die Verbindungen von Ethelyn Honigs Mann Lester, dem Arzt aus der Park Avenue, bekommen sie endlich am 10. April Termine für neurologische Untersuchungen im New York Hospital. Sie wird von Kopf bis Fuß durchleuchtet und geröntgt. Das dauert. Als die Ergebnisse vorliegen, muss alles schnell gehen. Denn die Diagnose lautet auf Gehirntumor im fortgeschrittenen Stadium. Am 18. April liegt sie auf dem Operationstisch. Einen Tag später wäre sie tot gewesen, berichtet der Chirurg Dr. Bronson Ray, der den Tumor aus ihrem Kopf schneidet, es sei nur noch um wenige Stunden gegangen, dann wäre das Geschwür geplatzt, und man hätte sie nicht mehr retten können.

Um sich zu erholen, lebt Eva in den nächsten Wochen bei ihrer Schwester in New Jersey. Beide kommen sich wieder so nahe wie einst in der Kindheit. Eva fühlt sich gut, ja befreit: Ihr erster Gedanke, als sie aufwachte aus der Vollnarkose, sei ein erstaunlicher gewesen: »Ich muss nicht mehr unbedingt eine Künstlerin sein, um meine Existenz zu rechtfertigen.«

Natürlich machte sie sich was vor. Ohne Kunst hätte sie nicht leben können. Ethelyn Honig, die sie nach der Operation zusammen mit ihrem Mann Lester besuchte, berichtet: »Sie lag im Bett. Hatte sogar einen Fernseher, früher hatte sie nie TV geguckt. Sprach aber nur über ihre Arbeit. Über nichts anderes.« Doug Johns erzählt, dass sie an dem Tag, als sie nach der Operation endlich wieder ihr Atelier betrat, nur einen einzigen Satz sagte: »Lass alles liegen, wir machen jetzt *Right After*.«

Eva Hesse ahnt offenbar, was die Ärzte ihr verschwiegen. Hat die Dämonen erkannt und gespürt, dass die ihr nicht mehr viel Zeit lassen würden.

Das gibt ihr Kraft.

9. KAPITEL

1969–1970

»Ich bin vielleicht deshalb so gut, weil ich keine Angst mehr habe«

Der Rollstuhl, in dem sie sitzt, wird abwechselnd von Sol LeWitt und von Gioia Timpanelli geschoben. Manchmal müssen die warten, bis sich die Menge vor ihnen teilt und Platz macht. Manchmal greift Eva Hesse, die knapp vier Wochen nach ihrer Operation noch zu schwach ist, um länger auf eigenen Beinen zu stehen, in die Räder und bremst, weil sie einen Bekannten entdeckt hat, mit dem sie reden will. Zur Vernissage der Ausstellung »Anti-Illusion: Procedures/Materials« im Whitney Museum of American Art sind alle erschienen, die sich für zeitgenössische Kunst interessieren. Viele der dort ausstellenden Künstler kennt Eva Hesse persönlich. Die Show gilt schon jetzt, im Mai 1969, als die wichtigste des Jahres in New York. Man muss sie gesehen haben, und man will beim Sehen gesehen werden.

Streng geometrische Arbeiten von Carl André liegen unterhalb der Konzeptkunst *Money* von Robert Morris, Bruce Naumans Film strahlt auf die Blei-Würfe von Richard Serra, leuchtende Rauminstallationen von Keith Sonnier kontrastieren mit Lee Bontecous geheimnisvoll dunklen Körperskulpturen. Von Eva Hesse werden *Vinculum I*, *Untitled* und *Expanded Expansion* gezeigt. Aus erfahrenem Leben wuchs stets ihre Kunst, und ihre Erfahrung im Krankenhaus gehört jetzt dazu. Bei *Expanded Expansion*, dessen Vollendung durch ihre Assistenten sie tatkräftig begleiten konnte, verwendete sie auch Mull und Bandagen. Die Skulptur besteht aus dreizehn Bahnen, die wie Wandschirme zwischen Polyesterröhren hängen – Baumwollmull, überzogen mit Latex und Polyesterharz –, ist etwa zehn Meter lang und drei Meter hoch, und entsprechend anrührend wirkt es dann, als sich die kleine Urheberin des großen Kunstwerks für ein Foto aus dem Rollstuhl erhebt und unter ihre Arbeit stellt.

Fiberglas, Latex, Metall, Drähte, Polyesterharz, Vinyl und Leinen sind in allen Plastiken von Eva Hesse inzwischen die wesentlichen Werkstoffe, egal nun, ob die liegen, hängen, stehen. Whitney-Kuratorin Marcia Tucker lobt die Künstlerin, weil sie nicht nur eine höchst eigenwillige Form gefunden habe für ihre Kunst, sondern auch weil sie Materialien wie Fiberglas, Drahtgeflecht, Tücher eigenhändig bearbeitet und mit synthetischen Faserstoffen überzieht, bis eine scheinbar andere Substanz sichtbar wird. Eva Hesses Arbeiten und die Gemälde von Robert Ryman sind gemeinsam in einem Raum ausgestellt, und die gegensätzlichen Kunstwerke zeigten nach Ansicht der Kritiker, welche Möglichkeiten sich eröffneten, wenn Künstler ihre neue Freiheit diesseits von Ismen und Theorien ausschöpften.

Natürlich wusste im Whitney jeder, wer Sol LeWitt war, doch die junge Frau, mit der er sich beim Schieben des Rollstuhls abwechselte, Gioia Timpanelli, kannten nur wenige. Sie war eine Freundin von Grace Bakst Wapner, in New York geboren und aufgewachsen, hatte in einem der lokalen TV-Sender eine eigene Sendung, in der es um Kultur ging und um Künstler. Die plante sie selbst, schrieb sie selbst, produzierte sie selbst. Am liebsten erzählte sie Geschichten, und es mussten schon damals nicht immer die eigenen sein. Ihre Stimme war ihr Talent.

Dieses Talent ist auch im Alter hörbar.

Die Frau am Steuer, der die Stimme gehört, fährt auf einer kurvigen Schotterstraße, die sich an vielen Cottages vorbeischlängelt, einen Hügel hinauf. Der heißt Byrdcliffe, zusammengesetzt aus den Familiennamen Byrd und Cliffe des reichen Paares, das vor mehr als hundert Jahren hierher nach Woodstock aufs Land gezogen ist und eine Künstlerkolonie begründet hat. Es gibt sogar ein kleines Theater – wie alles hier oben aus Holz gebaut –, in dem noch heute Tournee-ensembles gastieren oder Dichter aus ihren Werken lesen. Die Zeit scheint stehen geblieben zu sein, seit Woodstock durch das berühmte Rockfestival von 1969 weltweit im kollektiven Gedächtnis einer Generation, zu der auch Gioia Timpanelli zählt, als magischer Ort verankert ist. Die Holzhäuser sehen aus wie damals, nur die davor parkenden Autos sind neueren Datums.

Der jetzige Bewohner des Cottages, in dem einst zwei junge New Yorkerinnen ein paar Wochen lang lebten, ist ebenfalls neueren Datums, schreibt an einem Buch und hört höflich desinteressiert zu, als ihm Gioia Timpanelli erzählt, dass hier, genau hier in diesen Räumen und genau hier auf dieser *porch*, dieser Veranda, vor mehr als dreißig Jahren eine heute weltberühmte Künstlerin mit ihr den Sommer verbracht hat.

Ihre Begabung, so erzählen zu können, dass man glaubt, die geschilderten Personen greifbar nahe zu sehen, hat Gioia Timpanelli bekannt gemacht. Wenn sie von Eva Hesse erzählt, holt sie deshalb auch die Tote durch ihre Erzählungen ins Leben zurück. Sie ist eine der Besten in der amerikanischen Tradition des *storytelling*, des Erzählens von Geschichten, egal nun, ob die tatsächlich stattgefunden haben oder gut erfunden sind. Geschichtenerzähler klingt auf Deutsch nach Heimatdichter aus dem Erzgebirge und weniger nach dem berühmtesten aller *storyteller*, nach Homer. Geschichten vor einem großen Publikum so auszubreiten, dass es wünscht, die Geschichte möge nie zu Ende gehen, ist eine Kunst für sich. Gioia Timpanelli, die vor ein paar Jahren den American Book Award für ihre eigenen Geschichten, sizilianische Novellen unter dem Titel »Sometimes the Soul«, bekommen hat, sei in dieser Kunst die Beste, schwärmt Frank McCourt, Autor des Weltbestsellers »Die Asche meiner Mutter«: Er kenne niemanden, der so wunderbar erzählen könne wie sie.

Gioia Timpanelli bewohnt nach wie vor sommers ein Cottage in Woodstock. Inzwischen ist es ihr eigenes und natürlich größer als das damals gemietete. Ihr Mann, ein Architekt, hat ihr sogar eine heizbare Einzimmerwerkstatt aufs Grundstück gebaut, in die sie sich zum Schreiben zurückzieht. Oft habe Eva gescherzt, wie leicht es Schriftsteller doch hätten im Gegensatz zu bildenden Künstlern, weil sie für ihre Arbeit nur ein leeres Blatt Papier und einen Bleistift brauchten.

Die dunkelhaarige Gioia hatte Eva Hesse im Sommer 1968 bei Grace Bakst Wapner kennengelernt: »Ich fand sie vom ersten Moment an wunderbar. Wir verstanden uns sofort. Sie war

»Eva lebte für die Kunst«: Autorin Gioia Timpanelli im Sommer 2006 in Woodstock.

echt, war ehrlich, sehr genau, sehr präzise, sprach über Kunst und sprach über sich. Sie war umwerfend. Auch optisch. Weiße Haut. Dickes schwarzes Haar. Sie war genau die, die sie vorgab zu sein, es passte alles zusammen.« Wiedergesehen haben sie sich dann im November bei der »Chain Polymers«-Ausstellung in der Fischbach-Galerie, wohin Grace sie mitnahm: »Ich kam rein und hatte sofort das Gefühl, dies ist große Kunst, diese Frau ist eine ungewöhnliche Künstlerin.«

In den kommenden Monaten telefonierten sie oft, trafen sich in New York, schauten sich in Museen um und in Galerien, diskutierten über Künstler und über Kunst. Dann plötzlich hörte Gioia nichts mehr von Eva, was sie aber nicht beunruhigte. Sie hatte viel zu tun in ihrem Beruf und nahm an, dass es Eva Hesse in dem ihren genauso ging. »Von der Operation wusste ich nichts.« Davon erfuhr sie erst, als alles vorbei war und Eva sich aus New Jersey meldete, wo sie sich bei ihrer Schwester erholte. Sie war noch schwach, war anfällig für Infektionen. Helen Charash: »Sie bekam zum Beispiel hohes Fieber, das dürfte eine allergische Reaktion gewesen sein auf irgendein Medikament, und sie musste für ein paar Tage zurück ins Krankenhaus, um behandelt zu werden. Sie haben uns übrigens nie gesagt, wie schlimm der Tumor tatsächlich war. Aber ich hatte immer das Gefühl, auch nach der angeblich ja erfolgreichen Operation, irgendwas stimmt nicht, irgendwas verschweigen uns die Ärzte.«

Ihr Verdacht wird sich bestätigen.

Krankheit jedoch war kein Thema an jenem Frühlingsabend in Whitney. Überhaupt legte Eva Hesse wenig Wert darauf, dass man erfuhr, was sie gerade überlebt hatte. Äißerlich war ihr nichts anzusehen. Sie besaß noch ihre eigenen Haare, inzwischen wieder schulterlang, hatte die aber tiefer in die Stirn gekämmt, um die Narben von der Operation zu verdecken. Sie saß zwar im Rollstuhl, doch dafür hatte sie gegebenenfalls eine einleuchtende Erklärung parat wie: Knöchel geprellt oder Wade gezerrt oder Muskelfaserriss. Vor allem Tom sollte nichts gesagt werden. Hätte ihr gerade noch gefehlt, dass der jetzt aus lauter Mitleid mal wieder die Straße überquerte und sie besuchte. Tom Doyle wusste es aber längst: »Von Freunden erfuhr ich, dass sie krank ist, im Krankenhaus war und operiert wurde, ich habe sie aber nie besucht.«

Inzwischen war er der Mann der schon ziemlich bekannten Eva Hesse, nicht mehr sie die Frau des mal ziemlich bekannten Bildhauers Tom Doyle. Sie hatte sich von ihm gelöst, und die nächtlichen Rückfälle, die es mitunter noch gab, hakte sie am nächsten Morgen als bösen Traum ab. Durch ihre Arbeiten, mit denen sie in künstlerisches Neuland vorgestoßen war, hatte sie sich gleichzeitig Stück um Stück von allem befreit, was sie sonst so belastete. Sie war schon eine Größe, aber noch jung genug, eine ganz Große zu werden. Sie dachte nicht daran, sich der Krankheit zu ergeben. Sie war bereit zu kämpfen. Die Kühnheit, mit der sie sich als Künstlerin ans Werk wagte, war jetzt auch im Leben spürbar. Ihr Lebensmut machte denen, die sie liebten und sich um sie sorgten, deshalb wieder Hoffnung.

Grace wusste Bescheid, wie es in Wahrheit um sie stand, wie gefährdet sie wirklich war, Lucy und Ethelyn und Florette und Rosalyn wussten es. Ihre kleine Alltagsliebe Mike Todd wusste es, und natürlich wusste es ihre Schwester Helen, die sie täglich aus nächster Nähe erlebte, und ebenso wusste es Sol, der eh ja alles wusste von ihr. Gioia hatte ihn und Eva in der Bowery mit dem Auto abgeholt, sogar daran gedacht, im Whitney-Museum einen Rollstuhl zu bestellen. Zu dritt genossen sie den Abend, amüsierten sich über die verwunderten Blicke, die der Frau im Rollstuhl galten. War das etwa Teil einer Inszenierung, war das etwa ein Happening? Irgendjemand machte sogar Fotos von ihnen, aber die hat Gioia nie gesehen.

Vor allem mit Robert Morris und Keith Sonnier und Bruce Nauman will Eva Hesse heute reden. Die sollen ihr berichten, wie es gewesen ist bei der Szeemann-Show »When Attitudes Become Form« und was sie wegen ihrer Erkrankung versäumt hat und wie ihre Objekte *Augment* und *Vinculum II* aufgenommen worden sind. Dass die Skulpturen inzwischen nach

Deutschland transportiert worden sind und im Krefelder Museum Haus Lange ausgestellt werden sollen, das weiß sie.

Aber wie war es in Bern?

Also, es war der Teufel los. Einer hatte seine Kunst mit einer Abrissbirne direkt vor der Kunsthalle ins Pflaster gerammt und das Trottoir zerstört, worauf empörte Schweizer Bürger zwar nicht den Kopf des Aktionisten Michael Heizer forderten, aber eine harte Strafe wegen Sachbeschädigung. Der mit dem Hut, Joseph Beuys, hatte seine Fettecke bewacht, der mit dem Blei, Richard Serra, hatte es an die Wand gespritzt und alles erstarren lassen. Die »Neue Zürcher Zeitung« schrieb von Plattitüden statt von Attitüden, und ein Kunstfreund aus dem Kanton Aargau kündigte schriftlich an, mit ein paar Zentnern Dynamit, die ihm anonym gespendet worden seien, Harald Szeemann einen Besuch abzustatten in der Hoffnung, dass der Urheber des Wahnsinns anwesend sein würde. Neunundsechzig wilde Künstler zeigten sich in der Kunsthalle und erregten den Zorn der Kleinbürger. Stritten sich darüber, nüchtern, trunken, lautstark, high, wie sie das nennen sollten, was da vor ihnen stand und lag und hing – Anti-Form? Possible Art? Impossible Art? Concept(ual) Art? Arte Povera? Minimal Art? –, und weil sie sich nicht einigen konnten, einigten sie sich auf »Befreites Leben«.

Verdammt, klang toll, da wäre sie gern dabei gewesen, aber sie musste sich zu der Zeit gerade vom Tod befreien lassen, die Kunst der Chirurgen war entscheidender als die ihre. Ihr Leben war wichtiger, das musste Eva Hesse jetzt pflegen. Am besten, rieten ihr die Ärzte, sollte sie auch ihr Atelier in der Bowery für eine Zeit lang meiden, um sich zu erholen, und all das Zeug liegen lassen, in das sie für ihre Objekte eingetaucht war. Ob die Dämpfe aus dem Ofen, in dem sie Latex erhitzt hatte, vielleicht die Ursache waren für den Gehirntumor? Oder das Polyesterharz?

Der heute grauhaarige Doug Johns hält das für reine Spekulation: »Ich habe jahrzehntelang in Latex und Polyester geradezu gebadet, und mir fehlt bis heute nichts.« Eva Hesse selbst war am Ende ihres Lebens nicht mehr so sicher, aber andererseits hätte sie es eh nicht ändern können, gestand sie in ihrem letzten Interview, denn mit einer Gesichtsmaske und mit Handschuhen zu arbeiten, das wäre ihr absurd vorgekommen. Sie hatte sich eher Gedanken gemacht um mögliche Käufer der von ihr geschaffenen Werke und sogar überlegt, ob sie denen einen Brief schreiben sollte, in dem sie darauf hinwies, dass Latex nur für eine gewisse Zeit in der Form bleibt, die unter ihren Händen entstanden war, und dann verhärtet, zerbröselt, andere Farben annimmt.

Ende Juni 1969 kann sie wieder auf eigenen Beinen stehen und laufen. Grace Bakst Wapner lädt sie ein, den Sommer in Woodstock zu verbringen. Helen bietet ihrer Schwester ebenfalls an, bei ihr zu wohnen, aber in New Jersey ist Eva gerade erst nach der Operation gewesen. Woodstock verspricht mehr Abwechslung. Dorthin ziehen im Sommer viele Künstler aus New York. Sie wird in Woodstock aufgenommen von Grace und Mann und Kindern. Weil ihre Freundin dann überraschend Besuch bekommt von ihrer Mutter und keinen Platz mehr hat für Eva, zieht sie ins Cottage zu Gioia.

Es gibt da weder Strom noch fließendes Wasser, aber die beiden Frauen werden ungestört sein und Zeit haben, zu reden und zu zeichnen, und Eva wird sich ausruhen können. Wahrscheinlich werden sie eh den ganzen Tag träge auf der *porch* sitzen in der Sonne und sich nur abends aufputzen, in einem der Restaurants des Ortes essen und trinken und mit anderen Künstlern und Poeten aus New York, die nach Woodstock geflohen waren, um der Hitze von Manhattan zu entkommen, über die Kunst reden und über das Leben und diesen verfluchten Krieg in Vietnam.

Es regnete den ganzen Sommer über ununterbrochen. Die Frauen saßen auf der Veranda, die gegen angreifende Mücken mit einem feinen Drahtgitter geschützt war, und zeichneten. Drinnen im Haus war es bei diesem Wetter sogar tagsüber zu dunkel. Eva hatte ihren Malkasten mitgebracht und teure Papierbögen eingekauft. Hatte alles dabei, was sie für ihr Handwerk brauchte, weil sie für das andere, ihre großen Skulpturen zu formen, zu schwach war. Hatte Wachskreide dabei und Pinsel, Tusche und Farbstifte. Manchmal machte sie sechs, sieben Zeichnungen pro Tag, die dann im Zimmer verstreut auf dem Boden lagen. Andere hingen an der Wand und sahen aus wie Gemälde. Rechtecke. Fenster. Dunkle Inhalte. Helle Rahmen. Im Laufe des Sommers änderten sich die Kompositionen: heller die Inhalte, dunkler die Rahmen. Farben kamen hinzu. Doch immer dann, wenn es ihr zu sehr nach harmonischer Malerei aussah, störte sie mit grauen oder auch bunten Bleistiftstrichen die warmbraune oberflächige Schönheit.

Yuck eben.

Mitunter fuhren sie in Gioias altem Auto die anderthalb Stunden nach New York, sahen sich eine Ausstellung an oder kauften Material ein oder trafen sich mit Ellen Johnson, der Kuratorin aus Oberlin, die Eva Hesses Zeichnungen so mochte.

Den Eingriff hatte sie offenbar gut überstanden. Der Tumor war nicht bösartig gewesen, wie ihr versichert wurde, das Krebsgeschwür hätte noch keine Metastasen in ihrem Körper verstreut. So ganz hat sie wohl den Ärzten nicht geglaubt. Grace Bakst Wapner erinnert sich, dass sie nach einer Autopanne den letzten Rest zum Haus, in dem sie und ihr Mann und ihre Kinder damals wohnten, zu Fuß gehen mussten, was Eva ziemlich schwergefallen sei. Sie habe oft ausruhen müssen und sie bang gefragt, meinst du, ich schaffe es?, aber damit nicht diese kurze Strecke gemeint, sondern ihren Weg.

Bei Gioia lebt sie in den Tag hinein. Weil es immer regnet, sind keine Spaziergänge angesagt. Sie sitzt da und zeichnet, kratzt sich zwar dauernd die Narben auf der Stirn, was aber angesichts der Umstände nichts Besonderes scheint. Normaler Heilungsprozess. Gioia erschrickt vielmehr, dass Eva aussieht wie tot, wenn sie nachmittags auf der Couch im großen Wohnraum schläft. »Ich musste immer meinen Impuls unterdrücken, sie zu rütteln, nur um zu sehen, ob sie noch lebte.« Sobald Eva dann von selbst aufwacht, verlangt sie einen Gin Tonic, dazu einen Bagel. Das gehört zu den Ritualen wie die abendlichen Abstecher in eins der rauchgeschwängerten Restaurants im Ort. »Wir waren schließlich jung, wir wollten uns amüsieren.« Nachts schlafen beide in einem kleinen Raum. Da steht der einzige Ofen, der in diesem regnerischen kühlen Sommer Wärme verbreitet.

In vielen Gesprächen hatte sie von Evas anderen Problemen erfahren, von ihrer Angst und von ihren Depressionen und überhaupt von den tief in der Vergangenheit liegenden Ursachen gehört, die nach wie vor ihre Freundin zu einem Fall für Samuel Dunkell machten. Immer wieder habe die überzeugte New Yorkerin Eva ihr auch gesagt, sie sei eine Hamburgerin. Dunkell hat ihr viel geholfen, glaubt Tom Doyle noch heute, aber er definiert dieses »viel« nicht weiter, weil er wahrscheinlich so recht nicht davon überzeugt ist. Gioia war gerade vor dem Hintergrund solcher traumatischer Geschichten überrascht, mit welchem Lebensmut und wie bar jeglicher Angst ihr Hausgast jetzt jeden Tag in Woodstock genoss. Viel lachte, viel zeichnete, viel sprach, selten weinte.

Sie reden über Männer und über Sex, über Bücher und über Filme, über Gott und über seine Welt, über Kunst und über ihr Leben. Jede lernt die Biografie der anderen kennen. Gioia Timpanelli: »Sie war emotional und intuitiv, und gleichzeitig war sie eine Intellektuelle, sie hatte viel gelesen und viel gesehen.« Eva verspricht ihrer Freundin, sie alles über Kunst zu lehren, und die verspricht im Gegenzug, sie zu lehren, das Leben zu genießen, statt es zu hinterfragen. Nach wie vor ist Eva eifersüchtig auf Jane, die neue Frau an Toms Seite, da bricht ihr eigentlich schon begrabener Hass wieder durch. Ihre Freundin beschwört sie, ihn doch endlich zu vergessen, weil sie eh nichts ändern könne, sie solle einfach akzeptieren, dass es vorbei sei zwischen ihr und Tom. Gibt es denn nicht genügend andere Männer?

Gab es, hatte es gegeben, würde es geben. Den Bildhauer zum Beispiel, Mike. Den Deutschen zum Beispiel, Holger. Den Krankenpfleger zum Beispiel, bald. Aber die alle bestimmen nicht ihr Leben, die sind ihr nah in leidenschaftlichen Momenten, geben ihr in manchen Nächten sogar tröstliche Wärme auf Zeit. Selbst die fehlt ihr jetzt nicht. Was sie jedoch dringend und viel lieber mal wieder berühren will, das sind: Latex, Vinyl, Polyester, Fiberglas.

Ende Juli bekam sie plötzlich wieder starke Kopfschmerzen, die einfach nicht aufhören wollten. Gioia brachte sie zurück nach New York, damit sie sich behandeln ließ. Eva aber dachte nicht daran, schon wieder ins Krankenhaus zu gehen. Sie konnte sich vorstellen, woher die Kopfschmerzen rührten, und allein diese Vorstellung machte sie krank. Sie wollte nur eines: in ihr Atelier und wieder arbeiten, spürte zwar, dass ihr die physische Kraft fehlte für ihre Skulpturen, aber schließlich hatte sie ja Helfer wie Martha Schieve und Jonathan Singer und Bill Barrette und Doug Johns, und sie ahnte vielleicht auch, dass ihr die Zeit davonlief.

Psychisch fühlte sie sich allerdings wie neugeboren, schrieb von ihrer Lust, zu leben und sich zu verlieben und zu arbeiten und sich in der Szene sehen zu lassen. Dass sie so viele Freunde hat, gibt ihr für die Zukunft Mut, weil die sie seit ihrem Zusammenbruch und nach der ersten Operation nie allein gelassen haben: »I have never been alone, months I have lived with friends.«

Doch mit ihrer neuen Freundin streitet sie sich erst einmal, ausgerechnet mit Gioia. Die lehnt es kategorisch ab, als Eva sie nach Washington begleiten will, um an der geplanten Demonstration gegen den Vietnamkrieg teilzunehmen, die dann mit mehr als 250 000 Teilnehmern zu einer machtvollen Friedenskundgebung werden sollte. Eva besteht darauf, die meisten Künstler aus dem Village würden da hinfahren, und außerdem sei auch sie vehement gegen diesen Krieg, sie will das zeigen. Gioia bleibt stur, nein, sie wird sie in diesem Zustand nicht mitnehmen. Und alle anderen, die Eva Hesse fragt, lehnen es ebenso ab. Allein aber schafft sie es nicht. Es geht ihr schon wieder zu schlecht.

Schließlich gibt sie auf und lässt sich stattdessen ins Memorial Hospital bringen für eine weitere Untersuchung. Die Diagnose der Ärzte, die sie dabehalten, steht viel schneller fest

»Für mich lebt sie immer noch«: Doug Johns mit einer seiner Skulpturen im Mai 2006 in der Bowery.

als im April und ist niederschmetternd: Der Krebs ist zurückgekehrt, sie muss am 18. August 1969, vier Monate nach dem ersten Eingriff, erneut operiert werden. Den Freunden und ihrer Schwester fällt auf, dass immer dann, wenn sie Eva besuchen, ein junger, gut aussehender Krankenpfleger an ihrem Bett sitzt. Eva stellt ihn vor, und dabei leuchten ihre Augen.

Seine auch.

Aber sie weiß, wie es um sie steht, obwohl die Ärzte es nicht wagen, ihr die Wahrheit zu sagen. Mit der Methode Wahrheit habe man es damals noch nicht so gehabt, meint ihre Schwester Helen. Alle aber sind ziemlich sicher, dass Eva selbst es wusste und sich nichts mehr vorgemacht hat, sich aber auch nichts anmerken ließ. Doug Johns: »Wir sprachen nie über den Tod, immer nur über Kunst.« Eva Hesse verliert die für sie typische Angst, die ihr Leben begleitet hatte, die Angst, verlassen zu werden, weil für sie feststeht, dass sie das Leben bald verlassen wird. Wovor also sollte sie da noch Angst haben? Raus wollte sie, raus aus dem Hospital, zurück in ihr Atelier, arbeiten. Bandagiert im Bett zu sitzen und zu zeichnen, das reichte ihr nicht.

Der Chirurg, der sie operiert hatte, entließ sie nur ungern aus der stationären Behandlung, aber er kam gegen ihren starken Willen nicht an. Sie war zwar körperlich geschwächt, sagte Dr. William Schapiro, aber zwischen den verschiedenen Operationen sei sie völlig klar gewesen im Kopf. Der Tumor drückte auf ihr Gehirn, was diese fürchterlichen Schmerzen auslöste, aber er beeinflusste bis kurz vor ihrem Tod nicht ihre Fähigkeit zu denken.

Kopfschmerzen und Brechanfälle blieben auch nach dieser zweiten Operation nicht aus. Naomi Spector: »Sie beklagte sich aber nie, arbeitete einfach weiter, so gut es ging, egal, wie schlecht es ihr ging. Sie musste viele Pillen nehmen und sagte nur lakonisch, das gehöre einfach jetzt zum Leben dazu. Aber auch das werde sie schaffen.« Als sich durch die hohen Dosierungen von Cortison ihr Aussehen veränderte, als ihre Beine anschwollen und sich in ihrem Gesicht die typischen Nebenwirkungen des Medikaments zeigten, nahm sie es klaglos hin. »Sie war ungeheuer tapfer, sie konzentrierte die ihr noch verbliebene Kraft und die ihr verbleibende Zeit auf ihre Kunst.«

Das Geschenk von Ruth Vollmer trug Eva jetzt immer – die Perücke. Nach der Bestrahlung und nach der Chemotherapie waren ihre Haare ausgefallen. Sie machte sogar Witze darüber. »Falls mich einer bedroht, wenn ich nachts mit der U-Bahn fahre, nehme ich die einfach ab und sage dem, na, womit willst du mir denn noch Angst machen?« Sie spielte damit auch vor den Kindern ihrer Schwester in New Jersey und lachte mit, wenn die über ihre glatzköpfige Tante lachen mussten.

Aber an der Perücke allein lag es nicht, dass manche sie nicht mehr erkannten, obwohl Eva Hesse ihnen schon lange bekannt war. Selbst Sally und Victor Ganz erkennen sie bei einer zufälligen Begegnung nicht auf den ersten Blick. Ihr Gesicht gleicht nicht dem, das ihnen vertraut ist. Die schweren Mittel, die sie nach der Operation nehmen musste, haben es verändert. Im Kopf ist sie ganz die Alte geblieben. »Ich weiß, ihr wisst nicht, wer ich bin«, spricht sie die beiden an, »ich bin es, Eva.« Mühsam verbergen die ihr Entsetzen, aber Eva will auch jetzt nicht über ihren Zustand reden, sie scheint die Situation zu genießen, scheint sich eher zu amüsieren, dass sie dem Ehepaar so fremd vorgekommen ist. Zu den Abendessen mit Künstlern im Hause Ganz brachte sie jetzt regelmäßig Pillen mit, die sie vor dem Essen schlucken sollte. Sally Ganz: »Sie kam immer mit einer Art Fototragetasche, da waren alle ihre Medikamente drin, mehr als zwanzig verschiedene. Die reihte sie dann auf dem Tisch vor sich auf. Sie jammerte aber nie, sprach eigentlich nie über ihre Krankheit.«

Es verschwanden überraschend andere Eigenschaften. Beispielsweise hat sie es zeitlebens gehasst, wenn jemand zu einem fest abgemachten Termin nicht wie versprochen pünktlich erschien. War während der Ehe mit ein Grund, dass sich die Wut über den diesbezüglich unzuverlässigen Tom Doyle dann bei Gelegenheiten entlud, die anderen nebensächlich schienen. Ihre Schwester: »Sie hatte eine so tiefe Angst, verlassen zu werden, irgendwo verlassen zu stehen, dass selbst Kleinigkeiten sie aus der Fassung brachten.« Diese Angst war jetzt weg. Als Helen ein paar Minuten später als abgemacht Ende Oktober vor dem Museum of Modern Art eintraf, wo sie sich mit Eva eine Magritte-Ausstellung anschauen wollte, sagte die Jüngere: »Ich habe keine Angst mehr, dass du mich vergessen hast, wenn du zu spät kommst, ich weiß doch jetzt, dass du mich liebst und mich nicht verlässt.«

Ohne die altvertrauten Ängste fühlt sie sich befreit. Sie weiß, dass die im Angesicht des Todes lächerlich sind, deshalb nimmt sie das verbleibende Leben leichter als ihr bisheriges. Das Gefühl überträgt sie auch auf ihre Kunst, weil sie nicht mehr an sich zweifelt: »Ich bin vielleicht deshalb so gut, weil ich keine Angst mehr habe.«

Da sie außer ihrem Geschmackssinn im Laufe der Behandlung auch den Geruchssinn verliert, wird sie nach ihrer Entlassung aus dem Krankenhaus am 15. Oktober und nach der Rückkehr in die Bowery 134/135 dort nicht nur tagsüber in ihrem Atelier, sondern auch nachts in ihrer Wohnung nicht mehr allein gelassen. Wenn beispielsweise ein Brand ausgebrochen wäre, ausgehend vom Ofen, in dem das Latex schmolz, sagt Doug Johns, hätte sie den Rauch gar nicht gerochen. Hauptsächlich er und Rosie Goldman wechseln sich in den Nachtwachen ab, auch David Magasis, von allen nur Duddie genannt, ist da. Eva liegt oft auch tagsüber im Bett. Sie geht selten zum Fenster, sie schaut nicht mehr hinüber. Helen ist sicher, dass sie jetzt sofort in eine Scheidung eingewilligt hätte, falls Tom noch einmal danach gefragt hätte. Was der aber nicht tat. Er hielt einen erneuten Versuch für sinnlos.

Sie spricht leiser und langsamer als sonst, aber das merken nur die, denen ihr toughes schnelles New Yorkisch seit vielen Jahren vertraut ist. Die Kuratoren, die sie einladen zur Ausstellung »A Plastic Presence« im Jewish Museum, geplant für November, und zu »Art in Process IV« im Finch College Museum of Art, geplant im Dezember, bekommen das nicht mit.

Galerist Donald Droll verhandelt in Eva Hesses Namen mit Museen und mit Sammlern, die sich für ihre Kunst interessieren und diese kaufen wollen. In Deutschland vertreten die Galeristen Rolf Ricke und Heiner Friedrich, dessen Bruder sie ja gut kannte, ihre Interessen. Sie bleibt mit ihren Assistenten, ohne die sie kaum mehr etwas machen kann, in ihrem Atelier. Außer ihrer Kunst interessiert sie nichts mehr, und sie hat eine genaue Vorstellung davon, wie *Right After* aussehen muss und wie *Contingent*, auch wenn sie sich selbst oft nicht mehr so handgreiflich wie früher daran beteiligen kann.

Right After hängt in einer ersten Form schon seit über einem Jahr in ihrem Atelier. Es erinnerte an die Fäden einer Spinne und bedeutete ihren eigenen Worten nach eigentlich gar nichts. Jetzt hat das von der tief gezogenen Decke hängende Gewebe einen Titel bekommen, einen trotzigen, eben *Right After*, und nun schwebt eine verwunschene, magische, absurd anmutende Konstruktion, scheinbar von innen leuchtend und nicht nur das Licht im Fiberglas spiegelnd, aus losen und verschlungenen Nylonfäden, überzogen mit Polyesterharz, von den Balken im Dach. In die hat Doug Johns viele kleine Löcher gebohrt, Halterungen eingebaut und daran mit dünnen, fast unsichtbaren, aber in sich starken Drähten *Right After* aufgehängt. Insgesamt sechs Wochen hat es gedauert, bis es fertig und Eva endlich zufrieden war.

Doug weiß noch alle Details dieser mühevollen Arbeit. In vielen Eimern schwappte Kunstharz, und in die tauchte er einzelne Stücke der Nylonfäden, die er zurechtgeschnitten hatte oder während des Arbeitsprozesses von einer Rolle abspulte. Ein Ende reichte er Eva, das andere hielt er hoch über seinem Kopf. Sie befestigte es, auf einem Hocker stehend, an einem der Haken in den Dachbalken und er das andere Ende so weit davon entfernt in einer anderen Halterung, dass es nicht den Boden berührte. So ging das mit Dutzenden von Schnüren, einzeln, verknotet, hängend, gespannt, zu einem Netz verwoben, geknüpft. Doug hatte keine Vorstellung, wie es am Ende aussehen würde, aber auch Eva wusste es nicht, denn das Material trocknete schnell und wurde hart.

Als *Right After* im Jewish Museum installiert wird, besteht sie deshalb darauf, dabei zu sein. Sie überlässt nichts dem Zufall oder ihrem Assistenten. Gemeinsam bringen sie es in Form. In einem ansonsten dunklen Raum leuchtet transparentes, einander kreuzendes und voneinander wegstrebendes Fiberglas im Licht. *Right After* strahlt eine anrührend zerbrechliche Verlorenheit aus. Die hat es bis heute bewahrt, ganz egal, wie es aufgehängt wird, denn *Right After* kann je nach Raum und Lichteinfall immer anders aussehen.

Bei der Vorbereitung der Show war Eva Hesse noch eine unter insgesamt neunundvierzig Künstlern, die präsentiert werden sollten. Nach der Eröffnung, die am 19. November 1969 stattfand, war sie der Star, wie man in der »New York Times« und in der »Village Voice« lesen konnte. Robert Pincus Witten, der nach Eva Hesses Tod über sie einen großen Essay schrieb und, in seine eigenen Interpretationen verliebt, den Unterschied zwischen unvollendet und früh vollendet zu erwähnen vergaß, schwärmte bei einer Besprechung der Ausstellung im »Artforum« davon, dass allein diese Skulptur den Besuch der Ausstellung lohnte, weil sie eindeutig die beste aller gezeigten Arbeiten sei.

Zu ihrer Plastik *Contingent* notierte sie so viele Bedeutungen, die alle absurd und spannend waren, dass sie allein vom Spaß an der Namensfindung auflebte in ihrer Schwäche. *Contingent* besagt, dass etwas passieren kann – oder auch nicht. Dass etwas zufällig passiert – oder auch zwangsläufig geschieht. Dass aus einer Gruppe etwas Größeres wächst – oder auch nur aus einem einzelnen Körper. Im Deutschen ist der Bedeutungshorizont auf den Zufall verengt, im Lateinischen bedeutet *contingere*, wie die Kunsthistorikerin Petra Reichensperger in ihrer Doktorarbeit über Eva Hesse herausgelesen hat, so viel wie »berühren«, »anrühren«, »erfassen«, »begreifen«. Was wiederum Renate Petzinger bestätigt, die in Eva Hesses Skulpturen immer das Haptische betont, wofür auch die Lust vieler Betrachter spricht, Eva Hesses Werke nicht nur anzuschauen, sondern auch zu berühren.

Als *Contingent* im Dezember im Finch ausgestellt wird, gibt Eva Hesse in einem persönlichen Statement nicht nur etwas über den Schaffensprozess preis, sondern auch was von ihrem derzeitigen Zustand: »Begonnen im Dezember 1968, zusammengebrochen am 6. April. Ich war sehr krank«. Die Arbeit wieder aufgenommen am 15. Oktober, nachdem sie das Krankenhaus hatte verlassen dürfen. »Moratorium Day«, Zahlungsaufschub. Die Rechnung war schon geschrieben, und am Ende würde sie wohl mit dem Leben bezahlen müssen. Jede der acht Bahnen sage etwas aus, aber was alle zusammen aussagten, wisse sie nicht. Doug Johns: »Ich erinnere mich sehr genau an die ungeheure Freude, die Eva ausstrahlte, als alle Tücher in ihrem Loft hingen. Sie war geradezu überwältigt davon, wie verschieden die leuchteten im Licht, das durch die Fenster kam. Sie hatte das Gefühl, dass *Contingent* ihre bislang wichtigste, bedeutendste Arbeit war.«

Eine Woche darauf trägt sie in ihr Tagebuch ein: »Heute ist der 9. Dezember. Eine lange Strecke liegt hinter mir. Heute schon der dritte Tag, an dem ich mich ein bisschen besser fühle, ein bisschen stärker, ein bisschen hoffnungsvoller, ein bisschen weniger krank. Wie dankbar ich dafür bin … Es geht mir ja auch leicht mal anders … traurig, einsam, verzweifelt. Aber ich will aufstehen, ich habe noch viel zu tun.«

Und zwei Tage später eine der letzten Eintragungen von vielen Hunderten in den vergangenen fünfzehn, sechzehn Jahren: »Ich will eigentlich jeden Tag schreiben. Das ist mehr als eine Herausforderung, es hat für mich eine ganz spezielle Bedeutung. Ich kann kaum mehr was anderes machen … ich fühlte mich beschissen … egal, ich habe es geschafft, die Vernissage im Finch zu sehen, und alle lobten mich für mein Werk dort. Ich freute mich, obwohl ich mich lausig fühlte. Habe deshalb Abendessen mit Freunden abgelehnt.«

Es scheint, als hätten sich alle und alles kurz vor ihrem Tod für sie verschworen. Das MoMA sichert sich von *Repetition Nineteen* sowohl Fassung I als auch Fassung III. Donald Droll kommt mit der frohen Botschaft in die Bowery, die Sidney Janis Gallery werde nicht nur *Ennead* und *String and Rope* im Januar ausstellen, sondern habe auch bereits über eine Kaufoption verhandelt, und, am wichtigsten: das Whitney Museum habe zwei Teilstücke von *Sans II* erworben.

Die unbekannten Gönner, die dem Museum ihre Skulptur gestiftet hatten, waren gute Bekannte von Eva – Ethelyn und Lester Honig –, aber das hat sie nie erfahren. Ethelyn: »Ich entschloss mich, etwas von ihr zu kaufen, aber sie es nicht wissen zu lassen. Also kaufte ich *Sans II* und stiftete es dem Whitney Museum. Sie glaubte, die hätten es gekauft. Ich bestand darauf, dass sie es nicht erfuhr. Sie sollte das Gefühl haben, dass ein wichtiges Museum etwas von ihr kaufte. Wenn sie erfahren hätte, dass jemand wie ich etwas gekauft hat, wäre es für sie nicht so toll gewesen. Aber Whitney? Das war toll. Ich kaufte es übrigens mit meinem eigenen Geld.« Die anderen drei Teile von *Sans II* besitzen heute das Museum Wiesbaden, das San Francisco Museum of Modern Art und die Schweizer Privatsammlung Daros.

Eva ahnte wirklich nichts davon, sie freute sich, genauso wie es sich ihre Freundin gewünscht hatte, über die Nachricht: »Had good reasons to feel good. Whitney pickup, Janis pickup.«

Weihnachten und Neujahr musste sie wegen der anstehenden nächsten Chemotherapie erneut im Krankenhaus verbringen. Doug Johns: »Es war unübersehbar, dass sie sterben würde, und sie wusste es natürlich auch. Am Ende schien es, dass alles, was ihr Leben außer der Kunst ausgemacht hatte, völlig weg war, aus ihrem Kopf verschwunden. Es ging nur noch um ihre Kunst. Sie war bandagiert und sah so ganz anders aus als die Frau, die ich kannte.«

Ihren 34. Geburtstag kurz danach, am 11. Januar, allerdings feierte sie im Kreise von engen Freunden. Eva Hesse lag die meiste Zeit auf einer Couch. Gioia Timpanelli: »Sie wirkte schon sehr schwach, aber sie wollte nicht von uns getröstet werden, sie weinte nicht rum.« Eine andere erinnert sich, dass Eva ihr Weinglas hob und so etwas Ähnliches sagte wie: Seht ihr, Kunst ist nur etwas für den Moment. Für das Jetzt. Schaut euch dieses Glas an – und dann habe sie es in den Kamin geworfen, wo es zerschmettert liegen blieb.

Sie konnte kaum eingreifen, als ihre Assistenten mit ihren letzten Werken unter dem Arbeitstitel *Rope Piece* und *Seven Poles* begannen, später beide ohne Namen ausgestellt. Sie konnte nur noch sagen, was sie machen sollten, aber selbst nichts mehr tun. Doug Johns erinnert sich, dass sie hin und wieder jedoch all ihre Kraft zusammennahm, weil ihr noch nicht gefiel, was sie vollbracht hatten, und mit einem einfachen Handstreich die Form gestaltete, die sie im Kopf hatte.

Sie ist begehrt wie nie zuvor. Henry Groskinsky vom Magazin »Life«, der damals größten Illustrierten der Welt, fotografiert sie für eine Bilderstrecke über die neuen Stars der Kunstszene – darunter auch Richard Serra – mit ihrem unvollendeten *Rope Piece,* das aus Schnüren und Seilen besteht, die in Latex getränkt worden waren. Sie macht sich sorgfältig zurecht, achtet darauf, dass die Perücke richtig sitzt, doch ebenso darauf, dass ihr aufgedunsenes Gesicht hinter ihrem Werk nur halb zu sehen ist, von Schnüren verdeckt wird. Der Ausdruck von Wehmut, Schwermut in ihren Augen ist allerdings nicht zu verbergen.

Ein paar Tage später empfängt sie Cindy Nemser, die sie am 6. Januar schriftlich um ein Interview gebeten hatte. Sie will vor allem wissen, ob die Künstlerin glaube, dass Frauen in der Kunstszene diskriminiert würden und ob sie das auch am eigenen Leib, besser: an der eigenen Kunst, erlebt habe und ob es nicht an der Zeit sei, die Rechte von Künstlerinnen ein für alle Mal festzuschreiben: »Do you believe there is discrimination against female artists? Have you ever experienced it first hand?« Eva Hesse sagt das Interview zu, aber sie schreibt auf den Briefbogen von Cindy Nemser schon mal die einfache Antwort auf deren Fragen, und das ist die, an die sie schon längst glaubt, angesichts ihrer mittlerweile sichtbaren und nachlesbaren Erfolge mehr denn je: »Der beste Weg, die Diskriminierung in der Kunst zu überwinden, ist der mittels der Kunst selbst. Hervorragende Qualität ist geschlechtslos.« Das Gespräch mit der Journalistin zieht sich dann über drei Tage hin, weil Eva Hesse immer wieder Ruhepausen braucht.

Sie bittet ihren Assistenten Bill Barrette, dafür zu sorgen, dass *Total Zero* zusammen mit zwei anderen Skulpturen zerstört werde. Er verspricht es ihr. »Ich war gerade bei der Arbeit in ihrem Atelier, als sie von einem Arzttermin nach Hause kam. Das muss gewesen sein ein paar Wochen vor ihrer letzten Operation im März 1970. Sie wirkte ziemlich zerbrechlich und schwach, und dabei bat sie mich, diese drei Arbeiten, die sie meinte, zu vernichten und zu entsorgen.« Bei den beiden Objekten *Long Life* und *Total Zero* sei das einfach gewesen, erinnert sich Bill Barrette, die bestanden aus Papiermaché, was er einfach in einzelne Teile zerbrach, während *Untitled* aus einer Metallröhre mit hölzernen Speichen geformt war. »Ich habe das Holz abgebrochen und die Röhre neben den Müllcontainer vor dem Haus gelegt.«

Bald danach muss sie erneut ins Krankenhaus. Die Ärzte kennt sie inzwischen, und sie weiß auch, was auf sie zukommen wird. Aber noch zögern die, sie erneut zu operieren. Warum sie noch einmal dieser Qual aussetzen? Wäre es nicht besser, sie unter schmerzdämpfende Mittel zu setzen, bis der Tod sie erlöst? Sie fragen Evas Schwester, und die bricht fast zusammen unter der Verantwortung. Florette Lynn: »Helen allein musste entscheiden über die dritte Operation. Nein sagen konnte sie nicht, das hätte sie nicht übers Herz gebracht. Ja zu sagen andererseits bedeutete eine Art von Folter für Eva. Sie musste es dennoch tun.«

Am 30. März 1970 wird Eva Hesse erneut operiert. Wenige Tage später findet bei Fischbach die Vernissage ihrer zweiten Einzelausstellung statt: »Eva Hesse: Recent Drawings«. Die Kritiken, in denen von der kraftvollen Poesie geschrieben wird, die in ihren Zeichnungen zum Ausdruck komme, werden ihr vorgelesen. Freunde, die bei der Eröffnung waren, müssen ihr davon erzählen. Sie will alles von diesem Abend wissen, ohne nur »einmal in Selbstmitleid zu verfallen«, sagt Rosalyn Goldman, »obwohl es ihr ja wirklich schlecht ging«. Grace Bakst Wapner weiß noch: »Unser letztes Gespräch ging immer noch um ihre Kunst und wie sehr sie fürchtete, nie wieder arbeiten zu können. Ich erinnere noch eine Kritik aus der ›New York Times‹. Sie wurde darin erwähnt, und sie hat sich aufgeregt, dass die Kerle besser wegkamen als sie. Obwohl sie gelobt wurde.«

Außer ihren Zeichnungen, auch jenen aus diesem Sommer in Woodstock, der unendlich weit zurückzuliegen schien, hatte Donald Droll auch *Tori* gezeigt, neun zylinderartige Objekte aus Drahtgeflecht, überzogen mit Fiberglas und Polyesterharz. Alle aufgeschlitzt, weshalb *Tori* postum von feministischen Kunsttheoretikerinnen als Symbol weiblicher Sexualität interpretiert wurde.

Acht Tage vor ihrem Tod fällt sie ins Koma, spricht aus der anderen Welt, in der sie schon fast angekommen ist, in der Sprache, die außer Ruth Vollmer nur ihre Schwester Helen verstehen kann. Am Vormittag des 29. Mai 1970, eines Freitags, stirbt Eva Hesse. Auf dem Totenschein steht Eva Doyle. Ihr Mann erfährt vom Tod seiner Frau durch einen Anruf von Helen. Er ist laut Gesetz ihr Erbe, hatte aber schon vor ihrem

Tod unterschrieben, von sich aus, dass er nichts, aber auch gar nichts wollte und auf jedwede Ansprüche verzichtete. »Alles andere wäre unanständig gewesen«, sagt Tom Doyle und setzt seinen Hut auf.

Seine Frau wartet draußen auf ihn, immer noch ist es Jane.

Gioia Timpanelli brach zusammen, als sie die Todesnachricht erhielt. »Ich verlor meine beste Freundin, ich hatte nie wieder mit jemand eine so enge Beziehung.« Auch Grace erfuhr es von Helen: »Sie fragte mich, ob ich mir in Evas Loft was von ihr aussuchen wollte. Das wollte ich nicht. Das konnte ich nicht.« Naomi Spector: »Wir erfuhren am selben Tag, an dem es passierte, von ihrem Tod. Das sprach sich sofort im Village herum.«

Die Trauerfeier findet am Sonntag um 12.30 Uhr in der Riverside Memorial Chapel statt. Ihre Freunde und die Familie bilden einen Kreis. Ihr Ehemann ist nicht dabei. Alle sagen einen Satz, nur einen, mit dem sie ausdrücken, was Eva ihnen ganz persönlich bedeutet hat. Jeder legt eine Rose auf den nicht geschmückten schlichten Holzsarg, der Sally Ganz an den für ein kleines Kind erinnert: »Ich dachte noch, als der Sarg hinausgetragen wurde: Wie kann in einer so kleinen Kiste ein so großes Talent liegen?« Doug Johns hat jede Erinnerung ausgeblendet, er weiß nur noch, dass er da war.

Zwei fehlen: Barbara Brown und Sol LeWitt. Die eine war gerade unterwegs in Afghanistan, als Eva Hesse starb, ihre einst beim Einkauf in Margret Moores Juwelierladen entdeckte Freundin. Und Sol LeWitt hat, begleitet von seiner Gefährtin Mini, eine Ausstellung in Europa vorzubereiten. Er erfährt es, nachdem Ethelyn vergeblich versucht hatte, ihn telegrafisch oder telefonisch zu erreichen, erst von Ruth Vollmer, die ihm einen Brief schreibt:

»Lieber Sol, sie ist gestern gestorben. Am Freitagmorgen. Sie ist zuvor noch einmal aus dem Koma erwacht und hat was gegessen, was sie schon lange nicht mehr gemacht hatte. An den letzten beiden Abenden war sie teilweise sogar noch bei Bewusstsein, beklagte sich, dass ihr Gedächtnis nachlasse, ihr das Denken schwerfiel. Sie gaben ihr noch einmal eine Chemo, aber die brachte nichts außer einem Fieberanfall. Es ist eine Erleichterung, dass ihr Kampf endlich vorbei ist, aber es ist auch sehr traurig für uns alle. Ich schicke dir den Nachruf aus der ›Times‹. Kramer ist unterwegs, aber Donald meint, vielleicht schreibt der noch was, wenn er zurückkommt. Heute ist die Beerdigung, ich hoffe, dass dieser Brief dich erreicht. Meine besten Wünsche für Deine Ausstellung und für Dich und für Mini – Ruth.«

Er habe Eva eine nonverbale Hommage bereitet, sagt Sol LeWitt leise, und wieder geht sein Blick nach weit oben, wo die Vergangenheit wohnt. Mag auch sein, weil man nicht sehen soll, dass seine Augen feucht werden. »Meine Zeichnungen, ihre Schnüre. Ich wollte etwas machen, was mit uns beiden zu tun hat. Danach begann ich anders zu arbeiten.« Zwei Jahre danach widmete er auf der »documenta« in Kassel seinen Beitrag ihr, seiner großen Liebe. Er holt tief Luft und kommt wieder zurück auf die Erde, jetzt lächelnd.

Im Nachruf der »New York Times«, den Ruth Vollmer erwähnt, wird die bekannte junge Bildhauerin geehrt, die gerade im New York Memorial Hospital gestorben ist. Bekannt vor allem für ihre Arbeiten mit Fiberglas, Latex, Draht, aber auch »hochgelobt für ihre Zeichnungen und Gemälde«. Weil der zuständige Kunstkritiker Hilton Kramer nicht erreichbar ist, zitiert der Nachrufschreiber aus Kramers früheren Kritiken, in denen er ihre sichtbare Poesie preist, ihre Sensibilität. Die Leser werden darauf hingewiesen, dass derzeit das Owens Corning Fiberglass Center in der Fifth Avenue Werke von Eva Hesse ausstellt.

Die hatte Eva Hesse nicht mehr sehen können. Bill Barrette zeigte ihr nach der Vernissage am 14. Mai ein paar Fotos von *Untitled*, jenen sieben bandagierten Röhren aus Aluminiumdrahtgeflecht, Fiberglas, Polyesterharz, Polyäthylen. Er und die anderen drei Assistenten hatten die Skulptur ohne Evas Hilfe fertiggestellt, denn sie lag schon im Krankenhaus, als sie die letzte Form gestalteten. Es habe ihr gefallen, sagt Doug, andererseits sei sie wohl schon zu schwach gewesen, über Alternativen nachzudenken. Die postum aufgestellte These, dass die Röhren – wegen der Bandagen – eine sterbende Frau symbolisieren sollten, hält er für falsch. Sie habe einfach mal wieder alle mit dieser Arbeit überraschen wollen.

Es dauerte, bis die Nachricht von ihrem Tod nach Deutschland drang. Dore O.: »Dass sie tot war, erfuhren wir erst, als wir 1971 Tom in New York besuchten.« Peter Könitz las es Monate später in einem Magazin. Werner Nekes weiß es nicht mehr: »Kontakte gab es keine, nur hin und wieder schickte sie mir und Dore eine Karte, mit der zu einer ihrer Vernissagen eingeladen wurde«, aber bis die bei ihnen in Mülheim eintrafen, waren die Ausstellungen längst beendet. Wolfgang Liesens Frau erfuhr es beim Kinderarzt, als der ihre älteste Tochter behandelte. Er sagte ihr, ach, wissen Sie übrigens, dass die Eva Hesse tot ist? Dem Jungen, der Tom so verehrt hatte, wurde es von seinem Vater mitgeteilt, da war Carl Eduard Scheidt sechzehn, und er weiß, dass sie in der Familie oft über die Tote gesprochen haben. Bernd Völkle hat es erst bei einem Aufenthalt in New York ein Jahr später von Tom erfahren.

Gioia Timpanelli rettet Evas Tagebücher. Sie findet sie, als sie gemeinsam mit Duddie ins Atelier der Toten fährt, in zwei Schachteln gepackt in einem Schrank und steckt alles in eine herumliegende Tüte – »Ich wusste, das ist ihr Testament« – und gibt sie weiter an Helen Charash, die nach dem Tod ihrer Schwester »viele Wochen lang eine Therapie brauchte, denn wir hatten fünfzehn Monate Hölle hinter uns«. Rosie Goldman findet etwas ganz anderes in den Habseligkeiten ihrer Freundin: eine kleine Box mit Cannabis, das Eva geraucht hatte, um ihre Schmerzen zu betäuben.

Die Resonanz der Kritiker auf die Ausstellung bei Owens Corning war überwältigend: Ausgeklügelt. Durchdacht. Anspruchsvoll. Ihre miteinander verschlungenen Fasern und Knoten seien ein »Ballett von Leben und Tod«. Ihre kühnen Visionen beruhten aber auf »wohlüberlegten Vorstellungen von Kunst«, und die Künstlerin sei fast schon vollendet. Die hätte sich amüsiert über die Absurdität des Lebens, weil sie im Katalog zur Show als eine der wichtigsten Künstler ihrer Generation bezeichnet wurde, vielversprechend wäre und am Beginn einer brillanten Karriere stünde. Mel Bochner: »Mit ihrem Tod fiel der Vorhang über eine ganze Epoche der Kunst in New York. Ihr Tod beendete die sechziger Jahre. Es war das Ende des Anfangs.«

Beerdigt wird die Frau, die in Hamburg zur Welt kam, auf einem Friedhof weit außerhalb von New York. Wer sie dort besuchen will, benötigt die Hilfe von Sol LeWitt. Er muss aber nicht dabei sein.

Seine Kunst weist den Weg.

10. KAPITEL

1970–

»Das Leben vergeht. Die Kunst vergeht. Na und?«

Das Haus in der Isestraße 98, in dem Eva Hesse einst ihre ersten Trippelschritte als Kleinkind machte, ist nur ein paar hundert Meter entfernt von dem Haus, in dem ich heute wohne. Wir hätten einander irgendwann über den Weg laufen können. Weil sie und ihre Schwester und ihre Eltern emigrieren mussten, begegne ich ihr erst jetzt, mehr als sechstausend Kilometer von Hamburg entfernt, auf einem Friedhof in New Jersey.

Viele Juden, die hier beerdigt sind, wurden geboren in Deutschland und wären normalerweise dort gestorben und bestattet worden als Deutsche unter Deutschen, wenn ihre Nachbarn, auch die der Hesses in der Isestraße, nicht Hitler und Konsorten gewählt hätten.

Für die, deren Namen in den Listen der Friedhofsverwaltung stehen und an diesem Ort als *permanent residents* gemeldet sind, als Ortsansässige, zählen Entfernungen nicht mehr. Westwood Cemetery ist ihre letzte Adresse. Hier wurden in den vergangenen Jahrzehnten rund vierzigtausend Menschen begraben, die zu den jüdischen Gemeinden jener Städte gehörten, von denen der Friedhof beackert und betrieben und gepflegt wird. Sie warten schweigend auf den Jüngsten Tag oder den verheißenen Messias, um dann, auferstanden aus ihren Gräbern, Antworten auf alle Fragen zu bekommen, auch die auf die Frage aller Fragen – ob es vielleicht doch ein Leben nach dem Tod gibt. Keine Frage, dass es auf Erden irgendwann vorüber sein wird, aber wann es so weit ist, weiß Gott sei Dank niemand. Eva Hesse hat die Endlichkeit des Daseins deshalb gelassen kommentiert: »Das Leben vergeht. Die Kunst vergeht. Na und?«, doch sicher hätte sie gern erlebt, wie es ihrer Kunst ergehen würde.

Sie hat sich bestimmt nicht ausgemalt, dass sie mal zu den zehn, zwölf wichtigsten Künstlern der zeitgenössischen Kunst gezählt würde. Kasper König, Direktor des Museums Ludwig in Köln, setzt sie nach Piero Manzoni, Henri Matisse, Jackson Pollock und sogar noch vor Andy Warhol auf Platz vier der internationalen Künstlerstars.

König hat ihre Bedeutung früher als jeder andere in Europa erkannt und nicht etwa deshalb, weil er sie persönlich kannte. In der von ihm betreuten legendären Ausstellung »Von hier aus« in den Rheinhallen in Düsseldorf war Eva Hesse 1984 mit *Accession III*, jener Box aus Fiberglas mit den vielen durchgezogenen Plastikschläuchen, bereits gleichrangig unter den Großen vertreten. Renate Petzinger, die fast zwanzig Jahre später die – inzwischen gleichfalls legendäre – Hesse-Retrospektive organisierte, hat in den Rheinhallen zum ersten Mal etwas von Eva Hesse gesehen. Sie erinnert sich vor allem an das »Gefühl, die Skulptur berühren zu wollen« und daran, dass sie überwältigt war von der »Schönheit, der inneren Leuchtkraft und der seltsamen Fremdartigkeit«.

Eva Hesse hat sich bestimmt nicht vorgestellt, dass ihre Werke mal zum Bestand der berühmtesten Museen der Welt zählen würden. Inzwischen ist sie zu Hause in der Tate Modern in London wie im Museum of Modern Art in New York, im Centre Pompidou in Paris wie in der National Gallery in Washington, in der Collection Prada in Mailand wie im Israel Museum in Jerusalem, im San Francisco Museum of Modern Art wie im Museum Wiesbaden, im Rijksmuseum Kröller-Müller in Otterlo wie in der National Gallery in Canberra.

Sie starb just in dem Moment, als sie die Sterne erreichte.

A star was born, aber kurz danach bereits erloschen. Dieser Zufall wurde Schicksal genannt und nährte den Mythos Eva Hesse. Sie zählte somit zu denen, die angeblich von den Göttern geliebt und, entsprechend dem Hollywoodklischee, von ihnen früh zu sich geholt werden. Doch weil sie bedingungslos leben wollte und nicht wie Sylvia Plath, Diane Arbus, Virginia Woolf dem Leben entfliehen, sind alle Vergleiche mit den Biografien der beiden Schriftstellerinnen und der Fotokünstlerin nicht der Rede wert. Ebenso absurd ist es, sie nachträglich zu einer Mischung aus James Dean und Janis Joplin zu stilisieren und diese schwammige Kunstfigur in die Kunstwelt einzuführen als feste Größe, als Idol, als Superstar. Die Kunsthistorikerin Anne M. Wagner, deren grandiosen Text über Eva Hesse ich so oft gelesen habe, dass ich der Verstorbenen hier auf dem Friedhof wörtlich daraus zitieren könnte, hat mit ironischer Verachtung bemerkt, dass die meisten, die über Eva geschrieben haben, nur frech die Gelegenheit genutzt hätten, »taking advantage of the free mileage«, die deren Tod ihren abenteuerlichen Thesen bot.

Auch die Verklärung der jung Verstorbenen zur Ikone des Feminismus, die Vermarktung zu einer Art Frida Kahlo, ist bei näherer Betrachtung paradox. Mit Zielen und Forderungen der Bewegung wäre sie aufgrund ihrer Erfahrungen als Frau, fast allein unter Männern, wahrscheinlich einverstanden gewesen – so viel darf man vermuten –, doch zu den Protagonistinnen von Women's Liberation hatte sie keine Kontakte.

Naomi Spector winkt ab, ist sich mit ihrem Mann, der Eva Hesse auch gut kannte, darin einig: »Derartige Interpretationen kamen ja alle erst nach ihrem Tod auf. Eine Feministin war sie nie, aber was sie machte, kam aus ihr heraus, also ist es zwar klar, dass ihre Kunst die Kunst einer Frau war, sie war jedoch keine feministisch geprägte. Ihre Basis war die ganze menschliche Existenz. Sie war existentiell.« Der altersmilde Sol LeWitt ist eher amüsiert über Theorien, die post mortem über seine beste Freundin aufgestellt wurden: »Mit Feminismus hatte Eva nichts zu tun. Sie war besessen von ihrer Kunst, und sie hatte die in den Genen, und sie hatte einen Drive, der alles überdeckte. Sie war einfach obsessiv, das war's.«

Diese ihre psychische Stärke überdeckte natürlich nicht alles, worunter sie litt, sie hatte am Ende einfach keine Kraft mehr aufgrund ihrer physischen Schwäche. Als Sol sie zuletzt sah, kurz bevor er sich aufmachte nach Europa, kurz vor ihrer dritten Operation, lag sie schwerkrank zu Hause. »Sie fragte mich, schaffe ich es? Und ich sagte, klar, du schaffst es. Aber wir wussten beide, dass sie es nicht schaffen würde. Sie wusste es, ich wusste es.«

Eva Hesse hat sich bis zum Schluss gegen alle Versuche gewehrt, sie auf eine Richtung festzulegen, sie in eine bestimmte Schublade einzuordnen. Sie nahm auf, was sie in der Kunst sah, und gab es der Kunst durch Hunderte von Zeichnungen, Gemälden, Skulpturen zurück. Sie lernte auf ihrem Weg, angefangen beim Abstrakten Expressionismus, und von denen, die sie bewunderte, doch irgendwann fand sie ihren eigenwilligen, eigenartigen und einzigartigen Weg. Auf dem war vor ihr noch niemand gegangen. Unter welchem Namen der mal verzeichnet wird im Atlas der Kunstgeschichte, war ihr egal.

Keiner fange bei null an, meint Renate Petzinger, im Jahre 2002 Kuratorin jener Eva-Hesse-Retrospektive im Museum Wiesbaden – die zuvor im San Francisco Museum of Modern Art und danach in der Tate Modern in London gezeigt worden war –, der umfangreichsten Ausstellung ihres Gesamtwerkes, von den frühen Zeichnungen und Gemälden über die Reliefs bis hin zu den großformatigen Skulpturen. Die Frage sei vielmehr: Wo ist das Neue? »Bei Eva Hesse ist eine griffige Definition dessen, was ihre Kunst ausmacht, noch nicht gelungen. Sie lässt sich von den Ismen der Kunstgeschichte nicht vereinnahmen, sondern sie bleibt singulär. Mit ihren hängenden, liegenden und lehnenden Figuren, fragilen Körpern aus Latex und Polyester, die in jeder Ausstellung anders aussehen, hat sie zur Aufhebung der Grenzen zwischen Malerei, Skulptur und Objekt beigetragen. Und sie hat Synergien zwischen verschiedenen Sinneswahrnehmungen geschaffen. Weil man ihre Kunst mit den Augen förmlich fühlen kann, sind viele Menschen berührt von ihr.«

So wie die Besucher der Ausstellung in Wiesbaden. Belegbar anhand ihrer Eintragungen, die denen der vielen Menschen weltweit, die in Museen und Galerien Eva Hesses Werke gesehen und erlebt hatten, anrührend gleichen: »I flew all the way from Korea. You will never know how much it means to me ... Liebe Eva, es sind so schöne traurige Dinge, die du zeigst ... Es war eine sinnliche Freude ... Auf diese Ausstellung habe ich viele Jahre gewartet ... She is one of the most important artists ... a great genius artist ... Thank you for giving her the attention she has always deserved ... Es war fünf Stunden im Zug wert, Eva Hesses Werk sehen zu können ... Unglaublich phantasievoll und von zarter Schönheit ... Habe selten solch heiteren Ernst erlebt ... J'aime beaucoup Eva Hesse ... Manches verlockt zum Anfassen, schade, dass es nicht erlaubt ist ... Dafür, dass ich noch nicht verstehe, was Kunst ist, hat sie mich beeindruckt ... Ein ferner Lichtblick aus einem anderen Himmel.«

Die Berührung durch ihre Kunst ereilte auch den sonst kühlen New Yorker Kunstkritiker William S. Wilson, der seine letzte Begegnung mit Eva Hesse nie vergessen hat. Sie war bereits gezeichnet von der Krankheit, aber nicht deshalb hatte er Tränen in den Augen an diesem Winterabend im Januar 1970. »Es war nicht oder nicht nur die Trauer darüber, dass sie sterben musste. Die Schönheit und die Kraft und die Wahrheit, die ihre Arbeiten ausstrahlten und die ich gerade in einer Ausstellung erlebt hatte, die hatten mich zu Tränen gerührt.« Er weiß noch, dass sie lächelte und sich freute, als er ihr das sagte.

Seit 31. Mai 1970, nachmittags gegen sechzehn Uhr, wohnt

Eva Hesse auf dem Westwood-Friedhof New Jersey. Ihre Adresse dort lautet 8. Straße, 17. Reihe. Zwei Tage nach ihrem Tod, an einem Sonntag, wird sie dort begraben. Die Familie ist dabei, und ein paar der engsten Freunde begleiten den Sarg, und der Rabbi Simon Glustrom spricht das Totengebet, doch Evas Ehemann Tom Doyle ist nicht gekommen. Dass sie versöhnt mit ihm gestorben ist, wird er erst später erfahren. Florette Lynn, deren Mann Ron mich hierher zum Friedhof begleitet hat, steht inmitten der Trauernden am Grab: »Sie wurde nach orthodoxem Ritus beerdigt, obwohl sie überhaupt nicht mehr religiös war.« Im Verzeichnis der Friedhofsverwaltung ist sie unter Doyle, Eva, registriert. Wer nach Eva Hesse fragen würde, bekäme auf Anhieb keine Auskunft.

Unter Tausenden von Grabsteinen den einen zu finden, unter dem sie liegt, wäre zwar auch ohne einen Lageplan zu schaffen, kostete aber viel Zeit. Kunst dagegen, nach der ich auf dem Weg zu Eva Hesse Ausschau hielt, ist sichtbar und leichter zu finden. Helen Charash hatte mir den Stein beschrieben, den Sol LeWitt für ihre Schwester gestaltete: kühl, klar, grau, ohne ablenkende Ornamente, zeitlos und ohne Datum, weder das der Geburt noch das des Todestages, konzentriert aufs Wesentliche. Nur der Name Eva Hesse ist in den Stein gehauen, der deshalb neben den verzierten und mit lieb gemeinten Worthülsen wie *»devoted father«* oder *»beloved mother«* versehenen Grabsteinen in der Nachbarschaft als singulär auffällt.

Auch im Tod bleibt sie einzigartig.

Eva Hesse hielt sich aber nicht etwa für einzigartig, ließ sich an Kreuzungen, auf denen sie nach einer neuen Richtung suchte, von anderen helfen. In Kettwig bekam sie Anregungen von Tom Doyle, in New York von Künstlerfreunden aus der Bowery. Robert Ryman brachte ihr bei, wie man Rahmen herstellt. Mel Bochner schenkte ihr das Wörterbuch, mit dem sie ihre Lust auf Wortspielereien austoben konnte. *Boxes* sah sie in den Werken von Marcel Duchamp und in anderer Form hautnah im Atelier von Robert Smithson. Ohne Robert Morris hätte sie von Aegis auf Staten Island nichts gewusst und nicht den Umgang mit Polyesterharz gelernt. Sol baute ihr den Tisch, aus dem sie einen *Washer Table* machte, der heute zu LeWitts Sammlung ihrer Werke gehört usw.

Sie hat dabei stets mit Kontrasten, mit Gegensätzlichem gearbeitet und gespielt, hat die heterogensten Materialien getestet und sich nie mit dem Erreichten zufrieden gegeben. Auch dadurch gelang es Eva Hesse, die »ganze Absurdität des Lebens« einzufangen, »Chaos mit Ordnung, Großes mit Kleinem, Feines mit Massigem zu verbinden, nie eine Bildhauerin der klassischen Art« zu sein. Nach ihrem Tod konnte sie sich logischerweise nicht mehr wehren gegen Vorurteile und Vereinnahmungen. Lucy Lippard beendete ihr Buch über Eva Hesse mit der Vermutung, dass es ihr letztlich egal gewesen sei, eben

Grabstein von Sol LeWitt für Eva Hesse auf dem Westwood Cemetery in New Jersey.

weil Kunst nun mal ihr Leben gewesen war, was denn von ihr bleiben würde.

Eva Hesse habe einen »Kultstatus verdient«, schrieb der Kritiker des Londoner »Daily Telegraph«, als in der Tate Modern Zeichnungen und Skulpturen von ihr gezeigt wurden, und falls sie länger gelebt hätte, dann »wäre sie heute genauso groß wie Richard Serra«.

Es ist einfach, manche der Nachreden über Eva Hesse mit Eva Hesse zu widerlegen, *in her own words*, mit wörtlichen Aussagen, die sie zu Protokoll gegeben hat. Sie hat beispielsweise immer bestritten, dass es eine ausgesprochen weibliche und eine sichtbar männliche Kunst gebe, und stattdessen betont, wahre Kunst kenne kein Geschlecht. Nur ein einziges Kriterium zähle – das der Qualität. »Ich denke nicht in solchen Kategorien wie männlich oder weiblich, wenn ich arbeite, egal, was andere sagen ... Ich glaube, meine Kunst ist auf der einen Seite sensibel, was man Frauen attestiert, und auf der anderen Seite stark, was man mit Männern assoziiert. Also bin ich beides.«

Als Cindy Nemser versuchte, Eva Hesse am Beispiel der sowohl aufrecht als auch schräg stehenden Zylinder von *Repetition Nineteen* zu einer Aussage über Penisse in erwartungsvollem oder ermüdetem Zustand zu bewegen, konterte die Befragte ironisch, ach, und bei der nächsten Fassung, wenn die Zylinder größer werden, ist es dann eine größere Erektion? Womit das Thema für sie abgehakt war. Sol LeWitt sieht zwar »schon sexuelle Anspielungen in ihrer Kunst, *all those forms like penises and breasts and so on*, ich glaube, sie hatte sogar tiefere Ängste, was ihre Sexualität betrifft« – was angesichts ihrer Tagebucheintragungen wohl eher nicht der Fall war –, allerdings ist das auch für ihn nicht Ausdruck des typisch Weiblichen, sondern Ausdruck ihrer typischen Haltung.

When her own attitude becomes form?

So ist es.

Lucy Lippard stellte im Katalog zu der von ihr arrangierten Ausstellung »Eccentric Abstraction« lapidar fest, ganz im Sinne von Eva Hesse, eine Tasche sei eine Tasche und eben kein Uterus, und eine Röhre sei nun mal eine Röhre und kein Phallussymbol.

Die einen deuten ihr Sterben lange vor der Zeit als logische Konsequenz eines atemlosen, chaotischen, absurden Lebens, geprägt von Krankheit und Depressionen und Ängsten, was sich in ihrer Kunst niedergeschlagen habe. In Wirklichkeit jedoch starb sie an den Folgen eines Hirntumors und nicht etwa lebenssatt oder gar lebensmüde, sondern lebenshungriger denn je. Günther Uecker hatte in seinem Düsseldorfer Atelier am Rheinhafen nur kurz beide erhobenen Hände ausgebreitet, um sie dann abrupt mit einer lakonischen Erklärung wieder fallen zu lassen: »Bei Künstlern kommt es halt vor, dass sie jung sterben.«

Der New Yorker Kunstkritiker Robert Pincus Witten kaprizierte sich dagegen darauf, den »Schwanengesang« der früh dem Tod Geweihten zu schildern, ihr Leben als Tragödie und ihre Kunst als Ausdruck dieser Mühsal zu deuten. Was Mel Bochner, der aus eigener Anschauung und eigenem Erleben dagegen weiß, wovon er spricht, für absoluten Blödsinn hält: »Tatsächlich war ihr Werk sehr schnell akzeptiert.« Maribel Königer, Kunstkritikerin in Wien, stellte 1993 anlässlich der Hesse-Ausstellungen in Washington und Valencia und der Pariser Galerie nationale du Jeu de Paume resigniert fest, dass inzwischen die »persönlichen Martyrien an oberster Stelle in der Hierarchie« aller Erklärungen stünden, in die ihr Werk gepresst werde. Der Mythos Eva Hesse habe sich sozusagen verselbstständigt. Das merkte auch der bescheidene Doug Johns, der bei einem Symposium mehr als dreißig Jahre nach Eva Hesses Tod von Studentinnen geradezu angehimmelt wurde, als er erzählte, wie nahe er als Handwerker der Künstlerin gewesen war.

Eine Feministin stilisierte Eva Hesses Tod gar als »Gründungsopfer«, um denen, die nach ihr kamen, die Karriere als Künstlerin zu erleichtern und sie von den üblichen Klischees frei zu machen, die da etwa so lauten: Frauen machen weibliche Körper. Frauen schaffen emotionale Kunst. Frauen drücken im Werk ihr Leiden aus. Frauen benutzen sanfte Materialien wie Schnüre, Latex, Tücher, Männer benutzen Hartes wie Blei, Stahl, Stein usw. Aus feministischer Sicht bestimme ihre Erfahrung, sich als Frau durchsetzen zu müssen gegen die Männer, ihre Kunst. Lucy Lippard, deren Künstlermonografie über Eva Hesse von Helen Charash mit 5000 Dollar aus dem Erbe der Verstorbenen finanziert wurde, beschränkte sich auf das, was sie belegen konnte, verzichtete klug auf weit hergeholte und an den Haaren herbeigezogene Interpretationen.

Als da wären: Ihre *Circle Drawings* symbolisierten wie *Ishtar* viele Brüste. Alle Halbkugeln, in welchen Werken auch immer die auftauchen, seien natürlich eh eindeutig. Die Kritikerin Anna Chave erkannte bei *Addendum* nicht nur siebzehn Brüste, sondern gar mütterliche Milch, die diese gäben. Andere fanden schon in den Kettwiger Maschinenzeichnungen alles, was der weibliche Körper so hergibt – Brüste, Vagina, Uterus etc., während Pincus-Witten, der sich vor keinem Vergleich scheute, seine Sicht der Formen aufzählte und ihnen einen Namen gab: Eierstöcke, Gebärmutter, Brustwarzen.

Von wegen Feministin: Barbara Brown lacht nur und meint, Eva habe wirklich nichts von einer Frauenrechtlerin an sich gehabt oder gar selbst die klassische Rolle einer »unterdrückten Frau erfüllt, die aus sozial unterprivilegierten Verhältnissen kommt oder eine alleinerziehende Mutter ist oder von einem Mindestlohn leben muss«. Ihre bürgerlich erzogene Freundin Eva habe berühmt werden wollen, und sie habe es sogar noch erleben dürfen, dass sie es tatsächlich mit ihrer Kunst und aus eigener Kraft nach oben geschafft hatte.

Kasper König gibt seiner ehemaligen Geliebten Barbara, die er schon deshalb nie vergisst, weil sie ihm mal aus Afghanistan ein Päckchen nach Köln schickte, das er beim Hauptzollamt abholen musste und das, als er es zu Hause auspackte, eine gewisse Menge eines gewissen in Afghanistan angebauten Stoffes enthielt, in ihrer Beurteilung Evas recht: »Sie war von ihrer Stärke überzeugt, nicht aus feministischen Beweggründen, aber als Frau: Ich bin wer, ich habe was zu sagen. Ich mache das nicht so, wie die Jungs das machen, ich mache das so, wie ich es machen will.«

Als im Dezember 1972 im New Yorker Salomon R. Guggenheim Museum »Eva Hesse: A Memorial Exhibition« gezeigt wurde, schrieb das von Gloria Steinem gegründete »Ms. Magazine«, die als Monatszeitschrift erscheinende journalistische Bibel der Frauenbewegung – steigende Auflage bei steigender Bedeutung von Women's Lib – ironisch-verächtlich von der wieder mal typischen »Romantisierung einer jungen Frau, die zu jung unter Schmerzen gestorben war«. Stattdessen sollte man einfach nur zugeben, dass es um Kunst ging, um nichts als Kunst, und dass die spirituelle Kraft und Klasse von Eva Hesse es rechtfertige, ihr eine große Ausstellung zu widmen.

Ein damals siebzehnjähriger Student gehörte zu denen, die diese Kraft spürten und Eva Hesses Kunst von da an verfallen waren wie einer wunderschönen Geliebten. Fred Wasserman blieb seiner Sehnsucht treu. Er holte die berührbare ferne Frau mehr als fünfunddreißig Jahre später zu sich ins Haus, als er im New Yorker Jewish Museum die »Eva Hesse: Sculpture«-Show organisierte: »Seit damals haben mich ihre Arbeiten nicht mehr losgelassen, ich habe sie nie vergessen.« Ausstellungen wie diese großartige sind schwer zu gestalten, weil die Museen, die Hesses Latexarbeiten besitzen, sie aus ihren Depots höchst ungern noch ans Tageslicht lassen – und wenn, dann möglichst nur ans eigene – und erst recht zögern, bis sie einem Transport in eine andere Stadt in einem anderen Land zustimmen.

Ein anderer damals junger Mann, der aus Hamburg nach New York gereist war, sah ebenfalls zum ersten Mal etwas von

Eva Hesse im Guggenheim-Museum. Er kannte sie da nicht mal dem Namen nach. In Manhattan herrschte eigentlich Pop-Art, und Eva Hesses organische Skulpturkunst war ihrer Zeit voraus, was nur wenige ahnten. Er auch nicht. Das erste Werk, das er sah, war *Vertiginous Detour*, eine schwarze Kugel aus Acryl und Papiermaché, gefangen in einem Netz, wie Fischer es benutzen, aus dem lackierte Teile einer Schnur hingen. »Seitdem war ich von ihren Arbeiten fasziniert«, erinnert sich Axel Hecht, Chefredakteur, Herausgeber, Spiritus Rector des Magazins »art«, das Hecht stets liebevoll »meine kleine Drucksache« nannte und über Jahrzehnte mit sicherem Gefühl für das, was wichtig, und mit verächtlicher Ablehnung dessen, was unwesentlich war, geleitet und damit auf seine Art die Kunstszene in Deutschland geprägt hat.

Eva Hesse begleitete mich, als ich durch die Ausstellung im Jewish Museum ging. Ich hatte ihre Stimme im Ohr. Außer den objektiven Beschreibungen für das, was allen sichtbar war – *Accretion* oder *Repetition Nineteen* oder die hängenden Schnüre und Taue und Seile vom *Rope Piece*, die letzte Arbeit *Untitled*, dieses Gebilde von Schnüren und Seilen in Latex getaucht, das alles das sein kann, was ich darin sehe, Nervenstränge, Adern, Spinnennetz, aber auch *»nothing«*, wie sie es sah –, hatten die Kuratoren Fred Wasserman und Elisabeth Sussman Sätze und Passagen von jenem Tonband, das Eva Hesse kurz vor ihrem Tod für Cindy Nemser besprach, auf die Audioguides eingespielt. Eva Hesse wirkt angestrengt, äußert sich stockend, spricht langsam unter dem Einfluss von Medikamenten. Aber zwischendurch immer wieder erstaunlich ist die Helligkeit ihrer Stimme, die anmutet wie die eines jungen Mädchens. Sie erklärt, dass sie Werke ohne Titel nicht mag, alles müsse einen Titel haben, auch wenn der keinen Sinn ergebe, es solle eben gut klingen. Deshalb die Wortspiele. Am Ende sei sie halt zu müde gewesen, zu schwach: »I have been so sick, could have died all the time.«

Ich ließ mich mit ihr treiben über *Ringaround Arosie* zu den Schnüren von *Ennead*, von den aufgelösten grauen Rundungen bei *Compart* zu den braunen, am Boden liegenden Halbkugeln von *Schema* und dachte dabei auch an die Katze der Familie Ganz, die diese Kugeln so spannend fand und mit ihnen spielen wollte, als Victor Ganz sie an jenem Samstag Ende November 1968 mit nach Hause brachte. Das Licht von *Repetition Nineteen* umfing mich und die an gläserne Knochen erinnernden hängenden Gebilde von *Connection*, und ich begriff, was Günther Uecker meinte, als er mir das Betrachten von Eva Hesses Werken wie »vorsichtiges Annähern an sensible menschliche Wirklichkeiten« beschrieben hatte.

Im »Drawing Center« in SoHo, wo die hier Geehrte einst ihr Atelier hatte, sah ich nach dem Blick auf ihr Spätwerk dann am Nachmittag desselben Tages ihre frühen Zeichnungen und kleinere dreidimensionale Arbeiten. Beim anschließenden Fest in Thom's Bar feierten Überlebende das Leben und die Unsterblichkeit der Kunst und auch, dass sie sich nach vielen Jahren wieder mal getroffen hatten. Gemeinsam verklärten sie sich die Zeiten, in denen sie *forever young* waren.

Fast alle, die Eva Hesse erlebt und sie mal mehr und mal weniger und mal gar nicht mehr geliebt hatten, waren da. Tom Doyle mit seiner zarten Frau Jane zum Beispiel und Doug Johns und, etwas verspätet, aufgeregt flatternd, Ethelyn Honig und die stille Grace Bakst Wapner, die mit Gioia Timpanelli aus Woodstock gekommen war, und das Ehepaar Lynn aus New Jersey und die uralte Dorothy Beskind, die 1967 für ihren Film »Four Artists« Eva Hesse in ihrem Atelier besucht hatte.

Im Mittelpunkt stand scheinbar alterslos strahlend Helen Charash, ihre Schwester, ohne deren letztes Wort im Eva Hesse Estate nichts geht. Von Iwan Wirth, dessen Galerie Hauser & Wirth weltweit die Interessen von Eva Hesse vertritt, und von Barry Rosen, dem selbstbewusst-sanften Verwalter des Estate, wurde sie nicht etwa umschwärmt, sondern eher behütet. Dass sich manche von denen, die sich einst gut kannten, im Alter nicht mehr so gut erkennen konnten, fiel kaum auf.

In den Wochen, die den Vernissagen folgten, traf ich viele von ihnen wieder. Am Ende aller Gespräche habe ich sie auch um ein Bild aus ihrer Phantasie gebeten für mein persönliches Eva-Hesse-Album. In dem wäre, so wie in der Überschrift dieses Kapitels, ihr Todestag offen. Sie würde noch leben. Wäre zwar alt, aber unter uns. Wie würde sie aussehen, was würde sie tun? Manche hielten mich für meschugge, blieben aber dennoch höflich.

Andere spielten mein Spiel mit.

Gioia Timpanelli kann sich sehr gut Eva als siebzigjährige Frau vorstellen, die Kunst macht, oder, nein, nein, sagte sie dann, eher eine, die was anderes macht: »Ich glaube, sie hätte begonnen zu schreiben.« Dorothy Beskind meint, dass Eva schon immer ein Faible gehabt habe für Film, alles gesehen habe von Godard und von Fassbinder, alle Avantgardisten bei den Kurzfilmtagen in Oberhausen und vielleicht begonnen hätte, selbst Filme zu machen. Grace Bakst Wapner ist sich sicher, dass »tausende Werke entstanden wären, wenn sie hätte leben dürfen«, fügt vorwurfsvoll hinzu, als sei das so ungerecht, man sei damals ja nicht darauf vorbereitet gewesen, »dass Menschen unseres Alters sterben würden«. In Victor Moscoso, ihrem einst leidenschaftlichen jungen Geliebten, bleibt nur eine »ungeheure Traurigkeit, dass sie ihren so riesigen Erfolg nicht hat erleben dürfen«. Hans Haacke lehnt störrisch, wie er nun mal ist, jede Spekulation ab: »Ihre Kunst war faszinierend, aber ich würde nicht wagen, sie irgendwo einzuordnen und einzuschätzen, das wäre vermessen.« Für Naomi Spector ist es dagegen ganz einfach. Für sie lebt die Künstlerin immer noch, »da niemand tot ist, der nicht vergessen ist«. Was aus Eva geworden wäre, welches Material sie benutzt hätte, wisse man aber nicht.

Richtig ist in allen nachgereichten Deutungen, dass ihre

Kunst nicht nur für sie existentiell war, ihre Existenz prägte, sondern lebendig blieb und auf jede Generation existentiell wirkte. Wenn beim Ehepaar Ganz junge Künstler zu Gast waren, haben die zwar die Gemälde von Altmeister Pablo Picasso bewundert, die bei ihnen hingen, »aber getroffen«, erinnerte sich Sally Ganz, »betroffen, berührt, turned on, waren sie von Evas Arbeiten. Die waren einzigartig – sensibel, poetisch und kraftvoll zugleich.« Polly Apfelbaum, die Malerei und Bildhauerei in ihren Werken vereint, wobei manche ihrer Installationen wirken wie zufällig von der Wand gefallene Gemälde, farbig verteilt in Bruchstücken auf dem Boden, sieht Eva Hesse als Wegbereiterin für viele ihrer nachgeborenen Generation, weil sie »uns sozusagen die Erlaubnis erstritten hat, alle Grenzen zu überschreiten, neue Materialien zu benutzen, die unterschiedlichsten Räume zu besetzen«.

Inzwischen hat Eva Hesse im Olymp der Weltkünstler einen Platz. Ihr Werk und nicht etwa die ihr von einigen verschriebene Rolle als tragische Heldin der zeitgenössischen Kunst hat sie unsterblich gemacht. Renate Petzinger zieht einen treffenden Vergleich: »Van Gogh hätte sich hundert Ohren abschneiden können, er wäre nicht berühmt geworden, wenn er nicht seine Bilder auf eine ganz bestimmte Weise gemalt hätte.«

Überhaupt würde es aus vielen Interpretationen stauben und bröseln, noch »mehr als aus den Kisten, in denen die Latexhäute ihrer Werke sich unter den Augen der Restauratoren allmählich auflösen«, schrieb Ruth Händler in »art« anlässlich der Eva-Hesse-Ausstellung im Museum Wiesbaden. Die Betonung liegt auf Latex, alle anderen Kunstwerke von Eva Hesse widerstehen sowohl dem Zeitgeist als auch der Zeit.

Martin Langer, einer von fünf, sechs Restauratoren weltweit, die sich mit dem Material Latex nicht nur auskennen, sondern die mehr als tausendjährige Geschichte von Kautschuk in welchen Formen auch immer kennen, bestätigt zwar, dass man nur die Geschwindigkeit aufhalten kann, in der Latex verhärtet oder zerbröselt wie altes Brot, weil es altert wie ein Mensch, der Falten bekommt: »Aber wir reden von Jahrzehnten, die wir durch Restauration gewinnen, nicht von ein paar Jahren.« Er ist als amtierender Konservator im Eva Hesse Estate hauptsächlich mit ihr beschäftigt und weiß deshalb mehr als jeder andere nicht über die Künstlerin, aber über den Stoff, aus dem sie ihre Werke schuf. Zum ersten Mal war er mit ihr konfrontiert bei der großen Retrospektive, die Helen A. Cooper 1992 für die Yale University arrangiert hatte. Mit dem Stoff Latex hatte er sich während des Studiums beschäftigt und schon dabei hauptsächlich mit seiner Lebensaufgabe, Eva Hesse eben.

Manche Latexarbeiten können zwar nicht mehr auf der Beletage aufgehängt und aufgestellt werden – was sie ja ahnte –, denn diese Kunst ist tatsächlich vergänglich wie das Leben, und das Material hält der Zeit nicht stand. Aber selbst im Depot des Krefelder Kaiser-Wilhelm-Museums, kaserniert neben Gemälden von Mondrian oder Richter oder zwischen Jugendstilmöbeln, haben sie ihre Anziehungskraft nicht verloren.

Augment und *Seam* sind für mich dort aufgebahrt worden. Die mit Latex überzogenen Leinentücher können nicht mehr aufgehängt werden. Walther und Helga Lauffs, Sammler aus Bad Godesberg, haben sie einst zusammen mit einigen Zeichnungen in der Galerie Rolf Ricke in Köln, die Eva Hesse in Europa vertrat, günstig gekauft. *Seam* kostete 8000, *Augment* 11 200 und die Zeichnungen insgesamt 3200 D-Mark.

Martin Langer war, begleitet von Renate Petzinger und Elisabeth Sussman und Evas Schwester Helen Charash, alle gemeinsam in einem VW-Bus unterwegs, vor Jahren einmal zur Begutachtung in Krefeld, hat sich die Werke intensiv angeschaut. Zur Analyse, die dauert, gehört vor allem das genaue Erkunden der Statik – wo in der Arbeit ist eine Spannung, wo ist ein Gewicht involviert, wo herrscht Stress? Zieht sich die Form, die restauriert werden soll, bei der Renovierung zusammen, oder gibt sie nach? Von *Sans III* sind beispielsweise nur noch wenige der neunundvierzig Kuben in der ursprünglichen Form erhalten. Bei *Expanded Expansion* sind zwar Größe und Form geblieben, aber die Flexibilität ist vergangen. Das Leben der Kunst kann jedoch verlängert werden, so wie das Leben des Menschen durch die Kunst eines Mediziners. Arzt Martin Langer nennt die Methoden: kleben, festigen, füllen, beschichten.

Flüssiges Gießlatex hatte sich Eva Hesse in der Canal Street um die Ecke in der Bowery besorgt. Im Vergleich zu Kunstharz ist es individueller nutzbar, der Künstler selbst kann es formen. Eva Hesse verband die statischen Vorteile von Kunstharz mit der Flexibilität von Latex. Geliefert wurde es ihr später direkt ins Atelier von der Firma Cementex, deren Besitzer, ein Japaner namens Niskio, es stets persönlich abgab, weil er nicht der Künstlerin Hesse, sondern viel lieber noch der Frau Eva nahe sein wollte.

Nachdem Martin Langer eine Diagnose erstellt hat, überlegt er sich, welche Behandlung für seine Patienten die beste sein könnte. Teuer ist nicht das jeweils vorgesehene Medikament, das Material, teuer sind Manpower und Zeit. Aber die sind den Einsatz wert. »Ich fände es wunderbar, wenn es gelingen würde, noch einmal alles groß auszustellen, bevor es trotz aller Kunst nicht mehr geht.« Für *Expanded Expansion* zum Beispiel würde Langer etwa anderthalb bis zwei Jahre brauchen. In Krefeld ginge es schneller, aber teuer wäre es auch dort. Also bleiben die Arbeiten im Depot.

Was nach den Gesetzen des Marktes eine Fehlentscheidung ist. Selbst dann, wenn die Restaurierung 50000 Euro kosten würde, könnte anschließend das klamme Kaiser-Wilhelm-Museum in Krefeld, dessen Stadtväter 2006 allen Ernstes planten, Claude Monets *Parlamentsgebäude in London* zu verkaufen, um das Gebäude zu sanieren – es scheiterte am Protest von Martin Hentschel, Direktor der Kunstmuseen –, beide Hesse-Werke auf einer Auktion bei Christie's oder Sotheby's anbieten und locker ein paar Millionen kassieren.

Ich weiß, wovon ich rede, denn ich war dabei, als bei Christie's in New York in der Auktion »Post-War and Contemporary Art« neben vielen anderen Werken – von Andy Warhol, Willem de Kooning, Donald Judd, Claes Oldenburg, Yves Klein, Jasper Johns und Josef Albers – auch zwei Arbeiten von Eva Hesse versteigert wurden. Das eine Objekt war jenes frühe, in Kettwig entstandene *Relief An Ear in a Pond*. Es ging an einen Bieter per Telefon für 2,2 Millionen Dollar weg. Die Vorbesitzer hatten es, ebenfalls bei Christie's, 1992 für 93 500 Dollar ersteigert. Ein *Testpiece*, nicht größer als zwei, drei Fäuste, für *Repetition Nineteen II* erzielte 300 000 Dollar.

Keine Gefahr, dass ich vor lauter Überraschung mit der Hand an den Mund gefahren wäre, um ein *wow!* zu unterdrücken, und dies vom britischen Auktionator Christopher Burge, der stilechter nicht hätte sein können, als Gebot gedeutet hätte werden können. Ich stand hinten im Saal eingepfercht unter Journalisten aus vielen Ländern, und zu uns Wegelagerern schaute der *master of ceremonies* gar nicht erst hin, während Millionen durch den Saal flogen – hier per Telefon von einem Filmproduzenten aus Hollywood, da angeblich vom Komiker Steve Martin, dort per Telefon aus Moskau und jetzt, dieser Junge, schaut hin, der jetzt seine Tafel hebt, soll einen dieser neuen Tycoons aus China vertreten.

Keiner wusste, ob das alles stimmte. Namen sind bei solchen Veranstaltungen zwar nicht Schall und Rauch, denn betucht müssen die Bieter schon sein, und ihre Solvenz ist längst diskret geprüft worden, aber ein gut gehütetes Geheimnis bleiben sie doch. Vor uns saßen dreifach geliftete Ladys mit männlichen Begleitern, die ihre Enkel hätten sein können – es aber bestimmt nicht waren – und diskret aufpassten, dass die Damen nicht lächelten, weil sonst ihre Nähte geplatzt wären. Die lauten Kerle dort, das waren die Wall-Street-Tycoons, die

Kunst wie eine Aktie betrachten und sie nach dem Kauf heute wahrscheinlich nicht mehr anschauen, doch ihren Kurs verfolgen. Die drei in Reihe vier, die kannte ich irgendwoher aus Europa, aber in Wahrheit kannte ich sie natürlich nicht, ich hatte nur ihre Fotos mal in einem bunten Blatt gesehen.

Das Auktionshaus war mit dem Abend zufrieden. Am Ende stand ein Ergebnis von 143,2 Millionen Dollar in seinen Büchern. Ich war beeindruckt. Bis ich ein paar Monate später in der »New York Times« las, dass der Film- und Musikproduzent David Geffen das Bild *No. 5, 1948* des Abstrakten Expressionisten Jackson Pollock für 140 Millionen Dollar an einen natürlich anonym bleibenden Sammler verkauft hatte, also mit einem einzigen Bild, in einem einzigen Deal fast so viel erzielt hatte, wie alle anderen Verkäufe – Gemälde, Objekte, Skulpturen, Installationen – an diesem Abend zusammen erbracht hatten.

Barry Rosen sitzt in einem Café nicht weit entfernt von der Bowery, von deren Schmuddelimage sich die schicke Umgebung längst befreit hat, und deutet beim Frühstück am anderen Morgen nur ein müdes Lächeln an. Der in San Diego geborene Experte, der seit jungen Jahren »Eva Hesse addicted« ist, also süchtig nach ihrer Kunst, kümmert sich zusammen mit Evas Schwester Helen Charash in Abstimmung mit der Galerie Hauser & Wirth in Zürich um ihre Hinterlassenschaft. Er weist mit der rechten Hand nach draußen in den Frühlingstag, die linke hält die Kaffeetasse. »Wenn damals einer hier eine Zeichnung von Eva Hesse gekauft hat, sagen wir mal für 80 Dollar, und die aufbewahrt hätte seit jener Zeit, kann er dafür heute Hunderttausende verlangen.« Was in den sechziger Jahren die Lynns für 400 Dollar kauften und in den Achtzigern für rund 150 000 Dollar verkauften, *Ishtar*, sei inzwischen mindestens das Zehnfache wert. Der Wahnsinn ist gut fürs Business, lässt ihn aber kalt, weil er weiß, dass der Kunstmarkt keinen rationalen Gesetzen mehr gehorcht. »Es ist einfach irre, wie sich die Preise entwickelt haben.«

Mir fällt das Gespräch mit Grace Bakst Wapner ein, die sich gewünscht hatte, dass »Eva hätte erleben können«, wie berühmt sie heute wäre und was die Menschen inzwischen für ihre Kunst bezahlten. Ich könnte Eva Hesse auch berichten, worüber sie bestimmt gelacht hätte, dass ihre Schwester Helen Anfang der siebziger Jahre des vergangenen Jahrhunderts das Relief *An Ear in a Pond*, dessen Versteigerung ich bei Christie's verfolgt hatte, für rund 5000 Dollar verkaufte.

Es gibt viele solcher Geschichten, doch die ließen sich über viele Künstler erzählen. Mit der Geschichte, die zu suchen ich aus Hamburg aufgebrochen war, haben sie nichts zu tun. Als ich damals, eher zufällig, auf Eva Hesse stieß, war sie für mich nur ein Name in einem Kunstlexikon, eine unbekannte Größe. Als ich erfuhr, dass sie in der Straße lebte, in der ich wohne, wurde aus dem Zufall ein Fall, über den ich alles wissen wollte. Erste Hinweise auf ihre Biografie fand ich im Hamburger Staatsarchiv, wo eine Akte Hesse lagert. So begann meine Recherche in ihrer Vergangenheit. Nachdem ich ihre Tagebücher und die ihres Vaters gelesen und nachdem ich mit allen gesprochen hatte, die sie kannten, in Deutschland und Europa, in den Vereinigten Staaten und in Kanada – mit Freunden und Freundinnen, Liebhabern und Ärzten, Künstlern und Galeristen, ihrer Schwester und ihrem Ehemann –, lebte sie mit mir.

Angelangt am Ende meiner Reise ist mir Eva Hesse deshalb so vertraut, dass ich einen kleinen Kieselstein auf ihr Grab lege. Sie soll wissen, dass ich sie besucht habe. Falls wir uns irgendwann dann mal treffen sollten – es muss ja nicht unbedingt bald sein –, werde ich ihr vorlesen, was ich über sie aufgeschrieben habe. Ich könnte ihr aber auch einfach nur erzählen, was Sol LeWitt sagte, als ich mich von ihm verabschiedete: »Sie starb unvollendet und vollendet zugleich. Wie Schubert und Mozart.«

ANHANG

Nachbemerkung und Dank

Die vorliegende Biografie Eva Hesses basiert auf Gesprächen mit:

Stephen Antonakos, Bill Barrette, Dorothy Beskind, Barbara Brown, Helen Charash, Tom Doyle, Samuel Dunkell, Grace Bakst Wapner, Sabine Folie, Rosalyn Goldman, Linda und Hans Haacke, Axel Hecht, Ethelyn Honig, Doug Johns, Kasper König, Peter Könitz, Martin Langer, Sol LeWitt, Wolfgang Liesen, Lucy Lippard, Florette und Ron Lynn, Victor Moscoso, Werner Nekes, Dore O., Renate Petzinger, Barry Rosen, Carl Eduard Scheidt, Jürgen Sielemann, Naomi Spector, Ann Temkin, Gioia Timpanelli, Günther Uecker, Bernd Völkle, Fred Wasserman, Regina Wyrwoll

und Informationen, Fotos, Dokumenten, Tagebüchern, Filmen von:

Eva Hesse, Wilhelm Hesse, Desiree Horbach, Eva Hesse Estate, William S. Wilson, American Art Archives, Allen Memorial Art Museum Oberlin, Gemeentearchief Den Haag, Archiv der Yale University Press, Staatsarchiv Hamburg, Staatsarchiv Niedersachsen (Synagogengemeinde Hameln), Archive des Museum of Modern Art New York, Whitney Museum New York, The Jewish Museum New York, Guggenheim Museum New York, The Drawing Center New York, Dorothy Beskinds Film »Four Artists«, Nachlass Arnhard Scheidt, Nachlass Sally und Victor Ganz und Artikeln aus Zeitschriften und Zeitungen wie:

Artforum, Seventeen, Village Voice, art, Emma, Ms. Magazine, New York Times, Artnews, Arts Magazine, Time, Art International, The New Yorker, Newsweek, New York Post, Aufbau, Die Welt, Saturday Review, Christian Science Monitor, Art in America, San Francisco Chronicle, Feminist Art Journal, Kunstwerk, New Art Examiner, Boston Globe, Los Angeles Times, Art Press, Kritik zeitgenössische Kunst, Forum International, Vogue, Life

und Katalogen zu Eva-Hesse-Ausstellungen

u. a. in Yale, Wiesbaden, Berlin, London, Berkeley, San Francisco, New York, Chicago, Mailand, Köln, Oberlin, Paris, Wien.

Mein Dank gilt
Georg Althammer und *Renate Petzinger*
für Kritik, Anregungen, Widerworte und
das Aufspüren von Fehlern.

Bibliografie

(Auswahl)

Barrette, Bill »Eva Hesse – Sculpture: Catalogue Raisonné«, New York: Timken 1989

Barrette, Bill »Eva Hesse – Sculpture«, New York: Rizzoli 1989

Cooper, Helen A. (Hrsg.) »Eva Hesse: A Retrospectice«, Yale University Press 1992

Corby, Vanessa, und Griselda Pollock (Hrsg.) »Encountering Eva Hesse«, München: Prestel 2006

De Zegher, Catherine »Eva Hesse: Drawing«, Yale University Press 2006

Folie, Sabine (Hrsg.) »Eva Hesse. Das frühe Werk – Die Notizbücher 1964–1965«, Köln: König 2004

Folie, Sabine (Hrsg.) »Eva Hesse. Transformationen – Die Zeit in Deutschland«, Köln: König 2004

Gillen, Eckart (Hrsg.) »Deutschlandbilder«, Köln: Dumont 1997

Göpfert, Rebekka »Ich kam allein. Die Rettung von zehntausend jüdischen Kindern«, München: dtv 1994

Grosenick, Uta (Hrsg.) »Women Artists – Künstlerinnen im 20. und 21. Jahrhundert«, Köln: Taschen 2005

Helfenstein, Josef, und Henriette Mentha (Hrsg.) »Josef und Anni Albers«, Köln: Dumont 1998

Hoffmann-Curtius, Katrin, und Silke Wenk (Hrsg.) »Mythen von Autorschaft und Weiblichkeit im 20. Jahrhundert«, Marburg: Jonas 1997

Lippard, Lucy »Eva Hesse«, New York University Press 1976

Luckow, Dirk »Joseph Beuys und die amerikanische Anti-Form-Kunst«, Berlin: Gebr. Mann 1998

Morisse, Heiko »Jüdische Rechtsanwälte in Hamburg – Ausgrenzung und Verfolgung im NS-Staat«, Hamburg: Christians 2003

Müller, Hans-Joachim »Harald Szeemann, Ausstellungsmacher«, Ostfildern: Hatje Cantz 2006

Nixon, Mignon (Hrsg.) »Eva Hesse«, Cambridge/Massachusetts und London: MIT-Press 2002 (mit Beiträgen von Cindy Nemser, Rosalind Krauss, Mel Bochner, Briony Fer, Anne M. Wagner und Mignon Nixon)

Nolte-Jacobs, Annette »Horror Vacui – Amor Vacui – a really Big Nothing by Eva Hesse«, Wissenschaftliche Hausarbeit zur Erlangung eines Magister Artium an der Universität Hamburg 1992

Perl, Jed »New York Art City«, München: Hanser 2006

Rattemeyer, Volker/McKeon, Elaine/Petzinger, Renate/Sussman, Elisabeth »Eva Hesse«, Verlag Museum Wiesbaden 2002

Reichensperger, Petra »Eva Hesse: Die Dritte Kategorie«, München: Silke Schreiber 2005

Reinhardt, Brigitte (Hrsg.) »Eva Hesse. Drawing in Space – Bilder und Reliefs«, Ostfildern: Cantz 1994

Stiftung Jüdisches Museum Berlin und Stiftung Haus der Geschichte (Hrsg.) »Heimat und Exil – Emigration der deutschen Juden nach 1933«, Frankfurt: Jüdischer Verlag 2006

Sussman, Elisabeth »Eva Hesse«, Yale University Press 2002 (u.a. mit einem Essay von Gioia Timpanelli über die Woodstock Drawings)

Sussman, Elisabeth/Wasserman, Fred (Hrsg.) »Eva Hesse: Sculpture«, Yale University Press 2006

Tietenberg, Annette »Konstruktionen des Weiblichen – Eva Hesse: ein Künstlerinnenmythos des 20. Jahrhunderts«, Berlin: Reimer 2005

Ueckert-Hilbert, Charlotte (Hrsg.) »Fremd in der eigenen Stadt. Erinnerung jüdischer Emigranten aus Hamburg«, Hamburg: Junius 1989

Filme/Video/DVD

Dorothy Beskind: »Four Artists«, Michael Blackwood Production, New York 1987

Victor and Sally Ganz: »Discovering Eva Hesse«, Michael Blackwood Production, New York

Mark Jonathan Harris: »Kindertransport – in eine fremde Welt« (dt. Erzählerin Senta Berger), Warner Bros. Pictures, DVD, 2000

Personenregister

Kursive Seitenangaben verweisen auf Abbildungen im Text.

Orts- und Sachregister

[Auswahl mit den Themenschwerpunkten »Ausstellungen und Vernissagen (AV)«, »Erika Hesse (EH), Arbeiten«, »Kunstmuseen und -galerien (KG)«]

Bildnachweis

Textteil

Artforum, May 1970 (cover): 13
Barbara Brown: 189
Getty Images, München: 16 (Henry Groskinsky//Time Life Pictures), 363 (n.n.)
Michael Jürgs: 26, 139, 151, 155, 278, 320, 328, 349
Werner Nekes, Mülheim/Ruhr: 262 u.li., 262 u.r.:
The Estate of Eva Hesse. Hauser & Wirth Zürich, London: Titelseite (Photo: Herman Landshoff),
35 o., 35 u., 46, 48, 72, 83, 108, 262, 262 o., 262 Mi. (Photo: Richard Goodbody for The Jewish Museum New York), 135, 201. 302 (Photo: n.n.), 198: (Photo:Stephen Korbet), 219 (Photo: Nathan Kernan), 288 (Photo: Gretchen Lambert)
Peter Hujar: 292
Allen Memoiral Art Museum, Oberlin College, Ohio: 295
Privatarchiv: 145, 259

Bildteil

1: © The Estate of Eva Hesse. Hauser & Wirth Zürich, London, Photo: Abby Robinson, New York
2: © The Estate of Eva Hesse. Hauser & Wirth Zürich, London, Photo Susan Einstein, Courtesy The Art Institute of Chicago
3: © The Estate of Eva Hesse. Hauser & Wirth Zürich, London, Photo: Jan Reeves, Courtesy San Francisco Museum of Modern Art
4,5: © The Estate of Eva Hesse. Hauser & Wirth Zürich, London, Photo: n.n.
6,7: © The Estate of Eva Hesse. Hauser & Wirth Zürich, London, Photo: © 1968 Courtesy Fischbach Gallery (Fischbach Gallery records, 1954-1978. Archives of American Art)
8,9: © The Estate of Eva Hesse. Hauser & Wirth Zürich, London, Photo:

© 1968 Courtesy Fischbach Gallery (Fischbach Gallery records, 1954-1978. Archives of American Art)
10: © The Estate of Eva Hesse. Hauser & Wirth Zürich, London, Photo: n.n.
11: © The Estate of Eva Hesse. Hauser & Wirth Zürich, London, Photo: n.n.
12,13 : © The Estate of Eva Hesse. Hauser & Wirth Zürich, London, Photo Installationsansicht Whitney Museum of American Art 1969
14,15: © The Estate of Eva Hesse. Hauser & Wirth Zürich, London, Photo: Installation Yale Univ. Art Gallery, New Haven CT 1992
16: © The Estate of Eva Hesse. Hauser & Wirth Zürich, London, Photo: Installationsansicht Finch College Museum of Art, New York, 1969/1970

Weitere Bücher von Michael Jürgs

BÜRGER GRASS

Biografie eines deutschen Dichters

448 Seiten

Sprachbildhauer. Dichter. Liebling der Frauen. Freund von Willy Brandt. Feind von Marcel Reich-Ranicki: Das aufregende öffentliche und private Leben des Günter Grass. Die Geschichte des Mannes, der 1944 als Sechzehnjähriger aus Danzig in den Krieg zog, der sich alleine durchschlug, der sich Weltruhm erschrieb und der den Nobelpreis erhielt. Die Biografie des Patriarchen aus Kaschubien ist eine deutsche Geschichte – typisch und untypisch zugleich.

DER TAG DANACH

Deutsche Biografien

368 Seiten

Macht und Ohnmacht. Liebe und Tod.
Geschichten vom Tag, der das Leben veränderte.

Michael Jürgs erzählt anhand biografischer Wendepunkte von unbekannten und bekannten Menschen, unter ihnen zum Beispiel: Marius Müller-Westernhagen, Ron Sommer, Rainer Barzel, Thomas Haffa, Björn Engholm, Katrin Krabbe, Rudolf Scharping, Norbert Blüm, Erich Loest, Siegfried Lenz, Anna Augstein, Horst Herold, Hanns-Eberhard Schleyer, Lothar de Maizière, Rudolf Seiters, Egon Bahr, Frank Elstner, Alida Gundlach, Ulrich Wickert, Joachim Gauck, Wolfgang Berghofer, Peter Scholl-Latour, Peter Gauweiler, Tim Renner.